LA SAINTE FOLIE
DU COUPLE

Paule Salomon

LA SAINTE FOLIE DU COUPLE

Albin Michel

22, rue Huyghens, 75014 Paris

ISBN 2-226-07016-8

« Les sexes sont peut-être plus parents qu'on ne le croit ; et le grand renouvellement du monde tiendra sans doute en ceci : l'homme et la femme libérés de toutes les erreurs, de toutes leurs difficultés, ne se rechercheront plus comme des contraires, mais comme des frères et sœurs, comme des proches. Ils uniront leurs humanités pour supporter ensemble gravement, patiemment, le poids de la chair difficile qui leur a été donnée. »

Rainer Maria Rilke.

« Il n'y a pas de plus grande histoire que la nôtre, celle de l'homme et de la femme. Ce sera une histoire de géants, invisibles, transmissibles, une histoire de nouveaux ancêtres.
Vois mes yeux ! Ils sont l'image de la nécessité, de l'avenir de tous sur la place.
L'image que nous avons conçue accompagnera ma mort.
J'aurai vécu dans cette image.
Ce n'est que de l'étonnement devant nous deux,
l'étonnement devant l'homme et la femme,
qui a fait de moi un être humain.
Je sais maintenant ce qu'aucun ange ne sait. »

Wim Wenders, *Les Ailes du désir*.

INTRODUCTION

Comment passer du couple archaïque au couple évolué

Avouons-le, dans la conscience collective la cause du couple est désespérée, coupée de l'amour. Le couple apparaît comme une tentative impossible, un rêve jamais incarné, une promesse jamais tenue, une réalisation toujours reculée. Le couple ne vivrait l'amour ou l'illusion de l'amour que pendant les premiers temps de la rencontre, ensuite tout ne serait qu'aménagements d'associés plus ou moins intelligents pour cohabiter de manière agréable.

Mon expérience et mon regard sont aujourd'hui différents. J'ai découvert que le couple, en nous et hors de nous, s'accomplissait en sept étapes s'emboîtant les unes dans les autres. Ces sept couples, du plus archaïque au plus évolué en passant par le plus conflictuel, révèlent étape après étape un autre visage de l'amour. Connaître ce processus, prendre conscience de cet itinéraire, c'est s'avancer une lampe à la main dans les ténèbres inconscientes du paradoxe amour/haine en ayant l'intuition que l'amour se rencontre et se dévoile au bout de ce voyage en spirale.

Nous n'avons jamais associé la réussite du couple à la notion de changement personnel. Pourtant le couple ne peut rester vivant que dans la mesure où deux êtres évoluent vers eux-mêmes. **Ce n'est pas l'autre qu'il faut vouloir changer dans le couple, c'est soi-même, au sens où chaque être est une fleur en éclosion sous le soleil de la conscience de l'autre.** Les noces intérieures de chacun sont faites de l'équilibre du masculin et du féminin et de la naissance de cet androgyne qu'est l'enfant-soleil ou le soi.

La rencontre de deux êtres peut progresser vers l'alliance de leurs deux noyaux, de leurs deux enfants-soleils.

Ce parcours, qu'il faut bien appeler initiatique, a ses lois et ses clefs et se déroule selon un certain ordre. Aujourd'hui il devient possible de se diriger avec une conscience ouverte dans cette aventure du couple. La rencontre avec soi-même et la rencontre avec l'autre sont inséparables et il arrive un moment où l'enfer, ce n'est plus jamais les autres. La formule se renverse. Le paradis, c'est avec les autres. Le paradis, c'est avec l'autre. Que serait un paradis sans l'autre, sans les autres ?

Ce livre est un outil, un outil de transformation individuelle et collective, une grille de décodage, un plan de parcours. Pour tous ceux qui comprennent leur vie en termes d'évolution, les connaissances que nous pouvons nous transmettre les uns aux autres, de parole en parole, de regard en regard, de livre en livre, sont comme les éléments d'un puzzle. Chacun a sa manière d'assembler ces éléments, chacun a son temps d'intégration. Nous vivons à chaque instant au moins sur deux plans à la fois. Un plan de surface où nous nous agitons plus ou moins frénétiquement, où nous agissons : le plan du faire ; et un plan plus souterrain, celui de l'être, où nous dévidons le fil du sens. Il me semble que chacun d'entre nous hérite de la conscience collective de la planète, de la société et du cercle plus restreint de la famille. L'expérience personnelle fait son miel et son fiel à partir de cet héritage. Écrire un livre c'est contribuer à l'émergence de ce sens collectif et recueillir les fruits butinés au cours d'une vie.

Je propose un instrument de connaissance et d'exploration de soi, de la relation à soi-même et de la relation à l'autre. Je tente d'apporter un peu de lumière dans cet immense et mystérieux continent qu'est l'amour. Je parle de l'aventure du couple, de l'espoir et du projet d'amour qu'il y a dans le couple, ce qui est une manière de faire une jonction, d'établir une « reliance » entre le social et l'individuel. Entre le « je » et le « nous » social, le « nous » du couple établit un pont. **La relation entre l'homme et la femme est fondatrice des valeurs d'une société, portique d'une civilisation.** Plus nous serons conscients de notre conduite collective et individuelle dans cette rencontre de la différence des sexes, plus nous avancerons dans une vie réconciliée.

Ma conviction aujourd'hui, c'est que l'humanité a procédé par essais et erreurs tout comme la science elle-même. Toute différence, y compris la différence des sexes, a commencé par être vécue dans la peur, peur de l'autre, rejet de l'autre. Le désir de vivre, le désir de se reproduire, le désir du plaisir ont été les premières pulsions, accompagnées du désir de mourir et de faire mourir, de souffrir et de faire souffrir. Supprimer, exclure, soumettre ont été les réponses instinctives données à cette peur archaïque. Accepter, cohabiter, apprécier, aimer sont les réponses évoluées pour vivre le désir-plaisir de l'amour. La chance de l'homme et de la femme, c'est de porter l'instinct de cette réconciliation au sein même de l' « attract » sensuel. Pendant des millénaires cela n'a pas suffi pourtant pour éviter le conflit des sexes. Ces deux principes de vie complémentaires se sont férocement exclus mutuellement et rejouent cette exclusion dans nos divorces modernes. La peur archaïque est toujours là et elle continue d'alimenter une réponse inadaptée, conflictuelle.

Comment sortir de ce cercle vicieux ?

Par la connaissance. L'instinct n'a pas suffi, il a fallu faire appel à l'intelligence des choses, et nous verrons que l'humain a encore besoin de découvrir une forme supérieure de l'instinct, une intuition globale et synthétique pour tirer pleinement parti des ressources de l'intelligence.

Tout se passe comme si l'humanité avait expérimenté le règne de la mère puis le règne du père ; et **nous nous acheminons vers l'expérience de la coopération de l'homme et de la femme,** du féminin et du masculin, au-delà des pouvoirs de la mère et du père sur leurs enfants. Pendant longtemps les enfants ont été la propriété de leurs parents ; aujourd'hui, de plus en plus, l'idée que les enfants n'appartiennent qu'à eux-mêmes fait son chemin. Cette civilisation matricielle correspond aux milliers d'années de la préhistoire. La civilisation patriarcale n'a guère que quatre mille ans et la civilisation éclairée ou androgyne se cherche. Un nouveau paradigme est en train de naître, une nouvelle façon de se comprendre et de comprendre les autres, en dehors de toute religion constituée.

Un véritable progrès de conscience ne dépend pas aujourd'hui d'une révélation, d'une promesse de paradis et d'une punition par l'enfer. Le progrès de conscience réside dans l'émergence individuelle à la responsabilité de soi et dans la redécouverte du délice intérieur de la sensation d'amour.

Toutes les formes d'autorité, sociales ou religieuses, ont créé des êtres dépendants, victimes, inférieurs, esclaves d'eux-mêmes et des autres. De plus en plus d'êtres tentent de sortir de ces conditionnements et d'entrer en contact avec le noyau initial qui fait de chacun un être unique, royal, incomparable, sachant mieux ce qui est bon pour lui que tout autre, un être non plus « penché » vers les autres volontairement ou involontairement, mais un être « droit » capable d'écouter ce qui est bon pour lui et d'agir en conséquence, un être responsable de ce qui lui arrive et non coupable. **La culpabilité a toujours été la grande arme de toutes les oppressions et cette arme coupante fonctionne à plein dans le couple.** Deux êtres atteints de culpabilité trouveront tous les prétextes pour se déchirer et joueront la « coulpe » dans le couple. L'anagramme est ici significatif. Ce n'est qu'en extirpant de soi les racines vénéneuses de la culpabilité qu'un être pourra envisager une relation saine avec l'autre, quel qu'il soit. Le coupable a un besoin permanent de culpabiliser l'autre. Deux terrains coupables ne vont cesser ainsi de tourner en rond dans un cercle vicieux qui se renforcera jusqu'à l'éclatement du couple.

La sortie de la culpabilité correspond à ce que j'appelle le Grand Passage. Il se fait par l'intelligence et pour certains enfants actuels il est vécu comme une donnée, un héritage. Ces enfants qui ne semblent accessibles à aucun sentiment de culpabilité attirent l'attention des pédagogues. Ils voient en eux une graine de délinquance. Effectivement il ne suffit pas de récupérer son autonomie de jugement, encore faut-il apprendre à exercer ce jugement au sein d'une valeur : le respect de la vie, la sienne et celle d'autrui. Tout se passe comme si chacun d'entre nous disposait dès la naissance d'une sagesse, d'une capacité à ressentir les choses qui se sclérose sous le poids de l'autorité adulte, en particulier vers six ans, au moment des apprentissages scolaires. L'être perd le sentiment de sa royauté intérieure au profit du sentiment de ne jamais assez écouter l'autre. Coupable de ne pas écouter l'adulte, coupable de ne pas répondre à ses demandes, coupable de sentir ce qu'il sent, coupable de gêner, coupable d'exister... Que de messages destructeurs n'enregistrons-nous pas dans l'enfance ! Une grande partie de notre vie adulte va se jouer en réponse à ce déséquilibre initial.

Comment retrouver le sens de sa valeur? Et comment aimer tant qu'on n'a pas retrouvé le sens de cette valeur ? Il y a au moins deux manières d'aimer.

Un **amour en creux** qui fait qu'on aime pour revenir à niveau, pour essayer de combler ce manque, ce vide qu'on ressent en soi, et un **amour en plein** qui apporte un élargissement de l'être. Le Grand Passage implique deux mouvements complémentaires, la sortie de la culpabilité et le sentiment d'une unité avec tout ce qui est vivant. A partir de là, tout peut commencer.

La sortie des réflexes archaïques de la peur passe par la sortie des conditionnements aliénants, par le dépassement de la relation dominant/dominé, par le respect accordé à tout être vivant, par le refus de l'exploitation de l'autre. Plus je m'accorde le droit à la violence, à la cruauté à l'égard de l'autre et plus j'ai peur. Plus j'ai peur et plus je m'accorde le droit à la cruauté. Plus je tourne dans le sens d'un rétrécissement de conscience et plus ce rétrécissement s'accentue, mais aussi inversement. Plus je m'ouvre et plus la vie m'offre de possibles. Il s'agit donc d'apprendre à faire évoluer les choses dans le sens de l'ouverture. Chaque être humain est confronté à ce choix, consciemment et inconsciemment.

La relation d'intimité du couple ne s'accommode pas d'une relation d'exploitation. Le couple, en tant qu'institution sociale, est bâti sur une relation d'exploitation. Cette contradiction explique à elle seule le sentiment d'urgence que ressentent les observateurs actuels devant la multiplication des divorces. Ne pas se donner la possibilité de défaire ce nœud avant de faire couple, c'est entrer de plain-pied dans l'engrenage de la souffrance.

L'évolution a son parcours. Chacun d'entre nous est amené à rejouer plus ou moins vite la succession des cycles par lesquels l'humain a déjà tenté d'user sa peur de vivre et de mourir. Je propose de distinguer **sept cycles fondamentaux** par lesquels nous sommes amenés à passer et à repasser, jusqu'au moment où nous savons nous stabiliser dans un état d'ouverture heureuse à l'autre.

Le **premier stade** est le stade matriciel du premier couple avec la mère, du premier couple amoureux. Ces états amoureux instinctifs qui répondent oui à la vie enferment l'être dans une bulle bienheureuse mais encore inconsciente d'elle-même, une bulle de dépendance fusionnelle qui ne peut que créer son contraire, une bulle d'indépendance.

Le **deuxième stade** est le stade patriarcal, le stade d'émergence de l'autorité du père, d'émergence dans le couple du besoin de distance individuelle : mon cercle et ton cercle ne sont plus fusionnels. A la faveur de cette distance nécessaire, la peur de l'autre, gommée dans le premier élan, réapparaît et favorise l'apparition du rapport de force. Qui domine qui ? Mes besoins vont-ils passer avant tes besoins ou inversement ? Dans la tradition patriarcale l'homme a été préparé, conditionné à dominer sa femme.

Ce déséquilibre s'enkyste en un certain nombre d'années et fait le lit du **troisième stade,** le stade conflictuel fermé ou ouvert. En fait d'intimité, le couple n'est que lutte : tu es mon ennemi, seule ta défaite me permettra d'exister. Un terrible combat s'engage sur cette illusion. La plupart des couples explosent aujourd'hui à ce stade-là. Autrefois la stabilité sociale exigeait des couples qu'ils restent ensemble dans ce rapport destructeur bourreau/victime et qu'ils s'y consument mutuellement dans un processus infernal.

Le **quatrième stade** est celui du couple éclairé qui parvient, en faisant appel à l'intelligence, à prendre un peu de distance dans ce processus passionné et destructeur. Qu'est-ce qui se passe ? A quoi jouons-nous ? Comment sauver notre couple ? Il y a toujours un moment où cette question se pose. C'est un moment important parce que l'être prend conscience qu'il peut ne plus s'identifier avec ses pensées destructrices, qu'il peut observer ses comportements, ses réactions et apprendre à les maîtriser comme on dresse un animal fougueux. Toute la chance d'un être et d'une civilisation pour sortir des ornières de la peur et de la violence se situe à ce moment-là. En même temps, rien n'est encore gagné. Car il ne va pas suffire de comprendre pour agir et bien des aller et retour, bien des doutes et des espoirs alterneront à ce stade-là.

Le niveau éclairé peut conduire directement au sixième stade, mais la plupart des couples vont faire une halte plus ou moins prolongée au **cinquième stade.** Si l'homme était dominant au deuxième stade, c'est la femme qui va devenir dominante au cinquième stade. Cette inversion des rôles est toujours extrêmement bénéfique pour l'un et l'autre. Elle fait partie du processus d'évolution. L'homme se féminise. La femme se masculinise.

Au **sixième stade** deux êtres sont sur la voie de l'intégration du masculin/féminin, de ce paradoxe qui fait que tout en naissant de sexe masculin ou féminin, chacun est amené à expérimenter de l'intérieur l'autre polarité de l'être. Le sens intérieur du couple est rejoint à ce moment-là et cette prise de conscience permet aux deux partenaires de se regarder sur deux plans, un plan extérieur plus associatif et un plan intérieur plus « relié », plus spirituel parce que plus complet. On hésite à employer le mot « spirituel » tant il a de connotations passéistes et tant il est galvaudé aussi. Rappelons l'étymologie du mot « religieux » : *relié.* Autrement dit : ce qui n'est pas coupé.

L'union amoureuse était instinctive, fusionnelle et toute de fascination. Le mariage patriarcal n'était plus union, mais association et rapport de force. Il faut attendre le sixième couple pour retrouver le mot « union ». Il ne s'agit pas pour autant d'un couple idéal vivant dans des sphères éthérées. Le sixième couple est confronté à la découverte de ses limites dans le jeu dépendance/indépendance, mais il n'est plus guerrier, conflictuel et mortifère. Deux êtres humains expérimentent les jeux du faire et de l'être au-delà du conflit et de l'antagonisme des sexes. Ces amants-amis se donnent mutuellement de grands champs de liberté. Deux consciences libres choisissent encore et encore de vivre ensemble.

Comment faut-il définir cette évolution ? Est-elle linéaire ? Est-on une fois pour toutes parvenu au faîte ou est-on sans cesse menacé de régression ? Ni l'un ni l'autre. Au cours de ces pages nous commencerons à nous familiariser avec la **logique du paradoxe.** La sortie de l'exclusion, c'est aussi la sortie de l'interdit et du péché. Aucun stade n'est mauvais en lui-même. Toutes les situations sont des expériences et comme telles sont l'occasion de sensations et d'apprentissages, l'occasion de plaisirs. Ni le fusionnel, ni le dominant/dominé, ni le conflit, ni l'ambiguïté ne sont dépourvus de charme, à condition de ne pas se trouver prisonnier de ces comportements. Au sixième stade un couple peut réexpérimenter et revivre toutes les situations antérieures, entrer et sortir. D'autre part, chaque fois qu'une nouvelle rencontre se produit, chacun retraverse plus ou moins rapidement tous les stades. Cette rencontre peut être amoureuse, amicale, professionnelle, associative, il y a bien des manières de faire couple avec quelqu'un en dehors de la relation sexuelle. Engager une relation à deux, c'est toujours expérimenter la fascination, la distance, le conflit, la maîtrise raisonnée, l'inversion des rapports, et parfois la cocréation, la coopération véritable. A chaque fois chacun met en jeu sa liberté et son besoin de reconnaissance.

Que peut-on attendre de la compréhension de ce processus ? Quand je vais d'un point à un autre dans un pays, la carte me permet de me repérer, d'imaginer le parcours, de ne pas me perdre, de ne pas m'inquiéter et surtout de ne pas tourner en rond en revenant au point de départ ou en stagnant dans les mêmes zones. La compréhension du **parcours relationnel** procure les mêmes avantages. Parce que je connais les écueils et les cheminements, j'évite de dramatiser, de me bloquer. Je peux même accueillir et écouter ces sensations, à la fois nouvelles et connues, de la fusion ou du rapport de force et tenter d'accélérer les passages s'ils sont lourds à vivre ou douloureux. Ce qui change fondamentalement c'est l'état d'esprit dans lequel je vais vivre ma façon d'apprivoiser cette peur irraisonnée, profonde et archaïque qui surgit en face de l'inconnu, de l'être nouveau.

Entrer et sortir. Il faudra souvent faire plusieurs aller et retour. A chaque voyage le trésor de l'expérience et de la conscience se constitue comme une sorte de fonds de réserve. On représente parfois l'évolution comme une spirale. Les tours successifs se ressemblent mais la circonférence à parcourir est chaque fois plus petite jusqu'à se réduire à un point...

La tyrannie de la force va-t-elle laisser place à l'aventure de la conscience ? L'an 2000 signifie pour beaucoup l'avènement d'un âge de la conscience. Dans la mesure où l'homme crée et réalise ce qu'il est capable d'imaginer, ce rêve-là non plus n'est pas inaccessible. L'époque demande à chacun d'entre nous d'accélérer le développement de sa conscience individuelle. La transformation qui affecte la relation des hommes et des femmes est sans doute l'une des plus importantes, des plus fondamentales de notre histoire. Nous y participons tous à notre mesure, consciemment ou non. Plus nous y participerons consciemment et moins nous souffrirons.

Deux êtres aveugles sur leur vérité intérieure cherchent au cours d'une vie à percer un peu de ce mystère, marchant l'un vers l'autre et se demandant mutuellement un peu de lumière. Épreuves l'un pour l'autre, geôliers l'un pour l'autre, libérateurs l'un pour l'autre, l'homme et la femme, engagés dans un ballet aveugle, arriveront pourtant à crever des voiles d'illusion pour parvenir à la clairière de la conscience. **La nouvelle relation de coopération entre l'homme et la femme constitue le prochain saut de civilisation.** Le « je » retrouve le sens du « nous ». Le développement de l'individualisme n'est qu'une étape. Le retour sur soi est aussi un mouvement pour retrouver l'unité, la « reliance ». Entre le « je » et le « nous », le deux du couple vient s'inscrire de manière providentielle. Le couple est pour chacun un creuset privilégié d'évolution. Au cours d'une seule vie il est possible de traverser les étapes archaïques et de se situer à un niveau d'ouverture et de cocréation avec l'autre, avec les autres. Si simple qu'elle soit, cette carte de l'évolution des comportements du couple apporte de précieux repères pour déterminer où je suis, dans quelle mesure je participe encore du patriarcal ou du conflictuel, dans quelle mesure je navigue entre les écueils du couple éclairé, etc.

Les trois premières étapes représentent un stade de conscience encore englouti dans la dualité, l'enfermement et la peur. La grande frontière pour chacun se situe là. Tant que la vie est pour nous un combat, nous sommes enfermés dans l'illusion de la séparation et nous agissons psychiquement comme des tueurs avec la nature et avec les autres vivants. Ce n'est qu'en parvenant au stade éclairé que le voile commence à se déchirer et qu'une nouvelle vision du monde surgit. Une certaine détente se manifeste au niveau du cœur. La vie n'est plus vécue en majorité

« contre » mais « avec ». Cette frontière est essentielle dans l'évolution, elle correspond à l'ouverture du cœur et tous ceux qui la connaissent savent aussi que pendant longtemps, il s'instaure un va-et-vient dans cette zone, avec des pointes dans des états de conscience plus élevés, plus spiritualisés. L'affectif est souvent la partie la plus difficile à faire évoluer.

En ce sens le couple est aujourd'hui une forme moderne de l'aventure spirituelle, une troisième voie.

Fondamentalement le couple repose sur un espoir de communion des corps et des âmes, même si cette communion reste un horizon rarement atteint. L'intimité est une valeur en hausse dans notre culture, une valeur d'authenticité. Deux personnes qui réussissent à vivre heureuses ensemble sans que cette union se fasse sous le signe d'une aliénation de l'un ou l'autre, deux personnes qui exaltent réciproquement leur créativité, qui réalisent même parfois une œuvre commune, se donnent mutuellement l'occasion d'accéder à une forme d'androgynat personnel.

Le couple n'est ni dépassé ni condamné. Il est à accomplir avec une conscience nouvelle. Il est passé de la fonction de procréation et d'éducation des enfants à sa dimension d'athanor des sentiments, de creuset dans l'exploration de l'intimité, la réalisation personnelle et l'éclosion de la capacité d'amour.

Au cœur du paradoxe, le couple éveillé forme une boucle avec le couple archaïque pour relancer la spirale de l'évolution en sept étapes.

Les 7 étapes du couple

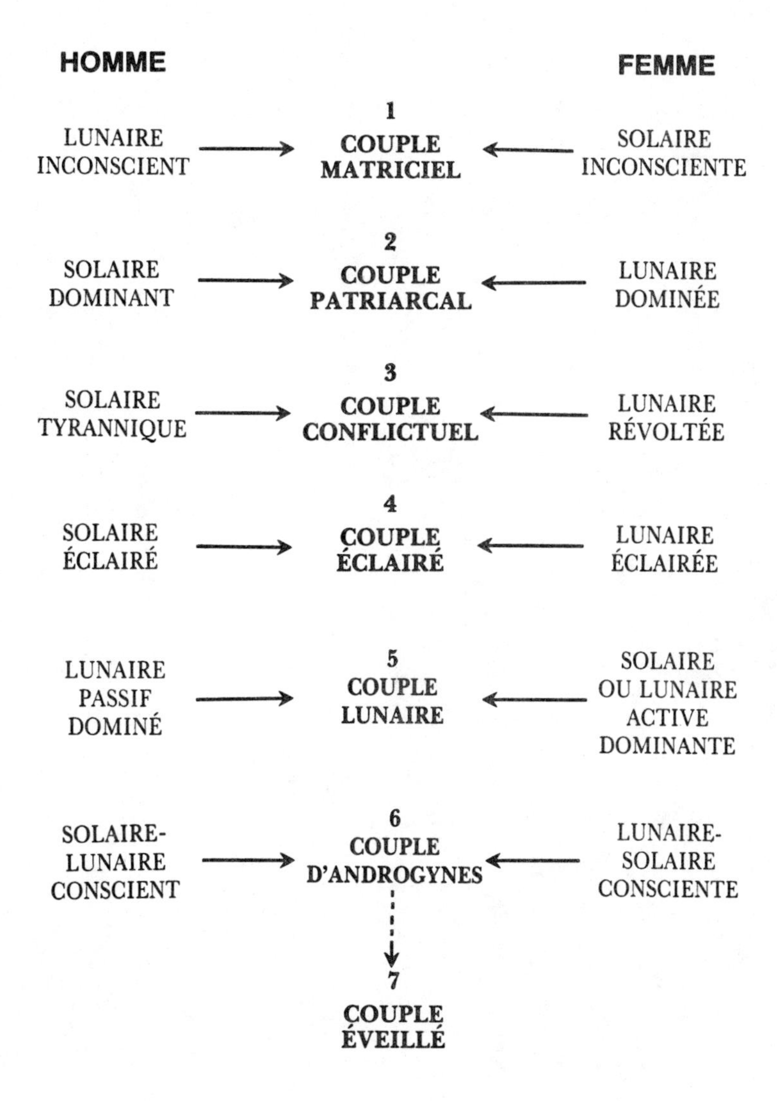

PREMIER STADE

Le couple matriciel

Ô ma fascinante et terrible mère,
me sera-t-il possible un jour
de te traverser ?

Le grand visage de la mère

Le grand visage de la mère constitue le fond de notre vie archaïque. Cette symbiose, cette fusion, que nous avons tous vécue avec notre mère, a construit en nous le sentiment premier d'unité et de félicité, de dépendance et de contact. Nous avons été portés, bercés, chahutés dans son ventre, nous avons perçu les premiers bruits, le son assourdi de sa voix, son intonation. La couleur de ses sentiments a éveillé notre sensibilité. Nous étions cette cire vierge sur laquelle des impressions confuses sont venues s'inscrire. Au cœur de nos cellules nous sommes indissolublement liés à cet être. Ce lien est pour nous un mystère insondable entr'aperçu lointainement depuis les périphéries de notre indépendance conquise. Mais le noyau « infracassable de nuit » reste toujours.

Nous gardons le souvenir de cette place que nous avons prise au creux de l'autre, de cet envahissement et de ce risque de croître aux dépens d'un autre organisme. Cet autre peut nous rejeter ou nous accepter, nous offrir des conditions douillettes de croissance ou au contraire nous menacer et nous tuer. L'amour de la vie que transportait cet organisme nous a colorés. Notre première expérience fondamentale est celle d'une très grande dépendance. Notre sortie du ventre va constituer le premier acte d'indépendance biologique, notre première respiration autonome et, toute notre vie, nous n'allons cesser de nous diriger vers plus d'indépendance, plus de sentiment de liberté, de libération, avec une oscillation continuelle entre désir de dépendance et désir d'indépendance.

Le développement de la conscience individuelle est axé autour de la compréhension, de l'acceptation de cette dualité dépendance/indépendance, avec sans doute la recherche d'un troisième terme à partir de la tension du paradoxe.

La vie a pour nous le visage de notre mère. Quel amour puissant et terrible, quel amour-racine nous tient ainsi prisonniers inconscients, toute notre vie dans la plupart des cas ? Que cet amour soit exprimé, placé au centre d'une vie, ou qu'il soit au contraire refoulé, nié même, l'attachement demeure le même. Nous brûlons d'amour pour notre mère, souvent en toute inconscience. Nous lui apposons, nous lui opposons d'autres visages, d'autres amours, mais ce que nous cherchons dans ces rencontres, c'est retrouver cette troublante symbiose primitive, charnelle, psychique et spirituelle. Flottants, bienheureux et parasites, nous recevions les échos atténués de l'agitation de cette existence toute-puissante, nous apprenions déjà par les sensations de bien-être ou d'inconfort à nous ouvrir ou à nous fermer et peut-être notre attitude dans la vie vient-elle de ce pourcentage de bon et de moins bon ainsi enregistré de manière primaire. Ou bien l'existence s'annonce comme une fête, ou bien l'existence s'annonce comme une épreuve difficile.

Notre mère est pour nous comme une déesse, une grande déesse qui nous donne la vie et qui peut aussi nous la reprendre. Ce double pouvoir fait d'elle une créature d'ombre et de lumière vis-à-vis de laquelle nous nourrissons des sentiments ambivalents de vénération et de crainte. Dès que je suis né, je dépends d'elle pour survivre, je l'alerte et je l'agresse avec mes cris. Je perçois sa réponse qui se veut pleine d'amour, son gros sein qui sent si bon et qui me remplit la bouche. Elle me dispense à son contact un plaisir immense, mais elle me remplit d'une détresse noire lorsqu'elle n'est pas là et que j'ai faim, ou peur, ou mal.

Je perçois aussi son agacement face à mes pleurs qu'elle ne sait pas toujours interpréter et je me sens parfois terriblement abandonné, impuissant; parfois aussi en danger avec elle qui se déteste et me déteste. C'est en elle que je capte le plaisir, la douceur, l'amour, le sourire, la violence, la colère, l'ennui, la tristesse, elle vibre d'une façon qui m'est favorable ou défavorable, je me sens bien ou mal en fonction de ce qu'elle émet, notamment envers moi. Ce sont comme des pseudopodes invisibles qui me caressent ou qui me pincent. Son visage est pour moi comme un soleil avec des rayons. Et parfois les rayons semblent voilés.

Son visage qui se penche est une image floue qui devient au fil des mois de plus en plus précise. Je l'accueille en moi comme un message de plaisir ou de déplaisir selon les cas. Je la vois à travers ce qu'elle est pour moi. Elle est moi. Je l'incorpore à mon sentiment d'espace. Elle est dehors et dedans, j'expérimente la tension du paradoxe. Elle vit en moi et elle m'échappe. Elle m'habite et elle s'éloigne; tout le paradoxe du sentiment amoureux est déjà là. L'univers se construit en moi par elle. Elle est ma première image atteignable/inatteignable. Elle est ma mémoire constitutive et tout se lira, se reliera, à partir d'elle. Je ne sais qu'elle, je ne veux qu'elle, sa puissance est la mienne. En la voyant je me vois et je vois l'univers. Je la désire et je l'incorpore à travers son lait. Survivre et vivre, c'est pour moi absorber, résorber en moi. La voir, c'est l'avoir et c'est être. Le sentiment d'unité est constitutif tout comme le sentiment de la différence. Je est maman. JE EST UNE AUTRE.

La déesse-mère est notre terre d'accueil et notre identité est d'abord féminine, que nous soyons biologiquement homme ou femme. La première identité est psychique, identificatoire, cannibale. Je te mange donc je suis. Je suis toi. La graine de l'amour est tout entière contenue dans ce premier mouvement et toute la longue étape du développement va consister à changer de proposition, à passer de *je suis toi* à *je suis moi* pour revenir au point de départ, dans un autre niveau de conscience.

De la même manière l'humanité, pendant des milliers d'années, a placé dans son ciel le visage rayonnant de la grande déesse et lui a rendu un culte par l'intermédiaire de ses prêtresses. Elle est la bonne mère par excellence, celle qui donne la vie, qui assure la fertilité des récoltes et des ventres ronds des femmes, celle qui reprend aussi la vie, qui stérilise et tue, la bonne mère et la mauvaise mère. Les grandes fêtes orgiaques du printemps honorent son principe, les accouplements se font et se défont dans l'anonymat, dans la célébration de l'intensité du désir, dans la pyramide vibratoire invisible d'une joie profonde à exister, dans la communion paroxystique. L'union des corps conduite dans la pureté du désir conduit à une transformation énergétique de tous les êtres. Le *hiéros-gamos*, l'accouplement rituel, est un dépassement de l'individuel, une manière de se ressourcer dans une fusion primitive et spirituelle. Qu'y a-t-il de plus spirituel pour un humain que de faire l'amour ? Toute cette dimension du spirituel semble bien avoir été découverte à l'occasion de la célébration des corps et de l'accélération respiratoire. Au-delà du besoin, au-delà du sexe, au-delà de la séparation et de l'incarnation, retrouver l'unité, le subtil, l'apesanteur.

Les enfants de la mère

Y a-t-il une possibilité d'échapper à la fascination souvent inconsciente vis-à-vis de la mère ? Pauvres enfants de la mère éternellement dévorés par cette omnisciente, éternellement dépossédés d'eux-mêmes malgré leurs misérables tentatives d'émancipation, de rébellion. Les enfants peuvent-ils échapper à l'image prégnante de leur mère ? Toute une vie ne se passe-t-elle pas à poursuivre l'inaccessible étoile, l'inaccessible fusion avec maman ? La grande déesse-mère de nos origines est-elle dépassable sur le plan de la conscience collective comme sur le plan de la conscience individuelle ? La mort réelle ou symbolique de la mère libère-t-elle les enfants, qu'ils soient aimants, dévots ou rebelles ? Ce qui tient quelqu'un prisonnier, est-ce la mère réelle ou l'idée que chacun se fait de sa mère, ou bien l'idée que chacun se fait de lui-même ?

La civilisation de la mère a duré pendant des milliers d'années de préhistoire et les mythes montrent que la grande déesse de la fécondité était aussi une mère cruelle contre laquelle il fallait lutter pour exister. Toute l'histoire de l'identité masculine s'est construite sur cette lutte. Toute l'histoire de l'identité féminine puise ses racines dans cet héritage biologique qui fait d'elle la souveraine apparente de la fertilité. Face à l'homme en émergence qui combat la mère et la dépossède de sa toute-puissance, la force de la reproductrice va faire place à la faiblesse de celle qui enfante et qui se soumet à la force physique. De cet engloutissement, de ce passage dans l'ombre, la femme va progressivement réémerger puis éclore dans sa force de créatrice solaire. L'homme et la femme, la fille et le fils vont mener une sorte de combat pour sortir de la matrice fusionnelle et fascinante de la grande mère des origines. Leurs chances et leurs difficultés ne seront pas les mêmes.

La mère et le fils

Le fils est toujours un fils-amant de la grande mère. Tous les fils et toutes les mères forment inconsciemment un couple incestueux. L'attrait est puissant. Les mythes de la grande déesse-mère montrent bien que celle-ci investissait son fils-amant du pouvoir de la royauté mais qu'il restait sous contrôle spirituel. Chaque année, au moment des fêtes du printemps, il était destitué de ses pouvoirs, éventuellement mis à mort et remplacé par un autre fils-amant. Au fil du temps, cette destitution et ce meurtre devinrent purement symboliques. Pendant huit jours le roi se trouvait privé de ses fonctions et son effigie hissée en place publique était soumise à l'opprobre du peuple. On peut d'ailleurs se demander s'il n'y a pas là une certaine hygiène dans l'exercice du pouvoir.

Mais l'homme restait sous contrôle de la mère, soumis comme un fils et désirant comme un amant. Il faut imaginer cette femme vénérée et magique qui fait des enfants sans qu'on sache exactement comment, sans que le rôle de l'homme soit vraiment connu dans la reproduction. C'est elle qui a le pouvoir de vie et de mort sur ses enfants, notamment les fils, c'est elle aussi qui donne accès par son corps au plaisir de l'orgasme. Dans les civilisations qui déifient la femme, l'identité masculine est comme un satellite de l'identité féminine. Elle tourne autour d'elle dans la fascination et le désir confus de fusion. C'est une position que je définirais comme lunaire inconsciente. Tous les hommes sont en quelque sorte des fils éternels de la grande mère, plus ou moins livrés à son bon plaisir. Cette situation qui a été celle des premiers millénaires de l'humanité est aussi celle du bébé et du petit garçon d'aujourd'hui.

Beaucoup de femmes admettent volontiers combien l'allaitement est un acte empreint d'intimité érotique et, semble-t-il, plus encore avec un fils : « ce petit corps doux et chaud contre le mien... cette succion obstinée, régulière, très excitante ». Certaines femmes se sentent honteuses de leurs sensations et certains pères éprouvent une jalousie qu'ils n'osent pas s'avouer. La symbiose mère-fils existe et forme couple. Certains hommes ne dépassent jamais cette première dyade ou restent prisonniers dans une partie d'eux-mêmes. Freud a beaucoup insisté sur cette puissance de l'attachement du fils à la mère et il a appelé complexe d'Œdipe la rivalité qui oppose le petit garçon à son père. D'autres auteurs comme Eric Fromm sont venus compléter l'apport de Freud en montrant l'aspect affectif de la demande du petit garçon et non pas seulement son aspect sexuel. Dans son roman autobiographique *Amants et fils*, D. H. Lawrence parle ainsi de son héros Paul : « Il était revenu à sa mère. Le lien qui le rattachait à elle était le plus fort de toute son existence. Elle seule comptait pour lui. Les autres pouvaient rester dans l'ombre sans avoir pour lui d'existence réelle. Sa mère, elle, ne le pouvait pas. Elle était le pivot, le pôle de sa vie et ne pouvait lui échapper. »

Mais la mère ressent aussi un attrait très puissant pour son fils. Comment ne pas être comblée par un regard d'adoration qui accompagne cette affirmation sérieuse : « Quand je serai grand, je t'épouserai » ? Pour certaines femmes, le fils est la personne de sexe masculin avec lequel elles ont vécu leur plus grande intimité. La dyade mère-fils semble se colorer d'une excitation sexuelle qu'il n'y a pas dans l'intimité mère-fille, si forte soit-elle. Dans un contexte patriarcal, la mère peut prendre aussi une certaine forme de revanche sur la supériorité masculine. Le fait de mettre au monde un enfant de sexe mâle la remplit de fierté et lui attire la considération du mari et de la famille. Fierté et sensualité viennent se renforcer mutuellement pour créer un lien souvent unique dans la vie d'une femme. « Comme il me ressemble, comme il me complète », disent certaines mères, les yeux brillants, exprimant cette idée d'un prolongement de soi. Le schéma sous-jacent à toute rencontre, le soleil et l'ombre, le masculin et le féminin, la complétude de l'androgyne, trouve dans le couple mère-fils une expression privilégiée.

Plus le fils et la mère seront conscients de ces désirs incestueux, plus ils pourront les accepter et les vivre positivement, sans drame. Ils sont un riche tissu de sensations dans le sens du « oui » à la vie et peuvent être vécus dans la tendresse, le jeu, la légèreté et la complicité. Mais le père peut se sentir exclu par cette intimité. Il arrive que l'exclusion soit réelle, que la femme, comblée par ce lien nouveau, ne manifeste plus d'intérêt sexuel. L'homme a perdu sa femme, il ne reste que la mère. Dans d'autres cas la jalousie du père se manifeste alors que la femme a l'impression qu'il y a en elle place pour deux amours. Et c'est cette jalousie qui fait problème : « J'en suis arrivée au point où il faut que je choisisse entre mon enfant et mon mari, mon mari ne cesse de dire qu'il a des droits, je le trouve infantile, il ne parvient pas à devenir un père. » Il faut reconnaître que la paternité est un acquis culturel relativement récent et que certains hommes peuvent réactiver des traumatismes d'enfance à la naissance d'un enfant. L'homme ne voit plus alors dans sa femme l'amante d'hier mais seulement la mère qu'elle est devenue.

Si le père montre à l'enfant des sentiments d'hostilité, il va pousser la mère à surprotéger son enfant en fonction de ses agressions. Un cercle vicieux se crée. La famille est constituée de deux clans et les frustrations du mari vont engendrer des comportements et des violences verbales ou physiques qui éloigneront encore la mère et le fils, engendrant de nouvelles frustrations et ainsi de suite. On peut constater que la naissance d'un enfant et particulièrement d'un fils est une cause relativement fréquente de séparation conjugale. La rivalité œdipienne père-fils se cristallise autour de la mère. L'enfant ne parvient pas à s'identifier au père. Dans le conflit qui oppose le père et la mère, il prend la défense de la mère. L'enfant est otage du conflit et il devient un fils qui déplaît au père. Les mères se sentent alors coupables de ne pas savoir défendre le fils contre les agressions du père. Certaines mères vont quitter leur mari pour protéger leur enfant. « J'ai trouvé le courage de rompre parce que j'ai eu honte de ne pas pouvoir protéger mon enfant des agressions de son père. » D'autres vont rester et ce conflit à trois va prendre une intensité toute particulière, au point que le fils va traîner toute sa vie ce conflit avec le père.

En reprenant l'analyse de cette situation à un autre niveau, on peut la décoder en termes de dominant/dominé. En situation patriarcale de dominée, la mère va se venger plus ou moins consciemment de la dominance de l'homme en faisant alliance avec son enfant. Le fils, qui ne parvient pas à faire alliance avec son père parce qu'il se veut le sauveur de maman, engage un combat long et difficile contre l'homme dominant : c'est un combat pour des valeurs. Certaines mères demandent ainsi à leur fils d'être leur sauveur, leur protecteur et partagent plus avec lui sur le plan intellectuel ou affectif qu'avec leur mari. La femme peut aussi être la gagnante du combat des sexes et avoir repris la situation de dominante. Elle saisira alors tous les prétextes pour abaisser son mari, notamment devant son fils qui en souffre mais n'ose pas prendre le risque de rompre l'alliance avec la mère et d'entrer en relation avec son père. Dans l'un et l'autre cas le fils va manquer d'un modèle positif de père.

Ainsi, l'alliance trop exclusive de la mère et du fils va couper le fils d'une relation au père. Et si les parents se séparent, le fils risque de devenir le petit homme de la maison. « Si ma mère avait eu un amant, je n'aurais pas passé ma vie à mourir de soif auprès de chaque fontaine », dit Romain Gary. Il est difficile pour un jeune garçon qui a une relation forte et exclusive avec sa mère d'être satisfait par une autre relation féminine, ou parfois d'avoir envie de s'engager dans une intimité dangereusement englobante.

Beaucoup de mères se perçoivent et sont perçues par leur fils comme omnipotentes. Elles se sentent responsables de tout ce qui lui arrive, son travail scolaire, ses aptitudes sociales, ses problèmes. Mais ces mères généreuses créent des enfants insatisfaits. A leurs yeux elles n'en font jamais assez. Le mari aussi est déçu. Doublement. Il est déçu par l'attitude de sa femme qu'il juge trop faible, dont il critique l'éducation tout en prenant soin de s'en décharger sur elle. Le fils aussi le déçoit parce qu'il n'a pas de bonnes notes à l'école, parce qu'il est insolent. La mère se voit culpabilisée par ses deux hommes, ce qui est pour eux une manière inconsciente de tenter de s'affranchir de sa toute-puissance.

La mère qui s'est consacrée à son fils (ou à ses enfants) se sent abandonnée quand il grandit. L'enfant quant à lui se sent coupable de son autonomie, coupable de la frustration et de la souffrance de sa mère. « Qu'est-ce que je dois à ma mère pour ces années qu'elle m'a consacrées ? » La réponse à cette question peut orienter toute la vie d'un jeune garçon. Certains ne vont pas pouvoir envisager de quitter la ville où elle habite, ou même le pâté de maisons. Une visite tous les jours, tous les deux jours ou toutes les semaines sera la règle. La prise de conscience de cette dépendance peut entraîner une relation conflictuelle qui ne libère pas réellement. Ainsi, cet homme d'une trentaine d'années qui laissait le moteur de sa voiture allumé chaque fois qu'il passait chez sa mère pour lui signifier qu'il n'entendait pas s'attarder. Mais il ne se sentait pas pour autant le droit d'interrompre le rythme suivi de ses visites. Certains grands enfants se considèrent toute leur vie responsables du bien-être de leur mère, de sa revanche sur les difficultés de sa vie. Le fils est la compensation de la mère qui n'a pas pu réussir sa propre vie. Mais rien de ce que peut faire le fils ne peut en réalité combler ce manque. La mère et le fils penchés l'un vers l'autre, s'immolant l'un à l'autre, créent des aliénations réciproques. Ce que peut faire de mieux une mère, c'est chercher son autonomie et ne pas mettre son fils à la place d'un masculin manquant. Le fils qui se trouve lié à la mère dans un tel rôle aura bien du mal à trouver sa place à l'extérieur et à se développer. A cinquante ans certains hommes vont prendre conscience qu'ils ont vécu la vie que leur mère a voulue pour eux, dans le choix de leur métier et parfois dans le choix de leur femme.

La rébellion du fils

Dans les différentes légendes sur la déesse-mère on peut découvrir une évolution significative. D'abord soumis, les fils-amants vont se rebeller, refuser de mourir annuellement, désirer s'approprier la royauté par la force et au besoin aller jusqu'au meurtre de la déesse-mère. La conquête de l'immortalité et du statut de dieu-père sont à ce prix.

Ce qui est en jeu aussi, c'est la négation de la liberté sexuelle de la femme, la possibilité de faire émerger la paternité. Car comment savoir si l'on est le père d'un enfant tant qu'une femme a des relations sexuelles multiples ? Nous sommes là devant une tentative d'appropriation du sexe féminin par la force.

N'y a-t-il pas d'autre issue pour un homme que de tuer sa mère et de contraindre sa femme ? Tragique destin. Qu'est-ce que ce meurtre symbolique ? Il s'agit de sortir de la fascination et de l'identification à la féminité : je suis maman, je est une autre. De commencer à pouvoir dire : je ne suis pas maman, je ne suis pas comme maman, je suis moi.

La sortie de la fusion avec la mère est une entreprise considérable qui n'est peut-être jamais achevée ni achevable.

La féminité imprègne le petit homme dans ses premières années d'existence et l'attend patiemment pour le rejoindre dans la courbe descendante de sa vie, après quarante ans, alors même qu'il l'a écartée dans son affirmation de masculinité. En effet, l'inconscient a toujours la teinte de l'autre sexe, et il se manifeste inéluctablement avec l'âge.

Pour pouvoir dire : je suis comme papa, je suis un homme, je suis moi, le petit garçon est-il obligé de renier sa première expérience de féminité dans le fusionnel ? Ne peut-il se poser qu'en s'opposant ? La définition du masculin est-elle d'abord : « Je ne suis pas féminin » ? Nous sommes bien obligés de constater que l'histoire de l'humanité n'a pas su faire l'économie du combat entre l'homme et la femme, que la différence biologique a fait le jeu de la peur de la différence. Nous avons expérimenté une civilisation de la mère et, depuis quatre mille ans, nous expérimentons une civilisation du père, le patriarcat.

Depuis quatre mille ans le patriarcat représente une entreprise de rébellion contre la mère par l'affirmation souveraine des droits du père. **Le fils a combattu la mère pour prendre son pouvoir et devenir un père.**

Aujourd'hui ce combat reprend sous une autre forme. Les hommes sont toujours confrontés à ce parcours d'évolution primitif et il est sans doute plus fondateur que le parcours dégagé depuis par la psychanalyse : celui du meurtre du père. Un père peut empêcher son fils d'avoir accès à sa femme en tant qu'homme, il peut se positionner comme un rival vainqueur, mais il ne peut pas empêcher son fils d'avoir des enfants, de devenir un père à son tour. La mère, par contre, peut castrer son fils par la manière dont elle cherche à se l'attacher exclusivement.

Les fils du patriarcat vont se ranger au côté des pères et, pour devenir des hommes, vont renier leur mère et leur féminité. Dans le principe au moins, ils seront des êtres invincibles et tout-puissants, des héros capables d'affronter les monstres dévorants et notamment les monstres issus de la féminité qui représentent leur part d'ombre. La part de lumière est réservée à la seule masculinité, le solaire. Il faut sortir vainqueur de ce combat avec l'ombre, avec la mère, avec la femme. Le guerrier farouche, invincible et cruel, comme le patriarche autoritaire, tyrannique, intolérant, despote, isolé et malheureux sont nés de cette opposition radicale entre le masculin et le féminin dévalorisé. Le fils, confronté à ce déséquilibre des polarités masculine et féminine, a deux possibilités : ou bien il se range au côté de son père et il renie sa mère et sa féminité, ou bien il se range au côté de cette mère opprimée et il devient son défenseur, son recours face à son père. Soit il est le fils de la mère, soit il est le fils du père. Dans les deux cas il hérite d'un sérieux handicap pour être heureux, pour être lui-même, pour s'engager dans une voie de réalisation personnelle, de libération et d'apaisement.

La mère et la fille

Si la difficulté du fils est de devoir dire non à l'identification à la mère : « Je ne suis pas comme maman », la difficulté de la fille sera de dire totalement oui à cette même identification : « Je suis maman. » Elle devra introduire une distinction suffisante entre « je suis comme maman » et « je suis maman ». Quand on demande à une femme, quel que soit son âge, de fermer les yeux, d'imaginer le cercle de maman et de visualiser son propre cercle, on a souvent la surprise de constater que les deux cercles empiètent l'un sur l'autre, que celui de maman ne cesse de venir interférer avec celui de la fille, que les deux cercles coïncident parfois étroitement. Le travail symbolique consiste alors à diriger consciemment les deux cercles de manière à ce qu'ils se placent à la bonne distance l'un de l'autre, une distance d'intimité non intrusive et non fusionnelle.

Beaucoup de mères se projettent sur leurs filles et tentent de diriger leurs vies pour que ces filles réalisent leurs rêves ou les confortent dans les valeurs qu'elles ont adoptées. La plupart des parents semblent ainsi chercher à travers l'existence de leurs enfants une confirmation de ce qu'ils ont été ou de ce qu'ils ont rêvé d'être. Les positions vis-à-vis de la sexualité et du mariage notamment sont essentielles. Les parents, souvent, incarnent l'ordre moral et social, le souci des apparences et du qu'en-dira-t-on. Soit les enfants adoptent ces valeurs, soit ils se révoltent, en quête de leurs propres valeurs. C'est le temps de l'exploration adolescente, qui peut se prolonger pendant des années et pourquoi pas, dans certains cas, toute une vie. La pression sur les filles est encore plus forte que sur les garçons car leur virginité avant le mariage a longtemps été considérée comme un gage de moralité.

Aujourd'hui la conscience collective a cependant évolué. La priorité n'est plus pour une fille de trouver un mari avec si possible une bonne situation, mais d'avoir un métier et si possible un bon métier. L'autonomie financière commence à passer avant le mariage. Cependant, l'héritage de la mère à l'égard de la fille repose beaucoup sur les comportements sexuels. Le dit et le non-dit de la mère sur les hommes s'enregistrent de manière indélébile. Le message peut être : « Tous les hommes sont des salauds », ce qui renforcera la complicité féminine, mais ne sera pas sans poser à la fille une difficulté relationnelle importante pendant des années et parfois même toute une vie. D'autres messages vont dans le même sens : « L'acte sexuel est sans intérêt », « Les hommes sont tous des égoïstes », « Ils prennent leur plaisir et c'est fini ».

Quand une fille a une mère soumise, infériorisée, elle refuse souvent de s'identifier à elle et prend son père pour modèle. Elle veut surtout ne pas être comme maman. Pour nombre de femmes c'est une blessure que d'entendre de la part du père et du mari : « Tu es comme ta mère. » Il faut avouer que l'intention est rarement bienveillante dans ce genre de comparaison.

Pourtant, même les filles qui se sont appliquées à se démarquer de leur mère, qui sont entrées en révolte contre elle, se retrouvent avec effarement en train de se comporter comme elle, notamment avec leurs propres enfants. Insidieusement, les modèles que nous avons enregistrés dans l'enfance s'imposent à nous et nous rejouons les mêmes scènes. De manière générale, que l'on agisse comme maman ou qu'on fasse le contraire de ce qu'elle fait, on est prisonnier d'une influence. **Pour être soi-même, il faut avoir dépassé l'imitation et la révolte.** Beaucoup de femmes se réveillent à quarante ans avec l'impression d'avoir vécu le scénario préparé à l'avance par leurs mères, d'avoir vécu pour lui faire plaisir ou pour la contrarier, mais de n'avoir pas vraiment vécu pour soi, à l'écoute de ses propres désirs. Cette dissolution des désirs de la fille dans ceux de la mère est un grand piège. La fille docile et la fille révoltée contre la mère sont deux figures antithétiques de la **fille de la mère.**

Marie-Claude a quarante ans et elle n'a encore jamais pu établir de liens durables et heureux avec un homme. Pendant toute son enfance elle a vu sa mère pleurer et souffrir de la jalousie pathologique de son père. Avec ses deux frères, elle est passée dans le camp de la mère pour la soutenir contre le père. En même temps, elle était révoltée par sa soumission, par certains aspects enfantins et surprotégés. Elle a perçu des messages confus sur la sexualité et elle en a conclu qu'il s'agissait de quelque chose de plutôt trouble et négatif, générateur de problèmes. Dans cette atmosphère tempétueuse et passionnée, les enfants avaient aussi l'impression de ne pas avoir vraiment de place.

Marie-Claude est donc à la fois très méfiante et affamée d'amour. Elle a toujours travaillé et assumé son autonomie financière, elle a cherché à se durcir malgré une apparence très féminine et sa voix a pris quelques inflexions masculines. Comme elle ne s'est jamais engagée dans une relation, elle a gardé une apparence très juvénile, très petite fille, qui traduit son immaturité affective. Elle s'est fortement polarisée contre son père dans sa révolte et ne l'a revu que juste avant sa mort. Elle se considère un peu comme gardienne de sa mère et s'efforce plus ou moins inconsciemment de remplacer son père. Elle a besoin de se libérer de l'emprise des parents et des croyances négatives sur le couple qu'elle a enregistrées pendant son enfance. Elle a besoin de rompre avec la répétition qui fait qu'elle attire à elle des hommes avec qui elle rejoue la tyrannie paternelle. Tant qu'elle n'est pas sortie de cette blessure, elle rejoue le même scénario, l'histoire de son rapport au père, l'histoire de la relation de sa mère avec son père.

La fille de la mère a plusieurs façons d'être fidèle. Ou bien elle reste collée à sa mère au quotidien, elle est satellisée par elle, elle la soigne et la protège jusqu'à sa mort, elle a besoin de son approbation ; elle vit en quelque sorte dans son ombre et à son service, nourrissant des sentiments ambivalents d'amour et de haine, de soumission et de révolte toujours larvée parce que n'aboutissant jamais à une émancipation. Elle peut aussi vivre à quelques kilomètres, ne pas rester plus de deux jours sans l'appeler, l'accaparer, lui demander toutes sortes de service et son avis à tout propos. Tant qu'elle souffre de ses rapports avec elle, tant qu'elle a quelque chose à lui reprocher, quoi qu'elle fasse, où qu'elle aille, même à des milliers de kilomètres, la fille ne sera pas libérée de la toute-puissance maternelle. Qu'elle agisse pour ou contre elle, elle se trouve décentrée.

La fidélité de la fille, c'est aussi d'adopter une personnalité reniée de la mère.

Léa avait eu une blessure difficile dans l'enfance parce que sa mère Gina, qui était une très jolie femme, avait quitté le père et l'enfant pour aller vivre luxueusement avec le patron d'un grand hôtel de la Côte d'Azur. Léa rejoignait sa mère pendant les vacances et était emmenée comme un caniche dans les rendez-vous plus ou moins clandestins de cette jeune femme très courtisée. Il lui arrivait d'attendre pendant des heures, assise, seule sur le banc d'un jardin public, que sa mère soit revenue de ses promenades galantes. Très jeune, Gina connut une fin tragique et Léa fut élevée par un oncle et une tante qui l'adoptèrent. Plus tard elle se maria, désira être la femme d'un seul homme et une mère attentive, d'un dévouement qui n'avait guère de limites, d'un amour très possessif. Léa incarnait le contraire de sa mère Gina.

La fille de Léa, Anne, ressentit vivement ce désir d'emprise de sa mère et lui écrivit dès l'âge de dix ans des lettres de haine qu'elle laissait traîner ostensiblement afin qu'elles soient lues. Anne détestait sentir qu'elle devait être toujours la meilleure et la plus belle. Cette révolte intérieure atteignit de telles proportions que la fillette tomba gravement malade. Elle se rapprocha de son père et bascula en fille du père parce qu'il lui écrivait des poèmes et qu'elle put entrer en contact avec toute une partie fine de lui-même, prisonnière sous une rude carapace. Anne poursuivit désormais brillamment un cursus universitaire.

Quand elle eut à son tour une fille, elle chercha à être une mère différente, à n'exercer aucune emprise sur Claire qu'elle confiait volontiers aux soins de sa mère ou de sa belle-mère. Elle l'éleva dans une atmosphère d'autonomie, de responsabilité précoce, sans se rendre compte que l'enfant pouvait souffrir d'insécurité et de manque d'attention. D'autant plus que Claire se trouva très vite séparée de son père par la mésentente des parents. Anne était une jeune femme libre, indépendante, brillante, mais Claire vivait mal la présence des amants de sa mère. On pourrait dire que le schéma de la grand-mère Gina se répète, à ceci près qu'Anne n'est pas une femme entretenue. Claire à son tour vient d'avoir une petite fille, Sarah, et Claire incarne une personnalité reniée d'Anne, car pour le moment elle donne à sa vie toute la sécurité et la stabilité qu'Anne a pris soin d'écarter. Claire est une fille de la mère qui a très peu connu son père et il n'est pas vraiment étonnant qu'elle ait choisi un compagnon qui a presque l'âge de son père. Elle vit encore un mélange de fascination et de révolte contre cette mère qu'elle admire et à qui elle reproche de s'être trop peu occupée d'elle. Que sera Sarah ?...

Dans ces cinq générations de femmes il s'est joué une alternance. Gina, déjà délaissée par sa mère, n'a pas su être une mère et a cherché un statut d'enfant gâtée auprès d'un homme fortuné. Léa, au contraire, a adopté un modèle de mère attentive et de femme dominante. Anne s'est démarquée en passant dans le camp du père et c'est la plus ambitieuse, la seule intellectuelle de toutes. Claire est revenue dans le camp des mères et a puisé son modèle chez Léa, sa grand-mère.

Il est intéressant de noter qu'Anne s'est désolidarisée du clan des mères parce qu'elle a souffert de cette toute-puissance maternelle et de la défaite paternelle. Cet homme d'une intelligence brillante, qui n'adorait rien tant que la compagnie des autres, qui avait gardé longtemps une grande liberté d'esprit et de comportement dans la société, s'était rangé et conformé à l'idée qu'il se faisait du bon mari et du bon père. Il avait écrit à Anne sa révolte intérieure, il lui avait fait part de ses sentiments, de son malaise, et, parce qu'elle aimait en lui cette étincelle d'audace intellectuelle, son désir de s'élever au-dessus du quotidien et des attitudes convenues, elle était devenue, à son insu, une fille du père.

D'une certaine manière, la fille du père est une variante de la fille de la mère, une fille de la mère qui a changé de camp, qui a refusé de s'identifier à une mère dévalorisée ou à une mère trop puissante.

Le trajet de la fille de la mère consiste à sortir de la soumission à la mère, à aller au bout de sa révolte pour retrouver sa puissance. Il lui restera encore à ne pas se laisser envahir par une dimension masculine desséchante pour enfin connaître le rayonnement d'un amour solaire.

Une femme comme Anne, qui a une mère dominante, devra explorer la soumission et la puissance archaïque de la grande déesse-mère, rencontrer en elle le masculin aimant avant d'atteindre le stade de la femme solaire. En choisissant de s'identifier au masculin dominé qu'incarnait son père, Anne a choisi inconsciemment de libérer sa propre masculinité culturellement prisonnière dans une société encore misogyne. Ce modèle affaibli l'a longtemps détournée de la réussite sociale. Ce n'est que dans la deuxième moitié de sa vie, quand elle commença à accepter de reconnaître sa valeur, qu'elle laissa le succès arriver jusqu'à elle. D'autre part, sa révolte contre une mère dominante l'a longtemps coupée aussi de sa féminité intérieure, de cette fraîcheur et de cette douceur, de cette essence de petite fille qui lui remonte au visage. Le rayonnement de la femme solaire est fait de ce contact de plus en plus fréquent avec l'âme. Quand le

guerrier et la fée bienfaisante se conjuguent dans un être, quand l'un et l'autre sont acceptés, la porte de la sagesse s'ouvre et la vie danse dans une forme de grâce.

La déesse-mère et la fille

La seule histoire de déesse-mère et de fille est une histoire grecque, celle de Déméter et de Perséphone, fille de Zeus. Pendant que Perséphone jouait dans une tendre prairie et cueillait des fleurs, un merveilleux narcisse apparut et, au moment où elle s'apprêtait à le cueillir, la terre s'ouvrit sur le dieu des enfers Hadès qui l'enleva promptement malgré sa résistance et l'emmena dans son royaume infernal. Or, ce rapt n'avait pu avoir lieu qu'avec la complicité de Zeus qui avait lui-même créé ce narcisse. Déméter, informée de la disparition de sa fille, la cherche partout à grands cris. Elle reçoit l'aide d'Hélios, le soleil, qui l'informe du rapt et du rôle joué par Zeus. Dans sa colère Déméter frappe la terre de stérilité. Pour la calmer, Zeus lui propose alors un compromis. Perséphone pourra quitter les enfers si elle n'y a pris aucune nourriture. Mais Hadès lui avait fait manger un pépin sucré. Il fut donc décidé qu'elle passerait la moitié de l'année sous terre avec son époux et l'autre moitié sur terre avec sa mère. Déméter accepta alors de redonner vie à la terre.

De cette histoire nous pouvons retenir que c'est le père lui-même qui met sa fille dans une partie d'ombre, qui l'exclut d'une vie au soleil. La grande mère n'accepte pas cet engloutissement du féminin, elle a encore le pouvoir de s'opposer victorieusement au masculin, d'obtenir un compromis. L'équilibre des pouvoirs entre le masculin et le féminin est tout à fait clair dans la solution trouvée pour Perséphone. Il apparaît aussi qu'il n'est pas sûr que Perséphone ait mangé de force le pépin ; elle a peut-être pris goût à sa nouvelle vie auprès d'Hadès. Elle préfigure la femme soumise. **Placée entre deux figures d'autorité, la mère et l'époux, la fille va de Charybde en Scylla, d'une forme de soumission à une autre, sans jamais avoir été à l'écoute de son véritable désir, sa liberté intérieure.** Et c'est bien ce qui se passe quand une fille ne quitte ses parents que pour se mettre sous la tutelle d'un compagnon.

Sans sa mère, Perséphone perdait toute chance de se retrouver au-dehors. De la même façon, la femme engloutie dans le patriarcat, ou la femme engloutie dans l'amour d'un homme, a besoin du secours d'un grand principe féminin pour s'épanouir au soleil. Les retrouvailles de la mère et de la fille, leur alliance constitue une force de vie essentielle : sans cet accord la terre mourrait. La fille a besoin aussi de se désidentifier de la mère, de se séparer d'elle et souvent le père joue un rôle important dans cette séparation. La fille veut conquérir le père, devenir sa fille-amante, éliminer sa mère. Elle est séduite par un narcisse, séduite par sa propre image reflétée dans les yeux de son père. Hadès est le frère de Zeus, donc un peu Zeus lui-même. L'inceste est toujours présent, au moins psychiquement, et on aurait tort d'attribuer toute la responsabilité au père car la fille désire son père. Elle veut aussi retrouver sa mère, mais son séjour dans le centre de la terre, dans les profondeurs de la sexualité, lui apporte des connaissances indispensables. Elle est donc soumise et complice d'une pseudo-oppression masculine qui l'engloutit et la féconde. De la même manière l'accès à la maternité va l'affaiblir, la menacer et en même temps l'enrichir, l'épanouir dans sa féminité. Toute femme est ainsi une ancienne fille et une nouvelle mère explorant la dépendance et l'indépendance, la soumission, l'obéissance, le pouvoir et l'autorité.

Le couple originel

Le fils comme la fille forment avec la mère un inévitable premier couple fondateur qui va fortement colorer la vie affective. Comment s'est opéré le passage de la dépendance absolue à l'indépendance ? Maman a-t-elle facilité, favorisé la sortie du nid ou au contraire barricadé toutes les sorties ? Les besoins vécus dans la dépendance ont-ils été satisfaits ou le sentiment de frustration a-t-il été dominant ? Maman est-elle une bonne mère ou une mauvaise mère ? Quelle est l'idée majeure qui va émerger des expériences de l'enfance ? Les mauvais souvenirs l'emportent-ils sur les bons ? Maman est-elle partie, est-elle morte prématurément, s'est-elle désintéressée de l'enfant, créant un sentiment d'abandon, une peur compulsive de l'abandon ? S'est-elle au contraire suroccupée de l'enfant, le couvant en permanence, créant une fragilité, une dépendance et finalement la même peur de l'abandon ? Tout déséquilibre va engendrer des déséquilibres.

Si la mère s'occupe de ses enfants dans un esprit sacrificiel, elle reniera un certain nombre de ses besoins propres et cette personnalité reniée interposera une ombre de frustration parfois violente entre elle et ses enfants. Si la mère ne s'occupe que de sa carrière ou de ses amours, elle reniera son désir nourricier à l'égard de ses enfants et une culpabilité souterraine viendra tout ronger sur son passage.

Comment faire pour retrouver une santé relationnelle quand on est un enfant blessé par une mère indifférente ou au contraire possessive ? Comment ne pas traîner toute sa vie ce déséquilibre ? On pourrait parler là de blessure initiale. Elle n'est généralement pas connue, on la porte, on la cache et plus on la cache, plus elle s'exhibe aux yeux des autres. Nous sommes les seuls à ne pas la voir. Nous construisons toutes sortes d'échafaudages pour ne pas nous mettre en face d'elle, nous répétons obstinément les mêmes erreurs, nous affrontons et réaffrontons le monstre intérieur en prenant bien soin d'être sans défense, nourrissant le fol espoir d'être vainqueur et préparant sournoisement notre défaite. Tous les fils et filles d'une blessure à la mère cultivent cette dualité perverse victime/bourreau à l'intérieur d'eux, jeu qu'ils ont intériorisé à partir d'un rapport de force extérieur : je suis la victime de maman et je suis son bourreau. J'ai faim (victime), je pleure (bourreau), je n'ai pas faim et tu me forces (victime), je renverse mon assiette (bourreau). La plupart adoptent aussi, par une forme de fidélité, la personnalité reniée de la mère : si la mère a été une femme de devoir, certains tenteront d'être de joyeux lurons, des marginaux insouciants. D'autres, au contraire, adopteront une copie conforme de son comportement. Il est courant aussi d'entendre dire qu'un homme cherche une femme qui ressemble à sa mère, qu'une fille épouse sa mère dans l'homme qu'elle choisit. C'est avec cette répétition qui se fait à notre insu qu'il importe de rompre.

Quand Jean épouse Isabelle, il ne cherche pas en elle une maman, il vit la fusion amoureuse, le désir toujours renouvelé, il est sans cesse en demande par rapport à elle. Par ailleurs son ambition professionnelle le pousse à investir beaucoup de temps et d'énergie dans son travail, ce qui lui permet de contrebalancer cette passion pour Isabelle. La partie de lui qui se veut autonome n'aime pas cette dépendance amoureuse, il redoute d'explorer son abandon au plaisir et au désir, il se réfugie dans une activité forcenée, il laisse parler en lui l'activiste au détriment de l'enfant joueur et magicien. Il se repose sur le statut du mariage : Isabelle est à lui, Isabelle est à la maison ; peu à peu l'image de la mère vient se glisser sur l'image de l'amante.

Toute femme qui aime un homme devrait s'intéresser à la mère de cet homme et à leurs rapports. La mère de Jean est infirme, elle se déplace avec difficulté et Jean s'est toujours considéré au service de sa mère, une sorte de chevalier servant. Comme tel il s'est toujours senti utile, valorisé mais aussi prisonnier. Il a choisi le métier de docteur, qui répond à ce destin de sauveur dont il s'est senti investi dès l'enfance. Dans cette optique il a souvent renoncé à écouter ses propres besoins, son côté ludique. La bonne mère qu'il aime et protège comme elle l'aime et le protège est aussi la mauvaise mère geôlière. Cette ombre commence à se poser sur Isabelle, qui vit ce malaise sans le comprendre.

Isabelle se tourne vers un autre homme pour continuer à vivre cette ardeur amoureuse qu'elle ne trouve plus auprès de Jean. Pour lui le réveil est brutal, la blessure féroce car sa première femme l'a déjà quitté.

Maman elle-même ne l'a-t-elle pas trahi ? Tous les êtres ne vivent-ils pas une forme de trahison de cette mère qui s'éloigne toujours de l'enfant, qui vaque à ses occupations, qui dort avec quelqu'un d'autre et qui de temps en temps revient et vous prend dans ses bras ? Cette mère qui est à moi est aussi celle qui porte d'autres enfants dans son ventre, qui les allaite et les soigne. Aucun de nous n'échappe à cette blessure de la séparation spatiale et temporelle dans l'amour. Nous qui avons connu la présence constante dans le ventre maternel, nous qui avons eu nos besoins satisfaits instantanément, nous allons découvrir la frustration de l'attente. Nous allons marcher pour rejoindre maman, puis nous allons découvrir que nous marchons aussi pour d'autres rencontres, et pour notre plaisir. Notre autonomie se construit pour répondre à cette frustration première. Certains êtres en restent plus marqués que d'autres et se méfieront compulsivement de toute nouvelle dépendance. Les rapports à la mère seront fortement ambivalents, désir de fusion et désir d'indépendance. Nous allons tout faire pour que maman nous emprisonne et nous allons nous révolter contre ces barreaux psychiques. **Certains êtres, hommes ou femmes, restent coincés toute leur vie dans cette première étape et ne parviennent pas à vivre avec quelqu'un.** La place occupée de façon originelle ne s'est jamais libérée.

Jean, lui, n'est pas de ceux-là mais souterrainement et à son insu il nourrit la croyance qu'une femme ne peut que le trahir et il se conduit de telle sorte qu'il vérifie sa croyance. Passé les premières vagues de la passion, il a bien trop peur du sexe et des sentiments pour ne pas désinvestir la relation au profit de sa vie professionnelle. La jeune femme délaissée et déçue cherche l'amour ailleurs pour que le feu de la passion ne s'éteigne pas. Jean avait choisi Isabelle précisément parce qu'elle incarnait une féminité forte, épanouie. Mais confinée à la maison et sans travail, Isabelle devenait une femme à protéger comme sa mère... Dans le jeu des polarités, maman faible demandait un petit garçon fort, mais un petit garçon à son service, donc un fils de la mère fort en un sens, faible en un autre. Avec sa compagne, Jean va tendre à explorer ce même axe dans lequel il est en déséquilibre. Je cherche une femme forte dont je puisse m'éloigner sans culpabilité et qui soit là quand je reviens.

Mais Isabelle n'est ni si forte ni fidèle. Elle « craque » pour un autre. En pleine blessure rouverte, Jean commence à tourner en rond et à se taper la tête contre les murs. Son métier lui offre une échappatoire et il s'autorise pour la première fois à ressentir les courants qui peuvent circuler entre lui et ses jolies clientes, entre lui et une cliente particulièrement jolie. Il rencontre Julia, vingt ans. L'amour et le désir. Isabelle, elle, a fait un tour de manège. La souffrance de Jean lui a permis d'accélérer la traversée des illusions et déjà elle sait que cette passion-là n'était qu'un feu de paille, qu'elle choisit Jean. Trop tard, il a tourné la tête dans une autre direction.

Isabelle traverse à son tour sa blessure. Son rapport à la mère est particulièrement conflictuel. Elle s'est construite contre elle et elle a le sentiment de ne devoir qu'à elle seule son salut face à une mère menaçante et dévorante. Elle ne lui a toujours pas pardonné ses souffrances d'enfant en manque d'amour.

Désormais l'ombre de la mauvaise mère vient planer sur Jean. Isabelle trouve en lui le bourreau idéal qui rappelle la mère. Elle entame un ballet de fascination et de révolte, cherchant désespérément la sortie. Elle devient de plus en plus dépendante financièrement et affectivement, comme cette mère handicapée... Jean se retrouve entre sa femme et son amante comme entre son devoir et son plaisir, entre ses engagements et ses nouveaux désirs, entre le bon fils d'hier et ce nouvel homme, ce père symbolique qu'il tend à être.

Derrière toutes les situations la conscience continue patiemment son parcours d'évolution, tend à comprendre et à éclore. Ce couple en difficulté est constitué de deux êtres en pleine transformation. En ne tenant compte que de la souffrance vécue dans la passion et la jalousie on pourra lire cette situation de manière dramatique. Du point de vue de la conscience, deux personnes rejouent des blessures anciennes, cherchent à guérir et à trouver de nouvelles ressources. Si très souvent nous répétons encore et encore des scénarios qui se ressemblent, c'est que nous voulons entrer dans notre problématique pour mieux en ressortir. Seule la prise de conscience et l'acceptation profonde d'une faiblesse peuvent nous sauver de souffrances répétitives. L'expérience fait parfois son œuvre, mais on peut gagner beaucoup de temps en s'éclairant par l'intermédiaire de la conscience neutre d'un thérapeute. C'est en prenant support sur lui qu'on trouvera la bonne distance, le nouveau point de vue, le recul nécessaire.

Jean et Isabelle vont-ils rester ensemble? Quoi qu'il en soit, ils grandissent et apprennent à aimer l'autre pour sa beauté et son authenticité. Ils sont allés voir un thérapeute, ils apprennent à connaître qui ils sont, pour eux-mêmes et pour l'autre, et peu à peu la petite graine de la sagesse, de l'autorité intérieure, commence à pousser. Ils vont changer de besoin au niveau de l'amour. L'autre ne sera plus la béquille de leur manque, l'autre sera un compagnon de jeu pour amplifier le bonheur d'exister. C'est bien quand tu n'es pas là et c'est tellement mieux encore quand tu es là. Avec toi et sans toi, d'un pôle à un autre, apprendre à être bien seul et à être bien avec la personne aimée. Apprendre à connaître son talon d'Achille, sa blessure secrète et à ne pas revivre systématiquement sa réactivation dramatique, destructrice. Apprendre à se tenir droit et en équilibre, centré comme un soleil.

Chacun de nous a besoin de connaître sa blessure à la mère pour ne pas projeter sur son compagnon ou sa compagne l'ombre de la mauvaise mère. Dans la tension de ses pôles féminins, que cherche Jean ? Il veut grandir, passer de son statut de fils de la mère au statut de père, puis à un stade plus androgynique. Dans son rôle de femme blessée, Isabelle revit la fille blessée, elle cherche sa force de Grande Déesse, et elle cherche aussi accès à sa complétude à travers l'émergence de sa partie masculine. Le féminin de Jean est à l'image de sa mère, amputé de certaines possibilités, dépendant et inquiet, et cette image tend un piège à Isabelle qui peut ou non y tomber, c'est-à-dire s'affaiblir. Le masculin d'Isabelle est faible, manque de confiance dans ses capacités de réalisation, de stabilité aussi, et cette image tend un piège à Jean qui peut ou non y tomber, c'est-à-dire échouer.

Encore et toujours, la conscience cherche l'occasion d'acquérir plus de plénitude et plus de bonheur. Mais tant que le dessein n'est pas conscient, les vieilles souffrances, les vieux manques rejouent des scénarios d'échec. Le couple archaïque que nous formons tous avec maman conditionne la suite de notre vie affective tant que nous n'avons pas décidé de nous mettre en face de notre vulnérabilité.

La déesse d'amour

Quand la déesse prend le visage de celle qui est née de la mer, de la belle Aphrodite, le désir devient adoration. Tous les adolescents passent par cette phase où la femme est pour eux une déesse merveilleuse, en partie inaccessible et qui les rend fous d'amour. Elle provoque une ivresse continue, elle exerce un charme qu'il n'est pas si facile de rompre.

Les poètes, les artistes sont par excellence les fils de la déesse. Ils voient en elle leur idéal, leur partie féminine idéalisée, et ils cherchent à la servir de mille et une manières, dans le monde profane ou dans le monde religieux. La jolie fille, blonde ou brune et toujours lustrée à souhait, qui fait la fortune des magazines, répond à cet archétype de l'éternel désir amoureux.

Certains hommes ne se décident jamais à former un couple tant leur appétit adolescent à l'égard d'Aphrodite est demeuré fort. Ils vont de femme en femme, consomment éperdument des visages et des corps, relancent indéfiniment en eux la mécanique du désir et du plaisir, sans s'apercevoir qu'ils restent à la périphérie d'eux-mêmes, qu'ils n'entrent jamais dans la rencontre de l'âme et qu'ils se condamnent à une perpétuelle insatisfaction. Ces mêmes hommes sont restés prisonniers de la mère. Ils sont encadrés par elle de toutes parts. Derrière eux, la mère, figure archaïque toute-puissante; devant eux, la femme, source de tous les plaisirs. Quant au monde formé par les autres hommes, il est relégué au rôle de toile de fond, les silhouettes s'y dessinent dans une sorte de brouillard. Les don Juans impénitents sont cependant relativement rares. Après quelques années ou dizaines d'années de libertinage, la plupart cherchent une stabilité affective et sexuelle auprès d'une femme qu'ils admirent pour leur beauté, leur jeunesse, leur réussite, plus rarement leur valeur intérieure, et qu'ils protègent par leur âge, leur expérience, leur statut social ou leur argent. Cette femme incarne un idéal non formulé, inaccessible, quelque chose de l'ordre de la grâce. C'est pour cela qu'elle a été choisie entre toutes et si cette flamme s'entretient, cet homme sera très fidèle par peur de la perdre. Il trouve ainsi accès à une certaine prêtrise non consciente. A sa manière il se consacre — il se consacre à une femme, et, à travers cette femme, à sa propre femme intérieure. S'il a une fille, il répartira parfois entre sa mère, sa femme et sa fille ce besoin de support animique, il leur vouera une forme de culte passionné qui ne va pas sans tyrannie, sans violence à peine contenue.

La déesse d'amour est une promesse perpétuelle de renouvellement du plaisir sensuel. Cette femme que l'on côtoie au quotidien, qui fait les courses, qui se démaquille, qui mange, qui défèque, cette femme « humaine, trop humaine », peut-elle rester la cible de la flèche du désir ? souvent non et parfois oui. Non pour un être qui vit dans la consommation des formes, oui pour un être qui a été touché par une exigence intérieure et qui poursuit cette quête à travers une femme. Les gestes les plus quotidiens sont alors source de plaisir parce que le renvoi au mystère de l'être se fait sans cesse, même de manière inconsciente. Ce n'est pas que la femme soit idéalisée, c'est qu'elle est perçue dans son essence féminine, cet éternel féminin tant chanté et qui parle à un homme de cette partie de lui-même dont il appelle la complétude. Toutes les femmes ne possèdent pas également cette dimension de manière manifeste, mais toutes en sont potentiellement porteuses. Qu'est-ce qui fait qu'un être devient le support de la quête profonde et mystérieuse de l'autre ? Est-ce une question de sexe ? Est-ce une question d'évolution personnelle ? Un être du même sexe peut-il incarner cette dimension pour l'autre ? Une femme pour une autre femme, un homme pour un autre homme ? La société ne favorise pas un tel report. Mais tout être en voie d'androgynat qui a déjà développé des possibles masculins ou féminins va voir converger vers lui des demandes d'amour qui concernent le besoin d'évolution.

L'amour humain entre un homme et une femme est aussi de cet ordre, mais beaucoup plus indirectement, et il s'inverse ou s'épuise beaucoup plus facilement parce qu'il est livré aux fluctuations des peurs et des doutes, des illusions et des désillusions. C'est ainsi que l'amour courtois pour la femme s'est progressivement reporté sur la Vierge Marie, figure de déesse réintroduite dans le panthéon masculin du christianisme. La femme, déesse d'amour sensuelle et sexuelle, est devenue déesse d'amour sublimée, inatteignable mais aussi inaltérable. Et la sublimation n'est-elle pas une réponse à la mesure de l'illusion amoureuse ? L'amour n'est-il pas comme le mirage de deux visages, de deux regards qui se croisent, qui s'entr'aperçoivent, qui croient s'entr'apercevoir, l'espace d'un instant, entre le jour et la nuit, et qui se reperdent dans l'assouvissement quotidien de leurs besoins « humains, trop humains », grossièrement corporels ? Puisque la femme réelle est trop souvent un support décevant du divin et de l'animique, une femme vraiment divine, une femme vierge de tout péché de chair, une femme-mère, une femme lointaine et omniprésente va rassurer la confiance masculine et enfiévrer l'imagination.

Une certaine forme d'amour — la plus pratiquée sans doute — oscille entre narcissisme et idéalisation. C'est par hypertrophie du « moi » que l'homme se cherche une déesse pour femme et se réconcilie avec lui-même à travers elle. C'est par éclatement du « moi » masculin qu'un homme se mire dans une femme idéalisée, sublime, incomparable et cependant faite pour lui, même s'il s'en sent indigne. La déesse d'amour, toute-puissante dans la séduction ou dans la compassion, est encore une figure archaïque sur laquelle l'homme se déleste de son propre désir de toute-puissance et se crée une emprise mortifère pour sa conscience, une aliénation. Et ceci, même si elle est le passage obligé d'une évolution vers plus d'autonomie. Toute relation amoureuse a ceci de positif qu'elle est ouverture à l'autre, qu'elle contient à la fois un processus d'identification et de détachement. Quand elle se bloque sur l'identification, quand l'homme s'oublie lui-même, oublie de s'aimer et de se respecter pour ne plus aimer que la Femme, il se perd dans les étapes du parcours.

Ainsi, la déesse d'amour a deux faces, elle est paradoxe : d'une part, elle exalte et appelle l'homme à se surpasser; d'autre part, elle emprisonne et aliène. Elle est risque ouvert et peut-être étape nécessaire dans l'évolution. Elle est l'instance tierce supplémentaire à la dyade mère-enfant qui fonctionne dans l'autoérotisme. Le désir pour la déesse d'amour sort l'homme de la mère, et la naissance de ce pouvoir de séduction permet à la fille de se différencier, de rivaliser avec la mère, en accédant au statut de déesse d'amour.

Le couple amoureux

Voulez-vous « tomber » amoureux comme les Français ou « monter en amour » comme les Canadiens ?

Dans les deux cas le monde devient riche de possibilités nouvelles, la conscience change. Le monde devient plus vivant, les couleurs plus vives, l'air plus léger, plus odorant. Tous nos sens sont aiguisés. Nous sommes réconciliés avec nous-mêmes et avec tout ce qui nous entoure, nous sommes dans un état de grâce. Jamais les rues de notre ville ou les paysages de notre trajet du matin pour aller au bureau ne nous ont paru aussi merveilleux. « Avant qu'il n'y ait toi, jamais je n'avais entendu chanter les oiseaux... » C'est aussi un état d'hypersensibilité, de disponibilité, d'ouverture, d'élan. Le monde est nouveau parce que nous avons des yeux nouveaux pour le voir. Nous prenons le temps de vivre, d'apprécier et de rêver, nous devenons capables d'apprécier une poésie, de faire une longue marche à pied, de profiter d'un coucher de soleil, d'acheter un cadeau qui est une folie financière. Nous aimons et nous sommes aimés dans une parfaite réciprocité. Nous nous regardons dans les yeux de celui qui nous aime et toutes les critiques que nous nous adressions disparaissent. Nous nous acceptons comme nous sommes et nous acceptons l'autre comme il est. Nous faisons inconsciemment l'expérience de l'amour inconditionnel. Toutes les fonctions critiques perdent de leur pouvoir. Nous ressentons, nous apprécions, nous explorons, nous créons.

Nadia, qui a trente ans, un enfant, des difficultés financières chaque mois, des problèmes de travail, rencontre Yves, et désormais tout lui semble parfait. Elle n'a plus besoin que son appartement soit rangé, que son salaire soit plus élevé, que ses supérieurs soient plus compréhensifs. Non seulement elle se satisfait de ce qui existe mais ses priorités ont changé. Elle s'acquitte de toutes ses tâches dans une optique positive, elle est détendue, épanouie, et son entourage lui répond sur la même longueur d'onde. Parce que tout ce qu'elle fait semble réussir, elle peut être elle-même, elle n'a même pas besoin d'être gentille. Elle a pris confiance puisqu'elle est si inconditionnellement acceptée par la personne qui est la plus importante pour elle. Par contre, son aspect bonne mère commence à passer au second plan, elle dit non à sa fille là où elle a toujours dit oui, elle n'accepte plus de se laisser tyranniser, elle a besoin de temps pour elle et pour être avec son bien-aimé. Elle passe aussi moins de temps avec sa mère mais trouve un équilibre satisfaisant en confiant plus souvent sa fille à sa mère. Celle-ci se réjouit de cette place qui lui est donnée dans la vie de sa petite-fille.

Lorsque nous « montons en amour », notre vision d' « avant » nous semble très étroite. Nous laissons parler notre optimisme. D'une manière générale, cet état va nous permettre de laisser émerger tous les aspects de nous-mêmes qui étaient les plus refoulés, reniés. Nous avons accès à de nouvelles sources d'énergie. Nous projetons sur l'être cher toutes les qualités que nous aimerions posséder dans l'instant. Yves devient le reflet de Nadia et Nadia le reflet d'Yves. Nadia admire chez Yves la fantaisie, le goût de la fête, du luxe, des loisirs, le sens de l'amitié, toutes ces qualités qu'elle a refoulées par manque de moyens financiers. Yves aime chez Nadia son sérieux, son indépendance financière et morale, sa stabilité, son métier. Chacun projette sur l'autre une dimension qu'il porte mais qu'il n'a pas laissée se développer jusqu'alors en lui. Ainsi l'électivité amoureuse, qui fait que ce sera lui ou elle, tient à ce besoin inconscient de faire émerger à travers l'existence de l'autre un élan profond et réprimé. L'autre est l'occasion de devenir plus vivant.

On pourrait dire que l'état amoureux est l'occasion pour nous de laisser émerger la partie enfantine de nous-mêmes, folle et sage, qui est ouverte et qui croit à la magie de l'existence, qui est à la fois vulnérable et forte. C'est cette partie de nous-mêmes qui est capable d'établir un contact intense avec un autre être humain.

Quand on prend soin de son enfant intérieur, on ressent un grand sentiment de force et quand on est amoureux, on assume automatiquement cette position de parent à l'égard de soi-même. C'est aussi l'étape romantique et fusionnelle du couple. Les rêves de deux personnes donnent naissance à une vision commune. On a le sentiment d'être faits l'un pour l'autre, de s'être miraculeusement rencontrés, retrouvés, on a l'impression de créer ensemble une harmonie parfaite, on entretient une illusion d'unité comme si la vieille nostalgie de l'unité primordiale de l'androgyne se réalisait enfin.

Il ne s'agit pourtant pas entièrement d'une illusion mais aussi d'une intuition de ce que pourrait être un amour de qualité, comme la graine de la plante future, comme la carte du voyage possible. Deux personnes partagent leurs espoirs et leurs rêves et se renforcent mutuellement pour les accomplir. « Comme nous nous ressemblons, comme nous nous complétons, comme nous allons bien ensemble ! » « Tu réponds à mes rêves les plus fous. » Chacun des partenaires tient à faire durer ce rêve aussi longtemps que possible, même en déguisant légèrement la réalité. Celui qui se sent vu sous son meilleur jour se sent obligé de se conformer à une fausse image de lui-même. Le dialogue qui s'établit est celui de deux images plutôt que celui de deux personnes réelles. Peu à peu l'énergie de cet échange truqué s'épuise.

Toutes les différences qui ont été gommées vont réapparaître, faire naître des peurs, des combats, des reproches.

Le premier couple d'une vie ou d'une rencontre est toujours très important mais il ressemble à un feu de paille ou à l'état d'illumination ou de bien-être créé par une drogue. On avait l'impression d'avoir tout compris, la vie était simple, et soudain il ne reste que cendres.

Que s'est-il donc passé ?

Tant que Nadia et Yves sont à l'étape amoureuse et romantique, l'aspect mère de Nadia reste bienfaisant même s'il est légèrement répressif : « Ne bois pas trop », de même que l'aspect père d'Yves est protecteur : « Ne conduis pas si vite. » L'aspect mère de Nadia rencontre l'aspect fils d'Yves et l'aspect père d'Yves, l'aspect fille de Nadia. Ces quatre personnages principaux sont en équilibre dans la relation. Les projections elles aussi fonctionnent à plein comme on l'a vu et permettent à chacun de se sentir porteur des qualités qu'il attribue à l'autre.

Le premier enfant

L'ancrage originel entre la mère et l'enfant est très puissant. Une relation complètement symbiotique, une expérience d'unité vient d'être vécue pendant neuf mois. Avec la naissance, tous les deux réapprennent la différenciation, ce qui est un véritable passage initiatique. En présence de cet enfant, le père doit désormais partager sa femme, accepter même que ce partage soit très inégal. Le bébé réclame énormément de soins, de temps. Beaucoup de femmes sont épuisées et peu disponibles. La mère découvre un nouvel amour inconditionnel pour cet enfant avec qui elle peut vivre ce qu'il y a en elle de plus vulnérable. La mère vit une royauté et un état amoureux.

Pendant longtemps, de nombreux pères se sont sentis exclus de cette relation et ont vécu un moment difficile à la naissance. Ils avaient l'impression d'avoir perdu leur princesse, leur femme. Pour certains c'était aussi le passage à la deuxième étape du couple. Ils quittaient tout juste la bienheureuse innocence du couple amoureux. Ceux qui avaient eu une mère perçue comme une mauvaise mère sombraient dans de grandes difficultés avec eux-mêmes, avec le bébé et avec leur femme. Au visage de la bien-aimée se substituait maintenant le visage redoutable de la mère toute-puissante et castratrice. Adieu les rêves du petit prince, adieu la part d'enfance et d'irresponsabilité, la divine légèreté, adieu le statut de fils, il faut devenir un père responsable. Une panique peut alors s'emparer de l'homme qui se sent piégé dans un réseau de devoirs et dépossédé de son plaisir. Car souvent sa femme, accaparée par l'enfant, n'a que peu d'élan sexuel. Certains hommes vont s'exclure délibérément de cette intimité entre la mère et l'enfant qu'ils ressentent et dont ils ne veulent pas s'avouer jaloux. Ils vont alors développer plus ou moins frénétiquement des activités à l'extérieur. Par contre d'autres, ceux qu'on appelle les « nouveaux pères », vont s'efforcer d'entrer dans ce cercle, de toucher, langer le bébé, de s'intéresser aux détails des soins. Une relation à trois peut ainsi s'instaurer.

Pourquoi de nombreux couples avouent-ils que la détérioration du couple a commencé à la naissance du premier enfant ?

Paola et Hervé étaient encore en partie étudiants et expérimentaient un premier emploi quand Paola a su qu'elle attendait un enfant. Jusque-là ils avaient vécu dans l'insouciance et la bohème, la poésie des mots et des formes, et leur soif de culture semblait inextinguible. La venue d'un enfant vint les bousculer et ils commencèrent à s'organiser davantage. Ils trouvèrent un appartement confortable qu'ils aménagèrent avec goût. La grossesse se passait bien et Hervé se stabilisait dans un travail. Paola avait eu une mère très dévouée, pour qui les enfants étaient le centre de sa vie. Dans la lutte qu'elle avait perçue entre son père et sa mère, elle avait eu l'impression que son père était finalement le vaincu, qu'il était d'une certaine façon piégé, enchaîné au cercle familial sans satisfaire ses besoins en tant qu'individu. Paola s'était promis de ne pas reproduire ce schéma familial et peut-être s'était-elle surtout promis de ne jamais ressembler à son père à ce niveau-là. Malgré sa réussite scolaire et professionnelle, elle se sentait toujours rebelle à l'organisation sociale et familiale. Elle était heureuse d'être mère mais elle ne savait pas du tout ce que cela représentait. Elle avait l'impression qu'une femme ne pouvait pas être pleinement femme sans être mère, mais elle se jurait bien de ne pas renier ses propres besoins, de ne pas être sacrificielle comme sa mère ou sacrifiée comme son père. D'avance elle fuyait le modèle « bonne mère » proposé par sa mère. En reniant ce modèle elle risquait fort de tomber dans le schéma mère non conventionnelle, mère rebelle, ou même mauvaise mère.

De son côté Hervé était un petit prince, élevé dans une famille bourgeoise aisée. C'était un fils de la mère, il incarnait le côté artiste de l'existence, celui-là même que son père avait renié en devenant colonel de l'armée française. Au moment de la naissance de l'enfant, Hervé se sentit seul, seul parce que Paola partit à la maternité et qu'il la vit souffrir de longues heures sans rien pouvoir faire. Seul parce qu'elle décida rapidement, dès son retour, de partir au bord de la mer avec le bébé dans sa famille à lui. Après son départ il jeta son habit de père tout neuf et réendossa celui du jeune homme. En quelques jours il avait fait une rencontre, il était amoureux et coupable, bourrelé de remords. Il écrivait peu, sa femme s'inquiétait, une distance se creusait. Quand Hervé arriva à son tour dans le lieu de villégiature, il ne put taire son aventure et Paola se sentit profondément blessée. Son premier réflexe fut de tenter de ressouder l'unité brisée, de reprendre les relations sexuelles pour retrouver le côté fusionnel de leur couple. Mais elle dut se rendre à l'évidence. L'enfant pleurait la nuit. Était-ce la présence du père ? Intérieurement Paola devint de plus en plus furieuse et prit ses distances. Elle commença à le regarder d'un œil critique, elle qui n'avait toujours eu pour lui que de l'indulgence. Elle lui en voulait du peu d'aide qu'il lui apportait. Au retour elle se fâcha parce qu'elle se vit en train de conduire la voiture puis en train de donner le biberon ; il ne savait même pas conduire. Son mépris grandissait. De retour à Paris tout s'aggrava encore.

Elle était le parent responsable et lui l'irresponsable. Mais elle n'en voulait pas non plus de cette responsabilité, de ce côté adulte qu'il refusait. Désormais, entre eux, ce fut à qui en assumerait le moins, ce fut à qui culpabiliserait le plus l'autre. L'impitoyable processus de destruction s'était mis en marche dans ce couple. Comment supporter que l'autre ait un droit de regard sur ce qu'on fait ou ne fait pas, comment supporter cette mise en coupe réglée de tout un rêve de vie, ce rétrécissement qui consisterait à se mettre au service de la cellule familiale alors même que l'excitation de la découverte, du savoir et du plaisir, vous attend dehors et que ces jeunes ailes ont envie d'éprouver la puissance de leur vol. Le couple est déjà condamné parce qu'il est devenu synonyme d'aliénation et que le bonheur désormais se situe partout où il n'est pas. Deux adolescents fous d'amour il y a quelques mois se tournent maintenant le dos comme ils tournent le dos au rôle de parents, au mariage et à la vie d'adulte. Ensemble ils se sont forgé des chaînes et des pièges, en se quittant ils pensent retrouver cette grâce aérienne de l'adolescence. Refusant de construire le nid traditionnel autour de l'enfant, ils vont l'emmener séparément et tour à tour dans leurs errances marginales et vagabondes. C'est ainsi que va prendre fin cette première union, comme beaucoup d'autres premières unions qui n'ont aucun moyen de comprendre, d'atténuer les blessures des malentendus, des dissymétries de comportement, des accusations réciproques.

L'homme-fourmi

Pendant les millénaires de civilisation de la déesse-mère, l'homme était d'une certaine manière un être second, l'être premier étant la mère. Ce stade archaïque n'est jamais totalement dépassé et chaque homme, au cours de sa vie, est amené à le retraverser plusieurs fois. Déjà satellite de maman, il est menacé à nouveau de tourner autour du cercle formé par sa femme et son enfant.

Il est le père, c'est-à-dire le protecteur, le pourvoyeur d'argent, de nourriture et de confort. C'est sa fonction et il court le risque d'être aliéné dans cette fonction, de disparaître en tant qu'être, de ne plus savoir ce qu'il désire, quels sont ses besoins propres. Le voilà partant tous les matins de la cellule familiale pour aller récolter le nécessaire. Responsabilité, labeur et défense guerrière en cas d'attaque, tous ces rôles échoient à l'homme. En retour il reçoit la considération de sa famille, il détient l'autorité du pater familias, il incarne la loi extérieure, l'ordre social. Mais avant d'incarner ce pouvoir il est d'abord un être asservi à une cause qui le dépasse.

Combien de fils de la mère, à la naissance de leur premier enfant, vont sentir resurgir leur adolescence avec une envie de fuite, une impression d'être piégés dans un système de valeurs non choisies ?

Ainsi ce musicien qui s'est cru obligé, à la naissance de sa fille, de vendre tous ses instruments, ce qui signifiait symboliquement pour lui renoncer à une passion qui ne rapportait pas d'argent à sa famille. Ce suicide intérieur ne lui était demandé par personne, pas même par sa femme. C'était sa manière d'exprimer ses doutes sur sa valeur en tant que musicien, sa manière aussi de vouloir tourner la page sur ses rêves d'adolescent ; mais qu'est-ce qu'une vie sans rêves ?

On trouve beaucoup de pères de famille, des jeunes, des vieux, qui s'activent comme des fourmis avec quelque chose de brisé en eux. Ils ont renoncé, ils se sont rendus conformes, ils grossissent, ils encaissent les coups, ils rivalisent parfois durement avec les autres hommes, ils subissent parfois le mépris de leur femme. Ils ne peuvent pas répondre aux interrogations muettes des enfants qui ne savent pas comment les approcher. Ils s'anesthésient pour ne pas sentir qu'ils ont perdu le sens de l'envol et qu'ils rampent.

Il faut savoir que l'homme paie le prix fort pour « fonder » une famille. Il prend le risque de se mettre au service de sa couvée et de perdre sa liberté extérieure et intérieure. Mais d'autre part, s'il ne prend pas ce risque, il reste un éternel adolescent.

On le comprend bien aujourd'hui. L'émergence du père a permis à l'identité masculine de se développer. La coupure entre les deux sexes s'en est aggravée. L'homme s'est approprié le jour et a laissé la nuit à la femme. Surtout, il a décrété que la nuit était le mal et le jour le bien. Nous nous débattons toujours dans cette opposition et cette exclusion. Mais le poids de difficultés et de souffrances qu'il y a dans le rôle de la « dominance » n'est pas moins lourd que pour le dominé. Et surtout, on y perd son âme.

On peut être père physiquement et ne jamais devenir un père pour soi-même et pour les autres, c'est-à-dire quelqu'un qui est le fondateur de sa propre loi, quelqu'un qui approfondit et progresse toujours plus dans sa liberté de conscience. Tel est bien le défi de ce parcours de développement dans l'aventure de la conscience et de l'amour : comment apprendre à ne pas s'aliéner les uns les autres au nom des fascinations de la fusion, puis au nom des peurs de l'individuation. Avec le patriarcat nous allons voir que pour sortir de la mère, le masculin n'a pas pu faire l'économie d'une dominance du père et d'une mise en servage de la femme.

La reine des abeilles

Elle règne toute-puissante sur son mari et ses enfants, elle est solidement ancrée dans la terre et elle prend parfois des proportions impressionnantes dans son corps. Elle est la mère nourricière, bienfaisante, le suprême recours à l'inépuisable bonté. La mamma est au centre de la ruche familiale. Le père et les enfants vont et viennent, mais leur centre de gravité et leur force sont en elle. Elle est la terre dans laquelle ils ont leurs racines et sa puissance est la source de la confiance qu'ils ont dans la vie. Le foyer est son royaume, elle prépare la nourriture et elle est souvent une cuisinière sans pareille. L'assiette qu'elle sert ne se refuse pas. Elle a l'œil sur tout et on ne peut rien lui cacher. Elle surveille, contrôle et sa sollicitude devient parfois de l'intrusion. On ne saurait lui déplaire impunément, ses filles et ses belles-filles se soumettent à sa loi. Pour ses fils elle reste la première femme et tous les succès extérieurs lui sont rapportés comme autant de trophées. Son dévouement et son accueil sont sans limites. Quand elle meurt, tout un pan essentiel s'écroule et certains de ses enfants ne s'en remettent jamais vraiment.

Cet archétype de la bonne mère, racine, reine, cœur et pivot de la famille, est en voie de disparition. Il est comme une survivance des premiers âges et il cohabite parfois avec un archétype masculin guerrier fort et hableur, préoccupé de pouvoir extérieur et de politique. De retour chez lui, le guerrier dépose les armes et se soumet.

On pourrait représenter cette femme avec de grandes racines plongeant dans le sol. Sa force tient aussi à un accord tellurique abyssal. Souvent elle grossit, enfle démesurément, comme si trop d'éléments convergeaient vers sa présence immobile. Cet ancrage dans la toute-puissance de la féminité procréatrice représente une tentation fascinante et un déséquilibre. Tout comme l'ancrage dans la toute-puissance du père va constituer une autre source de déséquilibre.

L'émergence du patriarcat va faire disparaître la mère libre, indépendante, mais la mère-servante ne va pas toujours oublier ses grands pouvoirs archaïques. Deux pouvoirs forts vont rivaliser et s'affronter. **La mère nourricière a un visage d'ombre tentaculaire, on pourrait l'appeler la mère-abîme, celle qui se nourrit sur ses enfants.** Souvent la conscience collective a gommé cet aspect menaçant pour ne plus se souvenir que de sa face lumineuse. L'emprise est d'autant plus redoutable qu'elle est moins perçue, moins avouée.

Traverser la mère

Tout se passe comme si la solution à cette emprise fusionnelle de la mère sur ses enfants n'avait encore jamais été vraiment trouvée sur le plan collectif.

Le patriarcat n'est qu'une réaction à la toute-puissance maternelle et nous n'en sommes pas encore libérés. Peut-être n'a-t-on jamais assez accordé d'attention à cette sortie du cercle de la mère, à ce premier stade. Les garçons et les filles, à l'adolescence, font comme si le cordon ombilical était coupé. La plupart d'entre eux passent d'une dépendance aux parents, et notamment à la mère, à une dépendance affective et sexuelle dans un premier couple. Ils n'ont pas pris le temps de savoir qui ils sont, quelle est leur autonomie en tant qu'être masculin ou féminin, quelle est la valeur qu'ils s'accordent. Comment ne pas être penché vers l'autre dans la relation quand on lui demande implicitement et inconsciemment de remplacer la chaleur maternelle, que l'image de la mère soit positive ou négative. Remplacer ce que j'ai eu ou ce que je n'ai pas eu.

La plupart du temps, **à la sortie du couple avec maman, l'étape de différenciation est bâclée.**

Chaque adolescent se trouve en pleine constitution de son *anima* pour les garçons et de son *animus* pour les filles. Jung a bien montré dans *Les Racines de la conscience* comment le fils va construire les éléments féminins de sa personnalité, mais aussi son image de la femme rêvée, vague et mythique, à partir de son expérience de la mère. Tout le passage entre ce rêve et la réalité de sa partenaire fait partie de son apprentissage de l'amour. De même la fille rêve son animus et devra le confronter, l'ajuster à une rencontre réelle.

Dans une première relation amoureuse la jeune fille, si elle n'a pas confiance en elle, va se comporter de manière à répondre à l'anima du jeune homme. Tout comme la petite fille sait instinctivement séduire son père, le câliner, lui faire des coquetteries et obtenir de lui ce qu'elle veut, la jeune fille va user de son charme tout-puissant. Mais il y a un danger pour elle dans cette attitude. Elle adopte le rôle qui est désiré par le masculin, elle n'est consciente d'elle-même que dans le miroir des désirs de son partenaire, elle perd en partie son autonomie et même le contact avec ses besoins propres. C'est la femme « petite poupée chérie », la femme-objet. Elle est aimée comme un fantasme et non comme une personne réelle.

En prenant conscience de son *animus*, la jeune fille

développe son pouvoir d'affirmation, sa manière de se tenir droite et centrée. Le handicap féminin vient du fait que la déesse-mère est un personnage qui s'est englouti. Le panthéon des dieux est dominé par l'image d'un dieu-père. L'essence féminine est amputée de sa puissance et la petite fille a peu d'images d'une femme qui se suffit à elle-même, qui vit sa plénitude. Le pôle de son indépendance est englouti. En conséquence l'anima de l'homme est, elle aussi, négligée et en difficulté pour s'affirmer positivement. Souvent les femmes ne vont trouver comme solution pour être un peu elles-mêmes, pour incarner leur animus, que de s'accrocher au pouvoir de ce stade maternel (épouse et mère dévouée et dévorante), ou de se construire un comportement masculin.

L'homme et la femme ont partie liée dans leur développement. Tous ces handicaps féminins vont se répercuter chez l'homme, constituer des pièges et empêcher le développement de son *anima*.

Chaque femme doit résoudre le paradoxe entre la femme réelle et la femme rêvée et les réconcilier. Ce rêve est double, le sien et celui qui est perçu dans le regard de l'autre masculin. Sur le plan collectif, quand on dit que la femme d'aujourd'hui veut être à la fois féminine et féministe, on montre par là qu'elle cherche son identité, qu'elle se rêve à partir du rêve de l'homme, et qu'elle prend aussi en compte ses besoins. C'est une nouvelle recherche d'équilibre. « L'aspect sombre de la déesse antique n'a pas encore fait sa réapparition dans notre civilisation, ce qui nous laisse sur une interrogation, car il est évident qu'avec elle un élément important est absent. » Ainsi s'exprime Marie-Louise von Franz dans *La Femme et les contes de fées*.

Il n'y a pas que la face sombre qui nous manque, la face lumineuse de la Vierge Marie est bien trop assujettie au dieu-père pour exercer sa fonction de phare. L'archétype de la femme solaire est en voie de resurgissement. Cette face sombre, c'est précisément le pouvoir de la mère, pouvoir de tuer et de scléroser. Il est là ce pouvoir, mais il est très difficile aujourd'hui encore de le contacter en soi et surtout de l'amener à la claire conscience. L'instinct de la femme est aussi tueur que celui de l'homme. Tout en elle peut être excessif : la sexualité, la pitié, la cruauté... Refouler cet aspect sombre, c'est aussi se priver de le regarder et de le contrôler, et donc d'en vivre la force sans se laisser dévorer.

Les hommes et les femmes d'aujourd'hui ont des problèmes à la mère parce que la sortie de l'influence maternelle ne donne pas lieu à une initiation particulière. Les examens de fin d'études ne peuvent pas suffire à fonder la confiance en soi, même s'ils y contribuent. Les femmes ne connaissent pas suffisamment en elles la puissance qui les fait geôlières.

Nous sommes bercés par un discours lénifiant sur l'amour de la mère et personne ne nous invite à regarder la mâchoire qui se cache derrière.

La graine du premier stade contient tout en elle. Elle est restée enfouie dans l'inconscient collectif pour permettre le développement d'autres aspects, notamment celui de l'*animus* en Occident. **L'anima et l'éros** cherchent aujourd'hui à s'humaniser davantage en faisant à nouveau connaissance avec la déesse-mère, engloutie sous les eaux de l'inconscient.

De la même manière, nous ne sommes pas conscients des parties de nous qui sont encore prisonnières sous la mère, quel que soit notre âge, si bien que le sentiment amoureux reste en nous fusionnel, archaïque, avec son corollaire de haine.

Qui est libéré du premier stade ?

DEUXIÈME STADE

Le couple patriarcal

***Si j'accepte d'entrer dans la cage,
comment pourrons-nous voler ensemble
vers l'amour ?***

La toute-puissance du père

La toute-puissance du père va se substituer à la toute-puissance de la mère. Le patriarcat, ou civilisation du père, est apparu environ quatre mille ans avant Jésus-Christ, ce qui est relativement court comparé aux millénaires de la civilisation de la mère. La paternité n'a pu se développer que par l'appropriation de la femme. En effet, tant que les femmes sont restées libres sexuellement, les hommes ne pouvaient pas savoir quels étaient leurs enfants. Il est intéressant de noter que le culte du dieu-père s'est substitué au culte de la déesse-mère, justifiant la destruction des temples de la déesse où s'accomplissaient des rituels d'union en dehors de toute notion sociale. Deux conceptions du monde s'affrontaient et s'affrontent toujours. La première, la plus ancienne, accorde à la femme une suprématie religieuse, une dignité et une liberté qui englobent l'économique et le sexuel. La seconde met la femme sous le coup d'une suspicion, sa liberté sexuelle est déclarée coupable, son sexe même est dévalorisé, elle passe du statut de mère libre au statut d'épouse-servante et de procréatrice.

Les hommes sont devenus des pères au prix d'un asservissement de la femme et d'un contrôle étroit sur sa sexualité. Tant que l'on n'a pas repris conscience de cette profonde réalité, on ne peut rien comprendre à la guerre des hommes et des femmes, à ce qui les sépare et les réunit.

Le couple proprement dit, dans ce qu'il a de serré, de fatal, de lien paradoxal, a pris naissance à ce moment-là. Il y avait déjà des couples sous l'égide d'une toute-puissance de la mère, mais ces couples restaient très ouverts au changement, peu formalisés, dans la mesure où la filiation était matrilinéaire et la sexualité non réglementée. Le nœud du couple se constitue au stade patriarcal avec ses jeux de maître/esclave et de dépendance réciproque, ses relations de dominant/dominé, de peur et de révolte.

Le rapport de force introduit une perversion de la rencontre spontanée de l'homme et de la femme. Chaque être humain aujourd'hui encore est amené à rejouer ce nœud dans sa propre vie et à le dépasser.

L'émergence de l'homme, la définition de son identité, la découverte du rôle et des sentiments de père se sont faits au détriment de la femme. Était-il possible de faire l'économie de ce nouveau déséquilibre ? Il est bien difficile de répondre. Le déploiement de la force est un réflexe de survie, l'attachement, l'amour sont un luxe. L'histoire de l'amour et l'histoire du couple suivent des voies parallèles sans toujours trouver de passerelles pour se rejoindre.

L'amour est une fleur de civilisation qui continue de chercher à se frayer un passage dans l'humain, qui pousse sur les décombres de la violence. L'homme a armé son bras, le masculin est devenu guerrier et a décrété sa suprématie sur le féminin.

Les trois grandes religions monothéistes vont servir de justification théologique à cette dissymétrie des sexes. La femme devient une créature seconde puis progressivement une créature pernicieuse dont il conviendra de se méfier, qui sera décrétée coupable. Cette entreprise de dévalorisation va très bien réussir, au point que les femmes ont intériorisé ce message et ne savent plus comment s'en libérer.

La religion de la déesse correspondait pour l'homme à un premier stade d'adoration du principe féminin, à une sorte de prolongation de la fusion dans le ventre maternel, de l'extase symbiotique vécue dans ses bras, au contact de son sein. Elle est l'expression du rapport à la bonne mère nourricière. Au contraire la religion du dieu-père exprime l'affirmation du monde des hommes, le fait de tourner le dos à la mère, la montée aussi de l'angoisse d'une mère castratrice qui le menace dans son intégrité et sa virilité. Le patriarcat est la mise en scène d'une croyance dans l'aspect mauvaise mère de la femme. Les millénaires de la déesse-mère avaient permis d'expérimenter la croyance dans l'aspect bonne mère. Les deux pôles ont leur part de vérité mais, pris séparément, ils deviennent des outrances et des sources de déséquilibre.

Tout se passe comme si la conscience n'avait pas trouvé d'autre moyen que d'expérimenter isolément chacun des deux pôles avant d'envisager une **troisième voie.** Ce qui s'est passé dans l'histoire collective se reproduit dans l'histoire individuelle. Après le stade fusionnel et amoureux de la rencontre, le couple établit ses bases sociales et se trouve confronté au stade de la distance avec son corollaire dominant/dominé. Le premier stade est un stade d'unité fusionnelle indifférenciée. L'homme, fasciné par la femme, est englobé par elle, le masculin se définit comme au service du féminin. De même la mère avec son enfant, de même encore le couple amoureux baigné d'une grâce qu'on pourrait dire féminine.

L'expérience du deux n'intervient véritablement dans l'histoire qu'avec le patriarcat et, dans le couple, qu'avec la différenciation.

A elle seule la différenciation ne signifie pas **dissymétrie,** il a fallu que s'introduise un autre élément pour qu'un mouvement de bascule s'opère et que le masculin domine le féminin. Cet élément est un mécanisme universel qui se retrouve à tous les stades d'évolution : c'est **la peur de la différence,** la peur de l'Autre. Chacun de nous a besoin de prendre conscience encore et encore de cette peur qu'il nourrit au plus profond de lui-même et qui ne s'estompe que par éclairs privilégiés. Tous les désirs d'amour achoppent sur cet écueil fondamental. Combien de fantasmes et de projections sur l'autre vont se construire à partir de cette peur ! Quelle terrible violence, quel désir de meurtre va s'accumuler à l'intérieur de l'être et l'emmurer vivant !

Nous ne pouvons pas faire l'économie de cette peur et de cette violence qui sont au service de notre survie, nous pouvons seulement apprendre à les connaître et à les maîtriser, nous pouvons les civiliser.

Le patriarcat est une organisation sociale qui répond à la peur de l'homme à l'égard de la femme, peur de cette fascination qu'elle exerce, peur que ses bras ne se referment sur lui, peur qu'il ne puisse grandir, se développer, devenir lui-même, peur de sa toute-puissance de mère. On a vu que cette peur n'est pas sans objet. D'une certaine manière la mère est peut-être à jamais pour un être — homme ou femme — une matrice englobante, avec laquelle il faut composer sans espoir de la traverser jamais. La femme s'en accommode à sa manière, en gardant un fonds de méfiance à l'égard des autres femmes. Et c'est peut-être en prenant appui sur cette faille dans le psychisme féminin que les hommes vont pouvoir mettre en œuvre leur domination. Car une question se pose. Les hommes ont asservi les femmes sans doute par la violence, ils ont écrasé le culte de la déesse-mère parfois dans le sang, mais il faut bien quand même que les femmes aient été complices, au moins dans une partie d'elles-mêmes. La relation à la mère pourrait bien être à l'origine de toutes ces constructions. Tout s'est passé somme si les femmes avaient préféré l'emprise de l'homme à l'emprise de la mère. Toute la légende de Perséphone prend ici son suc.

L'identité masculine

Pour devenir un homme, le petit garçon doit d'abord se différencier de sa mère. Sa première affirmation consiste à se vivre comme un prolongement de sa mère : « Je suis maman. » Son second positionnement introduit un non tonitruant, lourd de conséquences : « Non, je ne suis pas maman » ; à quoi s'ajoute : « Non, je ne suis pas une fille. » Ce non est celui de la coupure, du rejet et du combat. Un troisième non vient s'ajouter : « Non, je ne suis pas le bébé de maman. Oui, je suis moi, je suis comme papa, je suis un garçon. »

Pour constituer son identité, le petit garçon va devoir renoncer à sa mère et à la féminité. Le masculin se définit donc d'abord par la mise en œuvre de manœuvres de défense : ne pas être féminin, tendre, passif, dispensateur de soins aux autres... Il se sent menacé par ce modèle fascinant et toute la difficulté de son développement vient du fait qu'il doit pouvoir dire ce non sans blesser son féminin intérieur. Sur le plan biologique aussi, l'embryon est d'abord XX, c'est-à-dire féminin, et le masculin XY se construit contre cette féminité première. Tout se passe comme si, pour devenir mâle, il fallait vivre une lutte. Les qualités masculines vont être la force, le courage, la responsabilité, mais aussi l'indépendance, la création, la rationalité et la possibilité de l'exercice du pouvoir. Notons que c'est justement l'homme menacé par sa dépendance à la mère qui s'approprie le pôle farouche de l'indépendance. Comme il s'approprie le pôle glorieux de la création, lui qui ne peut faire ses enfants lui-même. Il imagine des dieux comme Zeus qui font sortir leurs enfants de leur tête ou de leurs bras. Il affirme à travers Aristote que la femme est un « mâle stérile », un « mâle estropié », que seul le mâle est divin et que sa semence contient le principe de l'âme.

Pour combler ce déséquilibre initial (c'est la femme qui fait les enfants), l'homme ne cesse d'affirmer sa supériorité dans tous les domaines de l'action. L'homme du patriarcat, l'homme sorti de la fascination de la femme, est un guerrier, un être bâti sur le non, la lutte. La priorité consiste à triompher des difficultés, à être victorieux. Être un homme, c'est d'abord ne pas être une femme, puis ne pas être un homosexuel. La prise de pouvoir sur la femme est terrible intérieurement et extérieurement : l'homme se positionne comme vainqueur et la femme comme vaincue. Le mot d'ordre du guerrier c'est aussi : tuer la femme qui est à l'intérieur de soi, autrement dit tuer la partie tendre et vulnérable.

Ce programme a toujours plus ou moins échoué. La féminité est comme une princesse sous les eaux, on peut l'engloutir dans les profondeurs, mais elle ne disparaît jamais, elle peut resurgir à tout instant. Il y a donc un leurre dans l'idéologie du guerrier. Le modèle proposé est inaccessible. **Il introduit sur le masculin un mensonge personnel qui va peser lourd sur le mal-être du mâle.** L'homme macho se doit de se montrer dur, solitaire, invulnérable, supérieur. Il triomphe de tout et de tous, il reste impassible dans toutes les situations, il est une bête sexuelle ne s'attachant à aucune femme et il n'a pas peur de la mort. L'outrance du modèle est à la mesure de la réaction à la dépendance vis-à-vis de la mère. Toute réaction est encore une aliénation, mais il faudra des milliers d'années pour que cette identité soit profondément remise en cause dans la conscience collective. Nous savons bien sûr que ce modèle sévit toujours et peut-être plus que jamais à travers les héros de films. Les héros légendaires, Ulysse ou Robin des Bois ou même les cow-boys, traversaient toutes sortes d'épreuves et se devaient de ressortir victorieux ; en ce sens ils étaient invincibles, mais ils suscitaient l'attendrissement par leurs difficultés et ils restaient des héros au grand cœur. Les héros modernes comme Rambo ou Terminator, les agents secrets ou les requins de la finance et de la politique, sont davantage des machines à tuer implacables, d'une invincibilité inhumaine, à qui toutes les horreurs sont permises quand ils se trouvent du côté de la bonne cause. Insidieusement et plus que jamais, la fin justifie tous les moyens. Celui qui veut le pouvoir doit être un tueur. Tous les inconscients sont encore profondément colorés par cette identité-racine du masculin et peu d'êtres sont conscients d'agir en réponse à ce soubassement.

Ainsi les consciences masculines sont dans une torsion puisque la démonstration de la virilité leur demande un déni de ce qui en eux demanderait abandon, vulnérabilité, confiance. Après quelques milliers d'années de civilisation chrétienne nous savons pourtant que tout ce qui est interdit, tout ce qui ne peut pas s'exprimer ne fait que se renforcer souterrainement pour jaillir brutalement. C'est ainsi que les durs craquent parfois au niveau de l'écorce, de l'armure et révèlent un intérieur faible et fragile, un affect laissé à l'abandon et comme handicapé. Globalement, on peut dire que le masculin type entretient une atrophie des sentiments et de sa féminité intérieure. Quand on sait que l'évolution et la réalisation d'un être consistent justement à équilibrer ses deux pôles féminin et masculin, on comprend que l'identité masculine entretienne dans la conscience collective un malaise, un mal-être, une maladie.

Lc versant positif du guerrier, c'est le goût et le sens de la conquête, la pénétration de la matière, la mise en forme, la création toujours renouvelée, la curiosité intellectuelle, l'élaboration scientifique, autant d'aspects d'une génitalité fécondante. La création de l'esprit masculin est prodigieuse, d'une complexité sans limites. Ce sexe extérieur du mâle a fait naître un psychisme expansionniste, toujours en quête d'améliorer la vie humaine sur terre. La partie masculine de la femme a contribué à sa manière à cette course en avant et à ces réalisations. L'esprit masculin continue de dominer largement l'ensemble de la civilisation, de détenir la parole, l'écriture, les idéologies, la politique. Vers quel rêve de domination du cosmos, de la planète, de la matière, de la vie, de la mort allons-nous ? L'enjeu est-il de développer l'artifice jusqu'à ce que l'homme puisse procréer ? La réalisation des rêves les plus fous du cerveau humain est-elle le bonheur le plus recherché, l'excitation inégalée ou le contrôle des territoires intérieurs, la sagesse et l'élévation, l'accomplissement de l'amour sont-ils le prochain but de la conquête, de l'éternelle quête ?

Chaque homme peut aujourd'hui se poser la question : dans quelle mesure ce modèle masculin traditionnel m'influence-t-il ? Quels sont les hommes de mon entourage qui le représentent, père, grand-père, oncle, professeur, etc. ? Quels sont mes héros préférés ? Est-ce qu'il m'arrive de me sentir enfermé dans une carapace ? Est-ce que la vie est pour moi un combat ?

Aux trois premiers non à maman viennent s'ajouter, on l'a vu, deux autres non : non, je ne suis pas papa, non je ne suis pas homosexuel. En effet, dans son parcours pour s'éloigner du féminin et se rapprocher des autres hommes, le jeune garçon peut ressentir l'attrait du fusionnel non plus avec l'autre sous la forme de la mère, mais avec le même sous la forme d'un jeune garçon ou d'un homme plus âgé. Il y eut des civilisations — notamment chez les Grecs — où ce mouvement de bascule fut encouragé, mais dans la nôtre il est considéré avec un certain mépris. La norme masculine est d'être hétérosexuel, à tendance polygame et souterrainement misogyne. « La capacité de satisfaire plusieurs femmes à la fois est partie prenante de l'érotisme viril. [...] L'homme est, dans sa nature, plus enclin à la polygamie que sa compagne, c'est un fait bien connu » (Didier Dumas). Cette affirmation effectivement beaucoup pratiquée n'en est pas moins à replacer dans un contexte patriarcal. La polygamie est seulement beaucoup mieux tolérée sur le mode masculin que sur le mode féminin. Notons aussi que si le désir masculin est que la femme soit monogame, rien ne garantit qu'il s'agisse là d'un fait de nature.

Pour certains hommes il y a *la* Femme, pour d'autres *les* femmes, pour d'autres encore il y a à la fois idéalisation et dévalorisation. La coupure est vécue soit sur le mode de l'idéalisation, soit sur le mode de la rupture et du mépris sous-jacent. La femme est un être inférieur mais dévorant et dangereux. Les rapports avec elle se font sur le mode de la trahison. Maman m'a trahi, m'a abandonné en s'éloignant de moi lorsque j'étais petit, en s'occupant de mon frère ou de ma sœur, en partant travailler. Je l'ai aussi trahie en la quittant pour rencontrer d'autres femmes. **Le couple avec maman a été un couple impossible, rien ne garantit donc que d'autres femmes rendent le couple possible.** Ce handicap relationnel profond a besoin d'être pris en compte.

La peur de l'homme à l'égard de la femme s'alimente de ce besoin fusionnel et de la certitude intime de la trahison. L'idéalisation est une manière de gérer cette peur en se centrant sur le pôle de la bonne mère. La misogynie, au contraire, va se centrer sur la mauvaise mère. Dans l'un et l'autre cas il y a déséquilibre par rupture de contact avec l'un des deux pôles. C'est toujours en allant chercher le pôle englouti dans l'inconscient que l'on permettra le rétablissement d'une harmonie.

Le guerrier patriarcal incarne une émergence solaire pour l'homme archaïque qui était auparavant enveloppé dans l'aura de la femme. C'est donc un passage décisif, une transformation considérable et irréversible, le développement toujours souhaité de ce qui est en germe. Ce guerrier donne passage au père, un père de la toute-puissance, un patriarche qui a droit de vie et de mort sur sa femme et ses enfants, qui règne sur eux comme il règne sur ses terres et parfois sur ses serviteurs. L'homme dominant va pouvoir développer tout son champ d'expression, aller même jusqu'à la tyrannie. L'époux devient un maître et parfois un geôlier. Le père reste lointain, absent, il incarne la loi, il impose le respect. Bien rares seront les pères qui auront des rapports de proximité et d'intimité avec leurs enfants.

Si l'on parle aujourd'hui de nouveaux pères, c'est que la paternité n'a pas encore trouvé sa pleine expression. En quelques milliers de siècles elle est en quelque sorte restée extérieure à l'être. L'identité masculine héritée du patriarcat cherche aujourd'hui à s'adoucir par l'intégration de nouvelles valeurs empruntées au pôle féminin : la tendresse, la vulnérabilité, le soin des autres et de soi. Mais on verra que cette intégration ne se fait pas sans pièges.

L'identité féminine

Qu'est-ce qu'une femme ? L'identité féminine va beaucoup se transformer avec l'émergence du masculin. Elle se définissait par une royauté solaire autour de la maternité, solarité tout aussi inconsciente d'elle-même que l'aspect lunaire de l'homme. Elle s'engloutit, s'infériorise dans une passivité dominée. Peut-on dire qu'elle régresse, qu'elle descend parce que l'homme monte, que le développement de l'un se fait au détriment de l'autre ? Une première lecture pourrait aboutir à cette conclusion. Mais une vision plus vaste permet de regarder toute évolution en termes d'expérience.

La femme n'est pas la victime de l'homme, elle a accepté au fond d'elle-même l'expérience de son pouvoir dominant, elle l'a même favorisé. Elle connaissait déjà le règne de la déesse-mère et celui de sa propre mère à l'intérieur d'elle et parfois à l'extérieur, dans la vie commune entre générations. Voici que s'offre à elle pourtant une expérience sans précédent. Elle peut devenir la femme d'un seul homme, troquer sa liberté contre une protection, s'assurer une aide permanente pour élever ses enfants. Dans un monde de guerriers cette protection est loin d'être négligeable. Théoriquement l'élan sexuel amoureux fait naître des associés, l'association introduit la confiance, l'amour peut fleurir sur le terrain de la confiance. Dans l'intimité de la relation la femme n'est pas sans pouvoirs : elle a celui de la séduction, celui de la maternité, celui de la maîtresse de maison, de la cuisinière, etc. C'est peut-être même à cause de ces pouvoirs de base qu'elle a pu accepter de se laisser enfermer à l'intérieur des murs de la maison. Comme si elle ne croyait pas vraiment à ce pouvoir extérieur de l'homme, à son emprise sur tous les secteurs politiques, économiques et juridiques. Il ne faut pas oublier non plus ce versant qui existe à l'intérieur de chaque être, un versant de soumission qui prend plaisir à avoir un maître, à faire ce qu'on lui dit de faire, à trouver un sens à la vie en dehors de lui-même. La liberté d'être soi, d'assumer seul la condition humaine, apparaît à beaucoup comme un fardeau lourd à porter. La femme s'est laissé glisser dans la proposition de l'homme, très sûre d'elle, trop sûre d'elle, sans se rendre compte que cette bulle de protection allait la couper d'une partie d'elle-même.

Son sexe est à l'intérieur. Elle est directement en contact avec une permanente jouissance de la vie, elle est un chant vers Dieu, elle vit au présent dans une sorte de délice énergétique. Elle communique avec les arbres, les plantes, les oiseaux, le ciel, le sexe de l'homme, elle fait des enfants. Ce qu'elle cherche est déjà là, il n'y a besoin que d'arrondir le présent, de laisser germer la graine, d'entrer dans la patience des saisons. Personne ne peut lui voler son royaume. Elle n'a pas compté avec les parties d'elle-même qui peuvent être complices de sa propre destruction. Elle qui était l'épouse de Dieu, la toute-puissante reine du ciel, va se retrouver servante d'un homme esclave de ses désirs de conquête. La femme libre, Lilith, n'a pas disparu, mais elle s'est cachée dans quelque royaume souterrain en attendant son heure. Ève est apparue, née d'une côte d'Adam, complaisante et soumise, rusée et trompeuse. Le combat entre l'homme et la femme a commencé. Lui veut s'assurer de sa reddition, elle le conforte dans cette illusion pour mieux l'inquiéter quelques instants après. Elle aussi d'ailleurs se prendra au jeu et voudra à son tour s'assurer de la reddition de l'homme, il dira oui, il agira dans le sens du non et le drame se déclenchera. Car derrière ce jeu « je te tiens, tu me tiens », se situe un enjeu essentiel, celui de la liberté et notamment de la liberté du désir. Quand on sait que le développement de la conscience a partie liée avec cette liberté-authenticité du désir, désir de plaisir et désir de vivre, on peut comprendre la folie et la sagesse du couple. **Le couple, association d'intérêts réciproques, est par excellence un piège d'aliénation au niveau de l'être.** Il favorise l'*avoir* au détriment de l'*être* et c'est bien ainsi que l'entendait l'institution sociale.

Tout se passe comme si la femme sauvage et libre avait accepté de se laisser domestiquer par l'homme, par curiosité, par intérêt et par attachement. On peut imaginer ce qui s'est passé en observant l'évolution des statues. D'abord la déesse-mère a été représentée avec un petit dieu mâle à ses côtés, ensuite ils ont été semblables, puis la déesse-mère est devenue toute petite avant de disparaître tout à fait pour laisser au dieu-père une place omniprésente. La femme, elle, n'a pas disparu physiquement, c'est son pouvoir religieux, sa dignité sacrée qui s'est engloutie. Il y a sans doute eu des temps où les pouvoirs masculins et féminins se sont équilibrés — comme en Crète ou en Égypte —, et puis l'appétit masculin s'étant aiguisé, le principe féminin s'est laissé déposséder. Les philosophes et les théologiens ont renforcé et justifié cette entreprise d'infériorisation. Ève est une pécheresse responsable de la perte de l'Éden ; elle est interdite de prêtrise et avec une telle ancêtre, **chaque femme voit dans l'autre femme le reflet de sa déchéance.** L'identité féminine est si lourde à porter qu'il n'y aura pendant longtemps aucun mot pour désigner l'alliance des femmes entre elles. Pas d'équivalent du mot « fraternité ». Le mot « sororité » vient tout juste d'être inscrit au dictionnaire. La peur des hommes à l'égard des femmes a forgé toute une série de qualificatifs qui sont lourds à porter : castratrice, dévoreuse, insatiable sexuellement, munie d'un vagin avec des dents, maléfique, destructrice, sorcière, ennemie, putain, virago, sphinge, furie, gorgone, ennemie. La femme est celle qui a amené sur terre la sexualité, le mal, le péché et la mort. Elle est du côté des ténèbres et l'homme est du côté de la lumière. Non seulement la femme est inférieure à l'homme, non seulement elle doit passer par lui pour rejoindre Dieu, mais de plus elle est coupable. Sa seule façon de se racheter sera de servir docilement l'homme et sa descendance. En tant que mère seulement elle trouvera une certaine dignité. En tant qu'amante aussi mais uniquement dans les grands moments d'embrasement sensuel, tant qu'elle est vierge ou tant qu'elle polarise le désir masculin.

La femme soumise peut être passive, dépendante financièrement, affectivement fragile, irresponsable et enfant, mais elle peut aussi s'aigrir. **Elle cultive parfois un double visage et cache sous des apparences de soumission une autorité manipulatrice, une sollicitude enveloppante et étouffante** qui lui redonne de la puissance sur le terrain de la maison, même si elle reste impuissante vis-à-vis de l'extérieur. Cette identité n'appartient pas encore au passé. Elle se transmet de mère en fille insidieusement comme une maladie honteuse qui ne dit même plus son nom. Les femmes d'aujourd'hui ont toujours ce handicap bien caché dans leur inconscient : nous sommes inférieures aux hommes. Et elles ont toujours la tentation de se rendre utiles, indispensables pour être aimées. Dans l'amour elles se mettent au service de l'homme, elles s'arrangent pour lui faire plaisir, elles se coulent dans ses goûts, dans ses exigences, elles nient leurs besoins en toute inconscience, persuadées que c'est ça être une femme, que leur premier devoir est de plaire à un homme.

Et pourtant on répète que la femme *est* et que l'homme *devient*, que le développement de l'identité féminine est placé sous le signe du oui à la mère, alors que celui de l'identité masculine est, on l'a vu, placé sous le signe du non. Autant l'homme aura à prouver qu'il est un homme, autant la femme se définira par sa capacité à faire des enfants avec un homme, à les porter dans son ventre. Sur le plan biologique la féminité XX est le sexe premier. Sur le plan spirituel les Tibétains considèrent que la femme est une incarnation plus avancée, plus aboutie que celle de l'homme. **Le sexe faible, le deuxième sexe, serait en réalité le premier.**

Je suis maman, je ne suis pas maman, je suis moi, je suis une fille comme maman, je suis comme papa, je suis moi, mon esprit est mâle et femelle, je suis femme à l'intérieur et à l'extérieur, je suis homme aussi à l'intérieur. D'abord identifiée à maman, la petite fille va constituer peu à peu son autonomie, se différencier. Sa difficulté est à ce niveau-là. Elle peut rester trop identifiée à sa mère, avoir des difficultés à vivre pour elle-même. D'une manière générale, le lien qui lie la mère à la fille met l'accent sur la fusion et la continuité aux dépens de l'individualité et de l'indépendance, ce qui fera le lit de la dépendance et de la soumission à l'égard du masculin. Il arrive aussi que la fille rejette cette mère trop soumise et qu'elle s'identifie exclusivement au père, rompant avec la transmission du modèle de soumission; elle aura souvent une autonomie extérieure mais elle se heurtera à une difficulté pour vivre et s'abandonner à sa féminité.

Car dans cette situation la femme développe une peur de l'homme, elle ne peut survivre qu'en rusant, en lui grignotant un peu de ce pouvoir qu'il lui refuse. L'homme est une brute, une bête sexuelle, qui la prend parfois par la violence et qui l'engrosse régulièrement jusqu'à la déformer et la tuer. La haine ne peut que naître dans cette terrible exploitation conjugale.

La femme soumise est devenue lunaire dans la mesure où désormais elle est très peu à l'écoute de son esprit d'initiative, de sa créativité, de son aspect phallique et pénétrant. Désormais, comme la lune reflète le soleil, elle se contente de refléter l'activité masculine, de s'adapter à elle. Sur le plan sexuel aussi elle s'offre, elle attend, elle reçoit la semence qui va la féconder. Elle se contente d'être la coupe, le réceptacle. Elle a perdu tous les grands savoirs qui faisaient d'elle une magicienne et une initiatrice. Elle ne sait plus qu'elle est la déesse des mystères de l'amour et le château du soleil. La Belle s'est endormie. Comment les guerriers se transformeraient-ils en princes pour venir la réveiller? **Le véritable prince charmant, le véritable chevalier de la femme n'est-il pas intérieur?**

Les femmes d'aujourd'hui retrouvent leur virilité conquérante à l'extérieur, mais sont-elles pour autant désengluées des vieilles croyances sur le rôle de la femme dans l'amour, et débarrassées du complexe d'infériorité ?

Homme dominant, femme dominée

Pour l'homme dominant, la différence l'emporte sur le partage, l'autonomie sur le lien, les barrières sur la communion, l'autosuffisance sur la dépendance. La mère, la femme devient la partie de lui-même qu'il refoule. La psyché masculine dans le patriarcat a tendance à ne pas reconnaître l'autre féminin. Cette attitude est encore renforcée par le fait que la femme offre volontiers sa reconnaissance sans attendre la réciproque. La psyché féminine ne cherche pas à nier l'autre mais à se nier elle-même.

Le piège millénaire est dans la peur de l'autre, dans la peur de l'homme à l'égard de la femme et inversement, dans la négation de l'autre et dans son assujettissement. Plus l'un est dominant, plus l'autre est dominé et plus le cercle vicieux de la destruction psychologique réciproque se met en route. Le dominant déploie toujours plus de violence et de tyrannie et reçoit toujours moins de reconnaissance de la part d'une conscience aliénée. Le dominé entre aussi dans la ronde infernale et réclame pour lui les droits du maître. Cette relation maître/esclave est au cœur de la guerre des sexes.

D'où vient cette peur ? De la différence et du désir. Nous avons déjà vu la peur de l'homme devant la toute-puissance de la mère, sa peur aussi du sexe sans fond de la femme. Nous pouvons maintenant voir comment l'attirance et la différence des deux sexes se vivent archaïquement sur fond de risque et de violence. Le désir est fondamentalement l'expression d'un manque, et pour le résoudre je dois absorber ce qui me manque. Ce qui fait dire à Hegel que chaque conscience tend à la mort de l'autre. Le désir de l'autre qui est aussi un désir de soi se heurte à la résistance de cette autre liberté, ce qui fait naître l'angoisse et l'agressivité contre l'autre. **Derrière tout désir il y a une peur.** C'est tout ce processus qui est à l'œuvre dans le patriarcat. L'homme qui désire la femme tente de se l'approprier, de l'enfermer à l'intérieur des murs d'une maison pour mieux combler ce manque ; plus encore, il tente de nier sa liberté et finalement il tente de la nier en la dévalorisant. Mais en même temps tout désir tend à faire naître le désir de l'autre, ce qui revient à être reconnu, désiré par une autre conscience libre. On voit apparaître là la double contradiction. Pour calmer mon angoisse je ne peux qu'enfermer l'autre, mais pour que mon désir soit satisfait je ne peux que le laisser libre. Si l'autre se fait mon esclave et ne me donne que son corps, je vais me sentir frustré, je vais chercher d'autres corps, sans savoir que je cherche une conscience libre avec qui partager ce qu'on appelle l'amour.

Dans ce climat de guerre chronique archaïque, l'amour n'est même pas une réalité rêvée, il est à peine un horizon entr'aperçu, il n'existe qu'à l'état de graine, il attend son heure. L'homme dominant veut ignorer sa dépendance affective, sa fragilité et pour décharger l'angoisse consécutive à ce refoulement il accuse la femme d'être l'élément perturbateur, la cause de tous les maux. Cette femme aimée/haïe va être fantasmatiquement gommée, détruite, dévalorisée. Le processus sadico-destructeur est en marche et trouvera son expression culminante dans la chasse aux sorcières, dont on a pu dire à juste titre qu'elle était un véritable *sexocide* et qu'elle correspondait à une tentative d'éliminer physiquement les femmes. Ce risque de destruction qu'il y a dans le désir explique la méfiance très répandue à l'égard de la sexualité, méfiance relayée par des interdits qui vont eux-mêmes donner naissance à d'autres désirs encore plus puissants. L'impitoyable cercle vicieux est engagé.

Le couple homme dominant/femme soumise n'appartient pas au passé. Il constitue un piège dans lequel chaque couple peut être tenté de tomber... par amour. Quand un couple d'amoureux quitte l'état fusionnel pour amorcer sa phase de différenciation, la femme, pour réduire l'angoisse que déclenche cet écartement des deux cercles de vie, va souvent « pencher » vers l'homme. Elle désire autant que lui sentir qui elle est en tant que personne, écouter ses propres besoins, voir des amis sans lui, reprendre contact avec son autonomie, mais l'atavisme de la soumission est tel qu'elle va se « sacrifier », lui faire plaisir, réduire son champ d'expansion et de liberté pour ne pas l'inquiéter. Lui, au contraire, prend du champ avec bonne conscience la plupart du temps, sous prétexte de travail, ou sans prétexte parce que c'est son droit de toute éternité. La femme confinée à la maison y établit son royaume.

La mère toute-puissante dans l'éducation des enfants reporte sur eux — notamment sur ses fils — ses pulsions de dominante refoulée. Insidieusement, elle les coupe de leur père pour préserver toute son influence. Le fils garde un mauvais souvenir de ces bras étouffants dont il a dû parfois sortir brutalement pour pouvoir affirmer son identité masculine et rencontrer d'autres femmes. Il ne veut pas que sa femme soit comme sa mère et qu'elle referme ses bras sur lui. Il a besoin de se sentir libre et il entretient une peur sourde du piège féminin. La fille, de son côté, a une relation insatisfaisante avec la mère. Elle forme avec elle un couple du « même » qui l'infantilise, qui ne la rassure pas sur elle-même, car maman est toujours plus ou moins indépassable.

Papa, lui, est trop absent et sa fille parvient rarement à l'intéresser suffisamment pour être rassurée sur sa séduction. Elle arrive vide et affamée d'amour dans la relation et sa demande n'est pas la même que celle de l'homme : « Est-ce que tu m'aimes ? Tu m'aimes, dis, tu m'aimes ? » Comment remplir cette sensation de vide, d'insatisfaction, telle est sa problématique, alors que celle de l'homme serait plutôt : comment continuer à rester libre ? A cause de cette différence dans la demande, beaucoup de malentendus vont naître, servant de support à l'établissement d'un couple dominant/dominé au profit apparent de l'homme. Aujourd'hui encore, c'est une pente naturelle. Pendant des millénaires on a exhorté les femmes à accepter de se mettre au service de l'homme. C'était oublier que **lorsque quelqu'un vit pour les autres, il veut aussi qu'on vive pour lui.**

La stabilité sociale et familiale est généralement bâtie sur ce couple-là et pourtant il représente une véritable poudrière, il porte en germe tous les conflits et toutes les explosions.

Ce qui lui a permis de tenir si longtemps, ce qui lui permet de tenir encore, c'est **le poids de la culpabilité féminine.** En naissant femme on naît coupable, du péché originel, de son goût pour la liberté en général, pour la liberté sexuelle en particulier, coupable de ne pas répondre au miroir idéal que vous tend la morale : l'épouse fidèle, compréhensive, effacée, dévouée, aimante, la collaboratrice attentive, l'amante consentante, la mère oblative... La femme pilier de la famille et de la société subit les humeurs de l'époux, le réconforte, l'aide au moment d'une épreuve, ferme les yeux sur ses incartades et cette attitude fait partie du contrat qui permet d'arriver aux noces d'or ou de diamant. Le couple du contrat est un couple d'associés et le premier devoir de la femme est de rester mariée coûte que coûte. Un père disait à sa fille qui lui annonçait qu'elle désirait divorcer : là où une chèvre est attachée, elle broute. Il traduisait toute la pensée patriarcale à l'égard de la femme. Nous n'en sommes plus là extérieurement, mais intérieurement l'injonction demeure au niveau inconscient : l'ordre veut que la femme soit subordonnée à l'homme. D'autre part la femme se sent responsable de son couple, peut-être à juste titre : « C'est la femme qui fait l'homme », dit le dicton populaire, et il semble que dans beaucoup de cas ce soient les femmes qui prennent l'initiative d'une rupture, d'un divorce. « Ce que femme veut, Dieu le veut. » Et justement les femmes ne semblent plus vouloir de ce couple-là, sans parvenir à l'abandonner tout à fait.

Histoire de couple

Sophie a quitté son premier mari, gardé ses deux filles et s'est mise à travailler. Elle a ouvert un magasin de vêtements et s'est jetée avec passion dans la création, travaillant sans relâche pour un assez maigre résultat financier. Elle a rencontré Denis, un homme d'affaires qui a commencé à vouloir l'aider à mieux gérer son entreprise, qui a investi dans son affaire. Sophie s'est laissé faire avec un certain soulagement, se sentant protégée. Elle est très volontiers maternante, enveloppante mais comme toujours dans ces cas-là elle cache en elle une enfant qui désire vivement qu'on s'occupe d'elle. Ce n'est pas un hasard si, malgré l'intervention de Denis, son magasin s'est mis à aller de mal en pis. Elle a décidé de tout abandonner et de venir vivre chez lui. Cette femme qui avait conquis son indépendance s'arrangeait ainsi pour se retrouver dans la dépendance — situation qu'elle avait déjà connue avec son premier mari. Denis lui propose de travailler dans son entreprise. Sophie accepte, mais leurs rapports professionnels sont vite perturbés par des conflits d'autorité. Elle se retrouve compagne, servante, mère, employée, dépend financièrement de Denis, se rebelle, capitule, dépérit, somatise, s'use, gémit et continue. Elle vient de recevoir un petit héritage, elle s'est acheté un appartement et oscille entre son désir d'indépendance et son désir de dépendance. Elle a investi les sommes restantes dans l'entreprise de Denis et cherche toujours sa place professionnelle, tout comme sa place sentimentale.

Sophie aurait les moyens de sa liberté financière et professionnelle. Elle ne la prend pas parce que le seul modèle de couple qu'elle connaisse est celui du couple d'associés ; la seule fonction qu'elle imagine pour elle, c'est celle du sacrifice consenti au service de l'homme. L'enfant qui est en Denis aime cette mère débordante de générosité, il admire sa capacité à souffrir et apprécie ce qu'il considère comme une preuve d'amour. Sophie l'invite souterrainement au rôle du tyran domestique, l'admire et le conforte dans son désir de toute-puissance. Dans le même temps elle adopte le rôle de la mère-servante, narcissiquement soumise, et tous deux cherchent l'amour. C'est là que le bât blesse et que le conflit ne cesse de surgir car l'amour n'est pas au rendez-vous de ce couple d'associés qu'ils jouent et rejouent. Sophie aurait besoin d'apprendre à s'occuper plus d'elle-même, et moins de Denis, pour se sentir exister. C'est ce redressement intérieur, cette autonomie qui est le plus difficile à réaliser pour la femme. Tout à fait symétriquement, c'est dans la mesure où l'homme est un bon compagnon pour lui-même qu'il peut se passer d'une femme-mère soumise à ses côtés. Ces deux-là, comme tant d'autres, se sont bien trouvés pour jouer une relation d'aliénation réciproque. Mais c'est une voie de sclérose ou de naufrage que ce couple à la fois maternant et sado-masochiste.

Histoire de Griseldis

L'histoire de Griseldis illustre magnifiquement la croyance que nourrit l'homme dans la tentative du patriarcat, la recherche désespérée de l'amour qui continue de se jouer au sein de l'asservissement de la femme. Cette histoire fort ancienne viendrait de Boccace puis de Pétrarque avant d'être reprise par un bourgeois de Paris en 1393 dans *Le Miroir des Dames mariées,* sorte de traité de morale et d'économie domestique.

Le marquis de Saluces est un très bel homme qui craint en se mariant de faire un marché de dupes. Pressé par ses barons, il se résigne au mariage mais il veut être sûr que sa femme lui sera entièrement soumise. Il choisit donc la pauvre Griseldis, fille d'un vieux serf, qui vit très pauvrement et très dignement en filant la quenouille. Le marquis fait promettre à Griseldis de lui obéir en tout, « sans résonance ni contredit, en fait n'en dit, en signe ni en pensée ». Elle ne doit emporter aucun objet, aucun vêtement de sa vie passée. Elle arrive au château en haillons et se trouve revêtue de robes somptueuses.

Griseldis n'est que douceur, sagesse et dévouement et fait l'admiration de tous. Elle accouche d'une fille et le marquis décide alors de la mettre à l'épreuve pour la première fois. Il feint le courroux et lui fait croire que ses barons lui demandent de faire disparaître sa fille, qui est par elle de basse lignée, et il ajoute qu'il espère qu'elle montrera l'obéissance promise. Griseldis répond à son mari : « Moi et cette petite fille sommes tiennes. Fais de nous ce que tu veux. » Le marquis fait alors emmener la petite fille chez sa sœur. Griseldis ne laisse deviner dans son attitude aucun signe de peine ou de rancune. Au bout de quatre ans elle met au monde un beau garçon et le marquis juge le moment opportun pour éprouver une nouvelle fois sa femme. Il attend que l'enfant ait deux ans et il l'enlève à sa mère avec le même discours que précédemment. Griseldis répond : « De moi et mes enfants tu es seigneur. Lorsque j'entrai en ton palais, je me dévêtis de mes pauvres robes et de ma propre volonté et affection je revêtis les tiennes. » Le marquis s'émerveille intérieurement de son obéissance et, un peu honteux tout de même, s'en va la tête basse. Griseldis croit que ses enfants sont morts mais elle est toujours aussi obéissante et aussi amoureuse. Le marquis continue cependant d'avoir besoin de l'éprouver.

Douze ans plus tard, il feint de demander et d'obtenir l'annulation de son mariage et il annonce à Griseldis son intention de prendre une nouvelle femme. Griseldis reste fidèle à elle-même dans son humilité : « Je pensais bien qu'entre ta magnificence et ma pauvreté, il n'y avait pas de proportion. Je te rends grâce du temps que j'ai passé avec toi. Pour le reste je me tiens prête à retourner chez mon père aussi pauvrement que j'en suis venue. Cependant, comme il ne sied pas que celle qui fut ta femme s'en retourne toute nue, je te prie de commander qu'une chemise me soit laissée. » Devant tant d'humilité le marquis fond en larmes mais n'en laisse rien deviner. C'est ainsi que Griseldis repart dans sa chaumière. Au moment où sa fille et son fils arrivent au château, il envoie chercher Griseldis pour qu'elle reçoive sa soi-disant future femme et son frère. Griseldis s'occupe de tout mettre en place pour la réception, entend louer la beauté de la future épousée et se met à genoux pour la recevoir dans la maison. Au moment de passer à table, le marquis fait venir Griseldis et lui demande si elle trouve belle sa future épouse. Griseldis s'agenouille à nouveau et souhaite une joyeuse vie aux futurs époux tout en demandant au marquis de traiter différemment sa nouvelle épouse « car elle est jeune et de grand état et ne le pourrait souffrir ». Enfin, vaincu par l'amour de Griseldis, le marquis dévoile son stratagème : « Ô Griseldis, Griseldis, je vois et je connais suffisamment ta foi et loyauté. Il n'y a homme sous le ciel qui ait autant éprouvé son épouse... autre épouse jamais je n'aurai. Celle-ci est ta fille et celui-ci ton fils. Sachent tous ceux qui le contraire pensaient que j'ai voulu curieusement et rigoureusement éprouver cette épouse, non la mépriser ou la désespérer. » La marquise de Saluces pleure de joie et les époux vivront désormais heureux vingt ans encore. « Ci finist le miroir des Dames mariées : c'est assavoir de la merveilleuse patience et bonté de Griseldis, marquise de Saluces. »

Cette remarquable histoire illustre la manière dont le couple dominant/dominé pense pouvoir rejoindre l'amour. L'homme n'est que méfiance vis-à-vis de la femme et de l'amour. C'est par la reddition sans faille de la femme à son égard que l'homme peut s'apprivoiser. Il faut lui prouver l'amour, alors seulement il consentira à ouvrir son cœur. Le marquis apparaît sous un jour cruel, il est dit dans l'histoire qu'il ne peut pas s'arrêter d'éprouver sa femme. Sa cruauté s'exerce au nom du désir d'amour. Je cherche le véritable amour, montrez-le-moi. Tu me dois tout. C'est moi qui t'ai faite, je suis ton Pygmalion, montre-moi ton amour, montre-moi que tu peux m'aimer même si je te prends tes enfants, même si je te délaisse pour une autre épouse. Quand tu m'auras ainsi prouvé que tu me laisses libre de faire tout ce dont j'ai envie sans aucune récrimination ni aucune critique, si tu me proposes l'amour inconditionnel, alors je peux être l'homme que tu attends, tu es digne de mon amour. Ce comportement n'appartient pas au passé, il est inscrit au creux de la pensée masculine dominante. Il n'est pas possible de s'abandonner à l'amour tant que la femme n'a pas été modelée par l'homme, tant qu'elle n'a pas prouvé qu'elle peut tout supporter de sa part pour l'amour de lui. Cette histoire finit bien parce qu'elle se veut édifiante, mais en réalité dans cette démarche de cruauté il n'y a que la séparation et la mort. La métamorphose du tyran en bien-aimé et de la femme soumise en bien-aimée est plus qu'aléatoire. Le tyran exige toujours plus de preuves et le soumis devient un maître et un tyran à la première occasion.

Tyrannie domestique et soumission narcissique

Il y a des couples qui fonctionnent sur le modèle de Griseldis et du marquis de Saluces.

Henri épouse Jeanne, de dix ans sa cadette. Il l'a connue d'abord en tant que collaboratrice et Jeanne nourrit une vive admiration pour ce chercheur reconnu dans sa spécialité. Henri et Jeanne continuent de travailler ensemble et exploitent commercialement les découvertes d'Henri. Leurs efforts sont couronnés de succès, notamment grâce aux qualités d'organisation de Jeanne et à ses talents relationnels. Henri ne tarde pas à prendre ombrage des nombreuses remarques qui sont faites à ce sujet. Jeanne est toujours d'une certaine manière son élève et il ne s'agit pas que l'élève fasse de l'ombre au maître. Au fur et à mesure que le temps passe, Henri va devenir de plus en plus exigeant, de plus en plus tyrannique. Il prend plaisir à faire des remarques désobligeantes, accusatrices, qui laissent Jeanne pantelante. Il est, il reste son idole et elle s'interdit toute rébellion. Autour d'elle on s'étonne. Comment une jeune femme peut-elle se laisser traiter ainsi ? Elle dirige de main de maître des dizaines d'employés et en face de cet homme elle se comporte comme une servante. Elle sort de la pièce pour ne pas montrer ses larmes et, quelques minutes après une scène particulièrement injuste, elle affiche un visage souriant. Pourtant les accusations portent, elle les ressasse dès qu'elle est seule avec elle-même et elle déverse régulièrement ses plaintes dans des oreilles amies. Elle se plaint mais elle reste.

Henri est pris dans une escalade de sadisme, il éprouve toujours davantage cette femme et il s'en méfie toujours plus. Il se persuade qu'elle le trahit à son insu et justifie ainsi à ses propres yeux les mauvais traitements qu'il lui inflige. Jeanne a beaucoup admiré son propre père et maintenant c'est Henri qu'elle a placé sur un piédestal. Elle idéalise le masculin, elle s'y mire, elle reçoit les reflets de sa gloire. Même si l'idole a ses faiblesses, elle préfère se retourner contre elle-même que de la faire tomber dans la poussière. Patiemment, chaque jour, elle colmate les brèches une à une avec de plus en plus de difficultés. Cet amour-don de soi, cet amour oblatif qu'Henri réclame provoque en lui un sadisme, génère en elle un narcissisme masochiste. Jeanne espère toujours être reconnue comme cette bonne épouse qu'elle veut être et se désespère d'être de plus en plus considérée comme l'ennemie. Elle guette le moindre signe de tendresse, comme si tout cela n'était qu'un jeu cauchemardesque destiné à l'éprouver. Elle espère toujours se réveiller avec un prince charmant à ses côtés, celui qu'elle croit deviner sous la peau de bête. D'une certaine manière on pourrait dire qu'Henri est quelqu'un qui a pris très au sérieux le message patriarcal. Il cherche l'amour dans l'absolue soumission de sa femme et il est très malheureux de ne rencontrer que toujours plus de doute. Car l'histoire du marquis de Saluces est un leurre patriarcal. Une telle escalade de tyrannie et de cruauté dans la relation ne peut pas déboucher sur le miracle de l'amour.

Agnès et Vincent, instituteurs d'un gros village, ont vite connu la dissymétrie dans leur couple. Vincent a pris le profil de l'homme absent puis du père absent, en s'engageant dans des activités associatives et politiques. Cet homme brillant à l'extérieur se montrait taciturne à la maison. Agnès s'est réfugiée dans la douleur et le désespoir de sa solitude, de son surmenage, de ses soucis familiaux non partagés. Elle s'est placée en situation de victime et Vincent avait de moins en moins envie de rentrer à la maison. Il ne supportait pas ses demandes d'affection, de tendresse, ses plaintes, ses regards chargés de reproches, lui, l'homme recherché qui animait tant de réunions à l'extérieur. Bientôt il eut une double vie tissée de mensonges et de lâchetés. La révolte d'Agnès ne se manifesta jamais au grand jour. Elle se rendit malade, elle détesta son grand homme sans jamais cesser de l'aimer, elle s'enfonça dans sa souffrance et chercha le salut dans une voie spirituelle. Elle faisait une traversée solitaire et prenait conscience de la vanité des discours masculins, de la fuite de soi que cachait cette boulimie d'activité chez son compagnon. Il y avait une distance considérable à ses yeux entre l'homme public et l'homme privé. Mais aux yeux de tous et aux siens propres il était la lumière et elle était l'ombre. Elle s'occupait des choses mesquines de la maison, des enfants, des vieux parents, et lui réglait les grandes questions. Au milieu d'épreuves multipliées elle continuait d'attendre le miracle de l'amour. Elle ne le trouva pas là où elle le cherchait, mais elle finit par découvrir qu'elle n'existerait pas parce que quelqu'un l'aimerait, mais en se donnant une reconnaissance d'elle-même. Elle commença à se sentir habitée par une vie intérieure. C'est à partir de là que tout changea. Parce qu'elle était enracinée dans sa propre force, parce qu'elle ne demandait plus à l'autre de lui donner des raisons de vivre, elle commença enfin à se rapprocher de ce Vincent vieillissant, moins hyperactif et qui appréciait sa sérénité.

Agnès reconnaît qu'il lui a fallu toute une vie de souffrance pour trouver sa place dans ce couple, pour se sentir enfin réconciliée avec elle-même et avec Vincent. Elle souhaite que sa fille n'ait pas un tel prix à payer. Cette fille a d'ailleurs choisi de vivre seule. Sans doute a-t-elle été trop marquée par l'exemple de sa mère.

Le triangle

Quand un homme dominant parvient à soumettre sa femme au point qu'elle est son reflet, qu'elle pense comme lui, qu'elle voit les mêmes spectacles que lui, qu'elle est une sorte de double, son désir sexuel faiblit. Cette femme qui ne le surprend plus, qui ne le bouleverse plus, ne représente plus un chemin d'évolution vers lui-même. La voie patriarcale est sans issue parce qu'une femme soumise s'engloutit, perd sa magie érotique et n'ouvre plus sur le rêve d'un futur inconnu, d'un continent mystérieux. L'Ève, servante fidèle et mère irréprochable, n'a plus guère d'attrait si elle n'est plus reliée à sa partie Lilith, indomptable, libre et secrète, reliée au divin.

Un homme qui n'a plus qu'Ève à la maison va aller chercher Lilith au-dehors. Toutes les histoires de triangle entre un homme et deux femmes sont construites sur ce schéma, même quand elles sont apparemment motivées par une question d'âge. Cette fille de vingt ans sa cadette est aussi par là même une terrible Lilith en puissance, quelqu'un avec qui le décalage biologique interdit le jeu du reflet. Le triangle de l'adultère est le complément indispensable d'une histoire de couple conçue de telle sorte qu'elle conduit à une impasse. La survie du couple patriarcal passe par l'adultère et c'est sans doute pour cela qu'on recommandait aux femmes mariées de fermer les yeux sur les infidélités des maris. La fidélité a toujours été conçue à sens unique, et d'abord pour la femme afin que l'homme soit certain que ses enfants sont de lui. La fidélité masculine est arrivée en second, pour canaliser le désordre des naissances hors mariage, et elle s'est toujours accommodée d'incartades diverses.

Les exigences du désir débordent largement l'organisation sociale autour du couple marié et de la famille. Il y a deux sortes de femmes. Celles qui font taire en elles le désir pour mieux entrer dans le moule de l'épouse et de la mère, pour satisfaire aux exigences d'un ordre social qui leur apporte des compensations de sécurité matérielle et affective, de bonne conscience morale aussi. Ces Èves sont faites pour être les épouses trompées, délaissées, désenchantées à la quarantaine, ou bien en pleine révolte, prêtes à quitter leur mari pour découvrir une autre vie au prix parfois de la solitude. D'autre part, il y a celles qui restent vivantes dans le désir, qui continuent de rechercher de nouvelles sensations, de nouvelles émotions, qui aiment prendre le risque d'être à nouveau amoureuses et de compromettre l'ordre établi. Ces Liliths ont un jardin secret et parfois une double face, Ève et Lilith. Certaines ont deux hommes dans leur vie, leur mari et leur amant, ce qui ne veut pas dire que le mari n'est pas aussi un amant aimé. Ce sont rarement des femmes que l'on quitte et ce ne sont pas elles non plus qui divorcent le plus. Elles trouvent une forme d'équilibre dans leur double relation, quand elles ne culpabilisent pas. L'amant est parfois un homme marié. C'est ainsi que, parfois, deux couples qui ne se connaissent pas fonctionnent de manière équilibrée avec deux triangles inversés. Un homme avec deux femmes. Une femme avec deux hommes. Dans chaque cas ces liaisons parallèles sont tenues secrètes et ne perturbent en rien les deux relations principales. Au contraire, tout se passe comme si les deux partenaires du couple non légal ramenaient dans leur couple légal respectif plus de vie et plus d'amour.

Ces témoignages contemporains ne sont pas ceux que l'on trouve dans la littérature et les comédies de boulevard. Synonyme de désordre, de destruction, de péché, l'adultère est soumis à la dure loi d'une justice imminente et finit toujours mal. Il déchaîne les affres terribles de la jalousie, des désirs de vengeance, des actes violents, des déchirements. Dans *Le Miroir des Dames mariées* déjà cité, l'auteur rapporte l'histoire d'une femme qui apprend que son mari a une maîtresse. Celle-ci est pauvre, mal habillée, mal chauffée. Elle lui fait porter draps et bûches, un bon lit de duvet, des draps et des robes et propose même de faire prendre son linge sale, de manière que le mari n'ait pas d'inconfort dans ses ébats amoureux. L'idéal masculin va jusque-là : que la femme vive sa polygamie en plein accord et toute sérénité, et surtout qu'elle ne l'imite pas car ce qui est faiblesse chez lui deviendrait crime de sa part. Dans les lettres des femmes pythagoriciennes, on voit très bien les paroles de consolation qu'elles s'adressent entre amies quand un mari s'est épris d'une courtisane : la vertu d'une épouse c'est d'être une compagne indulgente et de supporter sa folie, tout en restant « incorruptible à l'égard de son lit », ce qui veut dire qu'elles ne s'accordent pas le droit d'agir de la même façon que les hommes.

Ces femmes n'étaient-elles pas jalouses ? Leur complaisance était-elle de l'indifférence ou de la sagesse ? La question de la jalousie est très complexe. La jalousie semble avoir partie liée avec le sentiment et le besoin de possession. Il est rare que la jalousie apparaisse dans une relation quand elle s'est engagée dans un esprit de non-exclusivité. Par contre, quand une relation a fonctionné longtemps en exclusivité, la jalousie semble se développer comme une sorte de monstre incontrôlable qui dévaste tout sur son passage. La relation de l'autre est vécue comme une blessure personnelle, un déni de soi : si tu aimes quelqu'un d'autre, tu ne m'aimes plus ; si tu ne m'aimes plus, je n'existe plus, je n'ai pas de valeur. Ce qui est l'autre face de « tu m'aimes donc j'existe » et la forme la plus infantile de l'amour. Nous avons une telle absence à nous-mêmes, si peu de sécurité intérieure et de plénitude que nous demandons à un être de nous tenir lieu de garant de notre valeur. Si cet être tourne son regard ailleurs, notre univers s'écroule. Et toutes les tendances masochistes remontent à la surface ; on aime d'autant plus cet être qu'il devient bourreau, on s'accroche... Et s'il revenait, s'il cédait à nos supplications même muettes, alors peut-être le rejetterait-on bien vite...

Certains hommes avouent volontiers qu'ils sont extrêmement jaloux, qu'ils désirent que leur femme soit fidèle et qu'en même temps elle leur permette d'avoir des relations extraconjugales. Ils justifient leur point de vue par l'argument suivant : une femme est très marquée par un homme parce qu'il la pénètre. D'ailleurs, on dit qu'il la prend. Un homme peut vivre des aventures sexuelles sans que cela prête à conséquence. Satisfaire plusieurs femmes lui apporte un sentiment de puissance. Ce langage qui perpétue la dissymétrie peut faire bondir, mais il est très répandu dans tous les inconscients et assez largement admis. C'est compter sans la jalousie féminine qui est aussi vive, aussi viscérale que celle des hommes et insensible à cette argumentation.

Qui peut se dire à l'abri de la jalousie ? Théoriquement la jalousie serait un problème d'ego et celui qui aurait pris de la distance vis-à-vis de cet ego ne se sentirait plus menacé par la défection de l'autre.

Théoriquement toujours, si je m'entends bien avec moi-même, si je suis assez construit dans mon androgynat, je ne vais pas désirer longtemps perpétuer la relation que m'offre cette personne si cette relation me fait souffrir. Je vais vivre cet amour de plus loin, je vais trouver la bonne distance. La solution existe, mais on peut la connaître sans parvenir toujours à la mettre en application. Personne n'est totalement à l'abri de la jalousie même si l'on continue de se mettre en jeu. L'évolution est un risque. Tant qu'un être expérimente des relations nouvelles, tant qu'il reste terriblement vivant, en quête de lui-même, d'autres êtres peuvent lui apparaître comme les supports de cette résonance qui l'appelle. La réciprocité a ses arêtes vives. Dans un couple il y a souvent celui qui aime plus et celui qui aime moins, puis les pôles s'inversent.

Le grand amour

La femme soumise se mystifie elle-même par sa croyance au grand amour. Elle transfigure son dominant et son tyran en Dieu, elle le met sur un piédestal et elle l'adore. La capacité mystique de la femme, le lien assez fluide et direct qu'il y a entre son sexe, son cœur et son esprit, lui permet de sublimer ses sentiments, de nourrir un idéal. C'est elle qui est le meilleur support de toutes les religions. C'est elle, tout au long de la relation, qui va conduire et inspirer la spiritualisation, l'affinement de la relation homme/femme et donner un contenu au mot amour. Très subtilement cependant, cette force intérieure s'est retournée contre elle et est devenue une mystification.

Quand un être n'a pas confiance en lui, il peut parfois démissionner de lui-même, se chercher quelqu'un à servir et à admirer. On a vu qu'il y a dans la constitution de la psyché féminine de grands handicaps à la confiance en soi. La femme est inférieure, maman ne me rassure guère sur ma valeur par sa propre soumission et papa est absent. Et enfin, seuls les hommes sont des prêtres ou des maîtres. **Le grand amour profane apparaît comme une voie de salut naturelle pour la femme aliénée à sa propre valeur.**

L'homme va encourager cette attitude qui le conforte dans sa croyance en sa supériorité tout aussi naturelle : tu seras le reflet fidèle de ma grandeur, tu existeras à travers moi, je serai ta raison de vivre, cette énergie que tu me délègues me permettra d'être toujours le meilleur. Bien entendu, il y a des compensations. Celle qui est aimée par un dieu participe de sa divinité et devient le centre de son univers.

Mais toute démission de soi, comme toute prise de pouvoir sur l'autre, cache un piège. En termes de conscience il y a un parasitage réciproque. Le dieu lui-même ne trouve pas que des avantages à cette situation. Il est tenté de s'échapper, ses désirs le portent ailleurs.

Ainsi Victor Hugo et Juliette Drouet. Cette comédienne célèbre s'est retirée du monde pour se consacrer à son grand homme. Mais que de révoltes, que de souffrances en elle ! Un homme aime une Lilith et au nom de l'amour elle devient Ève... Elle s'identifie autant que possible à l'être aimé, elle adopte tous ses goûts, tous ses points de vue. Cette identification a ses limites, le désir s'émousse, la femme souffre. Celle qui se fait victime consentante ne désire pas attaquer cet homme qui la fait souffrir bien malgré lui parfois. Elle se retourne contre elle-même, s'autodétruit, somatise. Ou bien encore elle se révolte, fait des projets de départ mais ne les met jamais à exécution. C'est une révolte larvaire épuisante. « Vois-tu mon Victor, cette vie d'isolement, cette vie sédentaire me tue ; j'use mon âme à te désirer, j'use ma vie dans une chambre de douze pieds carrés. Ce que je veux, ce n'est ni le monde, ni de stupides plaisirs, mais la liberté, la liberté d'agir, la liberté d'occuper mon temps et mes forces aux soins de ma maison, ce que je veux, c'est ne plus souffrir, car je souffre mille morts par minute, je te demande la vie, la vie comme toi, comme tout le monde enfin. » Dix-huit mille lettres témoignent de cette entreprise d'oblation qui est peut-être sans commune mesure. « C'est toi que j'adore en Dieu, et Dieu que j'adore en toi. » Ne retrouve-t-on pas les accents d'Héloïse pour Abélard : « Dans tous les états où la vie m'a conduite, Dieu le sait, c'est toi plus que lui que j'ai craint d'offenser. C'est à toi plus qu'à lui que j'ai cherché à plaire. C'est sur ton ordre que j'ai pris l'habit, non par vocation divine [1] » ? Cet amour-là est une immolation fondée sur la conception chrétienne d'une sublimation par la souffrance. Héloïse et Juliette sont de grandes figures, elles sont allées jusqu'au bout de leur choix au prix de renoncements. Consumées

1. Christiane Singer, *Une passion,* Albin Michel, 1992.

d'amour, elles ont fini par exister, mais cette voie qui n'est pas sans grandeur est bien cruelle. Beaucoup de femmes, pour s'y être essayées, y ont laissé leur santé et leur raison.

Mariés ou compagnons ?

Le mariage est une institution patriarcale, périodiquement menacée et pourtant toujours renaissante. C'est un acte social stabilisateur, sécurisant, c'est aussi une consécration, un engagement réciproque pour construire une vie ensemble. Pourtant, beaucoup de gens aujourd'hui ne désirent pas officialiser par un mariage civil et/ou un mariage religieux une relation qu'ils estiment d'ordre privé. L'argument qu'on retrouve le plus souvent est que le mariage tue l'amour. Une jeune fille qui assiste à un mariage se retourne vers son amie et lui dit d'un air entendu : « Le plus difficile pour une femme dans le mariage c'est de rester elle-même. » Nous retrouvons le risque de la femme « penchée » vers l'autre. Dans le mot mariage il semble qu'il y ait, aujourd'hui encore, beaucoup de résonances patriarcales. Le couple marié se voit insidieusement confronté à un modèle de comportement d'inspiration bourgeoise. S'il tue l'amour c'est par le rapport de force dominant/dominé — qui s'installe d'ailleurs parfois maintenant au profit de la femme — et par la démission de soi qui reste la grande tentation féminine. Deux compagnons sont deux personnes à part entière toujours susceptibles de reprendre leur liberté. Deux personnes mariées sont encore perçues comme des moitiés d'une unité. Quand on sait que le désir profond d'un être est celui de sa propre unité, on peut entrevoir les embûches qui ne manqueront pas de se présenter et la frustration qui est au rendez-vous. La femme prend le nom du mari. Les jeunes couples qui admettent mal ce transfert de nom adoptent parfois les deux noms. Le plus souvent, le mari garde le sien et la femme prend les deux noms.

Quelque chose se cherche dans cette institution pour la sortir de l'ornière patriarcale. Quelque chose qui serait de l'ordre de la conscience. Se marier pourrait signifier que c'est cet homme-là, cette femme-là qui est élu(e) entre tous pour être le support de mon *anima* et de mon *animus*. Au-delà des fluctuations éventuelles du désir, je m'engagerais à regarder cet être comme l'acteur privilégié de ma complétude intérieure.

TROISIÈME STADE

Le couple conflictuel

Deux pauvres guerriers affaiblis
combattent leur ombre en se tournant le dos.

Tu me blesses et je te blesse

Le troisième stade du couple passe inévitablement par la révolte et le conflit. Nous sommes dans la même configuration qu'au second stade, la femme reste lunaire et l'homme solaire avec des nuances différentes. La relation dominant/dominé qui est le modèle du couple patriarcal contient le ver dans le fruit. Il débouche sur la révolte de la femme et la résistance de l'homme, cette résistance pouvant même dégénérer en tyrannie. L'exacerbation de ces deux pôles produit le conflit ouvert ou fermé. « Malheureusement, nombre de couples vivent toujours dans l'affrontement et la violence [...] mais ces couples installés dans une relation dominant/dominé [...] relèvent davantage de la pathologie que de la sociologie. » Ainsi s'exprime Denise Bombardier dans *La Déroute des sexes*. Le problème soulevé est à la fois moins grave et plus profond. Aucun couple n'échappe totalement à ce stade du conflit mais cette difficulté sera d'autant mieux surmontée qu'elle sera envisagée, connue, dédramatisée.

Un couple d'amoureux va d'abord vivre son stade fusionnel qui va durer plus ou moins longtemps avec ce désir très fort d'être ensemble le plus possible, de se toucher, se regarder et d'être dans les bras l'un de l'autre. Puis viendra le stade de la différenciation où chacun reprendra un peu de son espace propre, reconstituera son cercle en tant qu'individu, avec ses besoins, ses passions, ses occupations, ses amis. Pour certains êtres, c'est un moment de désenchantement, de peur de perdre l'autre, de frustration. Certains font ainsi éclater le couple dès la fin de la fusion et recommencent ainsi plusieurs fois jusqu'à ce que la nécessité de la différenciation soit comprise et intégrée. **Celui ou celle qui vivra dans la nostalgie de la fusion va aussi d'une certaine façon se placer dans le couple en position de victime,** de dominé. La différenciation se fait donc à son désavantage, ce qui va faire le lit d'un conflit futur.

Même si la différenciation est bien vécue par les deux partenaires, l'arrivée d'un enfant introduit parfois une autre source de déséquilibre. Le couple mère-enfant pendant la grossesse, puis après la naissance, peut être vécu difficilement par le père sur le plan affectif, même souterrainement. Ce qui se traduit par un besoin de s'affirmer davantage au travail, de vivre plus à l'extérieur, de regarder en direction d'autres femmes etc. La femme reporte alors sa sécurité affective sur l'enfant, son désir diminue... l'escalade est amorcée, la faille de l'incompréhension s'agrandit.

Il importe de comprendre qu'aujourd'hui le modèle dominant/dominé, même s'il n'est plus proposé explicitement, reste une pente naturelle de nos psychismes. Toutes les occasions sont bonnes pour le reproduire, donc pour réunir aussi les conditions du conflit. Celui qui aime plus que l'autre est dominé, celui qui est plus âgé que l'autre est dominant, celui qui est plus jeune que l'autre peut être aussi dominant, celui qui gagne plus d'argent que l'autre, celui qui est plus beau que l'autre, celui qui est plus manipulateur que l'autre, etc. Tout peut être utilisé pour mettre en place cette structure de relation qui répond si directement à nos peurs. D'autant que nous sommes tous les héritiers d'une relation parentale. En tant qu'enfant nous avons appris à nous soumettre, nous avons même beaucoup intériorisé les vertus de l'obéissance. Les parents et les adultes savent, l'enfant ne sait pas, il doit écouter et obéir. Cette imprégnation se double d'une autre intégration : le modèle parental oppressif. Nous apprenons donc conjointement à être dominé et à dominer l'autre. Si nous avons trouvé des avantages dans cette situation d'enfant soumis, nous aurons tendance à la reproduire volontiers au cours de notre vie. Inversement, si nous en avons souffert, si cela nous a toujours paru injuste, si en somme la teinture de l'éducation n'a pas très bien pris, ce qui arrive chez certains enfants, nous ne cesserons de rechercher une position de dominant ou d'indépendance.

Traditionnellement la petite fille était élevée dans un esprit de soumission à l'homme et le petit garçon dans un esprit de supériorité vis-à-vis des femmes —

sauf de sa mère. Nous sommes donc déjà en face de deux sources fondamentales qui alimentent le rapport dominant/dominé : une source sociale liée à l'identité des sexes et une source familiale liée à l'éducation. La scolarité va venir renforcer cette source familiale et accentuer les déséquilibres.

Les messages que nous avons enregistrés sont autant de pièges redoutables :

— L'homme est supérieur à la femme (message avoué puis subliminal de la conscience collective).

— La femme est supérieure à l'homme puisqu'elle est capable de faire des enfants (message subliminal de l'inconscient collectif).

— L'adulte est supérieur à l'enfant (message avoué de la conscience collective).

Dans la relation de couple ces messages fonctionnent comme moteur réactivant une relation déséquilibrée et conflictuelle.

A l'intérieur de chacun des partenaires l'adulte et l'enfant cohabitent. Chaque fois que l'adulte émet une critique, il rencontre l'enfant dans son partenaire, un enfant soumis mais facilement blessé par la critique et révolté. L'enfant révolté demande à son parent critique intérieur de blesser à son tour l'enfant qui se trouve chez cet adulte et le cercle vicieux se referme. Tu me blesses et je te blesse. En touchant l'enfant je fais surgir le parent dominant en toi et tu fais la même chose pour moi. Nous sommes prisonniers de nos « réactions », de nos révoltes larvées à l'égard du système d'autorité des adultes.

Lorsque deux personnes font une rencontre amoureuse, elles ne connaissent pas encore ce couple intérieur parent-enfant de l'autre, pas plus qu'elles ne connaissent consciemment leur propre couple intérieur parent-enfant. C'est pourtant une relation à quatre qui va se jouer dans le conflit. Les terrains psychologiques et sociologiques se renforcent mutuellement.

La révolte larvée

La plupart des enfants vivent une forme de révolte contre leurs parents, contre les valeurs de leurs parents et cette révolte leur permet d'expérimenter leur pouvoir, de penser par eux-mêmes et d'exercer ce pouvoir. Pour certains c'est le moment d'abandonner la religion familiale ou les convictions politiques, d'affirmer un autre style de vie. Pour être moi-même je ne serai pas comme toi, toi mon père ou toi ma mère. Je serai même juste l'inverse. Tout se passe comme si ma fidélité à ton égard consistait à explorer ce que tu t'es efforcé de renier. J'adopte pour programme de développement toute la personnalité reniée de mon père ou de ma mère. Je me trouve dans une situation qui est encore un conditionnement et ma révolte n'est qu'apparente. Je vais peut-être mettre des années ou des dizaines d'années à être vraiment moi-même.

« C'est pour ton bien. » Combien d'enfants se sont construit une enfance gommée, idéalisée, pour ne pas remettre en cause leurs parents ! Le dépassement de son enfance passe par la lucidité et le pardon. Tant que je continue à me masquer ce que j'ai ressenti pendant mon enfance, je suis en difficulté. Tant que je continue d'alimenter des rancœurs vis-à-vis de mes parents, je suis en difficulté et je me mets en position de victime. La révolte larvée des enfants à l'égard des parents consiste à alimenter des reproches sans pouvoir pardonner, sans pouvoir passer à autre chose. A tout jamais je suis la victime des mauvais traitements de maman, à tout jamais aussi je reste prisonnier de son orbite, quels que soient les kilomètres qui nous séparent. En nourrissant cette haine je lui suis fidèle à ma manière, mais fidèle en tant qu'enfant et l'adulte en moi va souffrir de cette fidélité.

Si j'entretiens un rapport de révolte larvée avec l'un de mes parents, je vais l'apporter dans le couple. N'oublions pas ce premier couple fondateur avec la mère. Si j'ai gardé de ma mère principalement une image de mauvaise mère, plus forte que celle de la bonne mère, je vais inévitablement rejouer et projeter cette image intérieure sur mon conjoint. Lui aussi va devenir ma mauvaise mère pendant un certain temps ou pour longtemps. Cette mauvaise mère qui me hante, je ne peux pas en faire l'économie. L'amour et le combat ont pour moi partie liée.

Chacun épouse en l'autre à la fois sa bonne et sa mauvaise mère, chacun apporte en partage un conflit larvé dans l'affectif. Comment se révolter contre quelqu'un qui vous protège et vous étouffe sans éprouver en même temps un sentiment de culpabilité ? Les femmes se trouvent confrontées doublement au problème, à la fois avec leurs mères et leurs maris et parfois avec leurs employeurs. Condamnées à passer de la domination de l'un à la domination de l'autre, comment ne seraient-elles pas devenues maîtres dans l'art de la ruse et de la révolte souterraine ? Je veux me libérer de ce joug et je ne veux pas, j'y trouve des avantages, j'ai peur de ma liberté. J'ai peur de perdre ton amour. Je te donne ma liberté contre ton amour.

C'est toute cette ambivalence qui explique que la femme soit restée pendant des millénaires dans un statut de sujétion. On a fait remarquer à juste titre que les femmes étaient les seules esclaves à avoir eu beaucoup de difficultés à se regrouper pour former un contre-pouvoir face à leur oppresseur. On pourrait dire qu'elles ont longtemps cru qu'il y avait une issue intérieure : régner sur la maison et régner sur le cœur d'un homme.

Elles oubliaient de régner sur leurs propres démons, elles méconnaissaient le besoin de liberté qui sous-tend l'évolution d'une conscience. Pendant longtemps les femmes se sont contentées de se plaindre, de récriminer, d'empoisonner l'atmosphère, de mépriser, de se refuser sexuellement sous divers prétextes, de trouver des oreilles amies pour déverser toutes leurs rancœurs, sans se révolter ouvertement. Quand la pression devenait trop forte à l'intérieur de la marmite, on soulevait un peu le couvercle et on le refermait. L'argent est un levier puissant. Les femmes qui ne travaillent pas, qui sont dépendantes économiquement, auront tendance à entretenir des situations de révolte larvée. Les femmes très dépendantes affectivement ou qui redoutent de vieillir seules accepteront aussi beaucoup de choses avant de changer véritablement leur situation.

La révolte ouverte

Traditionnellement au service du mari et de l'enfant, la femme qui se révolte est une mauvaise femme, une Lilith, une sorcière. Le poids de cette culpabilité est lourd à évacuer.

Certains hommes aussi vont étouffer leur révolte contre cette femme mégère, qui les opprime et les dévalorise. Esclavage accepté par peur de la solitude, mutisme développé par tactique de survie. Mais la prise de pouvoir de la femme sur l'homme arrive généralement au cinquième stade parce que les conditions historiques ont jusqu'à présent favorisé la domination masculine. Il semble de toute manière que chacun d'entre nous tend à expérimenter toutes les situations, à connaître la situation de dominant quand il a connu le dominé et inversement, soit dans le même couple, soit dans un nouveau couple.

Henri avait été marié très jeune avec une femme dominante et, comme il poursuivait de longues études de médecine, c'est sa femme qui pourvoyait en grande partie à l'entretien des deux enfants et de la famille. Sa femme avait rencontré quelqu'un d'autre et il avait beaucoup souffert de cette situation avant d'envisager le divorce. Au moment où son cabinet prenait de l'extension il avait rencontré Martha, une très jeune fille de seize ans dont il avait été le premier amant. Sa conception du couple avait basculé d'un pôle à l'autre. Il voulait maintenant vivre avec une femme dont il serait le Pygmalion à tous les niveaux, l'entretenir économiquement, lui permettre de vivre à la maison et surtout lui éviter de travailler pour qu'elle n'ait pas l'occasion de rencontrer d'autres hommes. Martha, surprotégée, étouffée par sa mère, trouvait avec Henri l'occasion d'échapper au cocon familial.

Mais elle n'allait pas tarder à s'apercevoir qu'elle sortait d'une cage pour entrer dans une autre. Dès son mariage elle commença à se désintéresser des relations sexuelles, elle qui était si ardente pendant leurs deux années de fiançailles. Elle commença à culpabiliser. Sa mère et Henri le lui répétaient : elle avait tout pour être heureuse, un mari qui l'aimait, qui ne la trompait pas, une aisance matérielle, pas de soucis. La maternité apaisa quelque peu son angoisse naissante. Son fils la combla mais elle se sentait toujours aussi incapable « de rendre son mari heureux ». Que signifiait cette formule ? Elle-même était bien incapable de le dire, mais toujours est-il qu'elle se vivait de plus en plus démunie face à l'insatisfaction grandissante d'Henri. A chaque instant il faisait état de sa supériorité.

Elle avait abandonné ses études et n'avait aucune idée de ce dont elle était capable. Elle se sentait de plus en plus malheureuse. Sa seule façon d'oser l'exprimer était son indifférence sexuelle, qui blessait beaucoup Henri.

Martha s'autorisa à lire des livres, à parler avec d'autres femmes et commença à pouvoir exprimer son mal-être. De larvée, sa révolte devint ouverte. Elle ne voulait pas de cette vie que lui proposait Henri. Ce couple dominant/dominé, qu'Henri avait cru être la solution à tous les problèmes soulevés par son premier couple, se révélait tout aussi impraticable.

La chance de Martha, c'est qu'Henri lui-même a fini par reconnaître l'échec de cette conception et qu'il est décidé à ce que la situation change. Il fait une démarche d'évolution personnelle, il cherche sa sécurité affective ailleurs que dans les bras clos d'une femme. Il commence à comprendre le chemin de l'androgynat. Il a tendance pour le moment à se fermer sur lui-même, à se protéger, à se construire une nouvelle supériorité, pour se protéger de sa peur de voir Martha évoluer et partir. « Je suis plus évolué que toi. » Martha souffre de cette dureté, a le vertige devant l'inconnu qui l'attend, mais sait aussi qu'elle ne peut plus reculer. Elle a compris qu'elle avait le droit de se chercher, de se découvrir dans sa valeur, dans ses possibles, et c'est une grande libération. Le conflit entre eux n'est pas encore dépassé. Ils sont confrontés au Grand Passage. Ils sont confrontés à leurs forces de destruction. Vont-ils pouvoir rester ensemble ? Il n'y a aucune garantie à ce stade.

Le couple infernal

En chaque être thanatos et éros, le désir de mort et le désir de vie se rencontrent et s'affrontent, au niveau biologique comme au niveau psychologique. Ces deux pôles en nous peuvent être vécus dans l'opposition ou dans l'apposition. Ce qui est en jeu fondamentalement c'est une pensée dualiste d'exclusion qui colore toute la pensée patriarcale. Est-ce que je vais privilégier un pôle au détriment d'un autre, ou est-ce que je vais pouvoir faire coexister deux pôles et même rechercher la voie du milieu ? Le couple infernal pousse à son paroxysme la différence et fonctionne sur l'opposition. Le masculin et le féminin sont vécus dans la lutte. La guerre des sexes bat son plein et il s'agit de gagner. Le couple infernal incarne cette logique de pensée et toute l'énergie des deux partenaires va être mobilisée en ce sens. Chacun est isolé dans sa peur de l'autre, chacun se perçoit comme la victime de l'autre. Tous les comportements et toutes les paroles n'ont pour but que d'alimenter cette conviction majeure vécue comme vitale : j'ai raison et il (elle) a tort.

Écoutons Henri et Martha :

Henri : « Tu n'as aucun souci, tu peux rester tranquillement à la maison, faire du piano, t'occuper du petit, et pourtant tu n'es jamais contente... »

Martha : « Tu ne veux pas que je travaille, tu as peur que je regarde d'autres hommes, tu n'es jamais heureux à la maison... »

Les accusations réciproques vont pleuvoir pendant des heures en toute incompréhension. Aucun n'écoute vraiment l'autre car il est déjà en train de préparer sa réponse. Ou plutôt chacun entend les blessures d'amour-propre que lui envoie l'autre mais n'est pas en mesure d'écouter le point de vue de l'autre. C'est ainsi que les tentatives de dialogue :

« Nous allons parler » dégénèrent en attaques sanglantes qui laissent les partenaires pantelants et meurtris. Le conjoint devient en permanence un miroir blessant et la vie n'est plus faite que de rapports coupants. Je te critique sans cesse, je tiens le rôle du parent critique, je te censure, je te juge et je réactive en toi l'enfant blessé. Plus mon estime de moi est écornée par tes attaques, plus je vais devenir virulent à mon tour. Les remarques à double sens, les sous-entendus, les inflexions de voix vont constituer autant de sabotages. Cette guerre intestine, à la fois ouverte et fermée, déclarée et insidieuse, est épuisante, mortelle même pour l'être.

Toute entreprise mortifère agit comme une drogue. Elle devient « addictive », c'est-à-dire que cette intensité négative commence à être vécue dans le plaisir, le plaisir de détruire et d'être détruit. Si ce plaisir n'existait pas, il suffirait de dénoncer l'erreur de tels comportements pour qu'ils cessent. Mais les combats entre deux personnes peuvent durer des mois et même des années. Ils deviennent un mode de vie, un mode de relation.

Thanatos se substitue à éros. Il est bien connu que les premières disputes d'un couple se résolvent sur l'oreiller. Éros vient transformer les forces de thanatos qui ont été mobilisées. Mais il vient un temps où l'intensité de thanatos annihile tout désir chez les partenaires. A partir de là le combat tient lieu de source de plaisir. Les deux partenaires s'installent dans la relation bourreau/victime, échangeant parfois ces rôles et s'agressant quotidiennement.

Peut-on dire pour autant qu'ils ne s'aiment plus ?

Ils se « haiment », ils explorent la face haineuse de l'amour et ils se bloquent sur ce pôle. L'intensité morbide les tient prisonniers aussi sûrement que la passion amoureuse : je ne peux pas vivre sans toi, je ne peux pas vivre avec toi. Le conflit intérieur/extérieur occupe tout le champ de la conscience. Chacun se vit comme la victime de l'autre. C'est le couple sado-masochiste.

Il semblerait que parmi les couples qui vieillissent ensemble, les trois quarts cultivent un mode de relation sado-masochiste. On peut s'en étonner, s'en indigner. Mais on peut se rappeler que la civilisation patriarcale est aussi placée sous le signe de la souffrance et que cette souffrance relationnelle a fini par devenir la norme.

Au cours d'une vie tout se passe comme si nous choisissions le plus souvent inconsciemment une ou plusieurs personnes pour « jouer » ainsi notre part d'ombre, ce qui en nous est relié à thanatos, au désir de se détruire et de détruire l'autre. Ces personnes se situent plus ou moins près de notre cercle d'intimité, relations professionnelles, familiales, personnages ou événements publics. Il y a ainsi des gens que nous n'aimons pas, avec qui nous ne voulons rien avoir à faire, des gens qui nous sont antipathiques, que nous ne voulons plus revoir, que nous craignons, etc. Mais il y a aussi ceux qui font partie de notre quotidien, ce chef de service, cet employé de maison, ce collaborateur, et surtout notre conjoint avec qui la confrontation se répète encore et encore. Rien n'est sans doute plus terrible que la guerre jouée dans le cercle d'intimité. Pour mieux la comprendre il convient d'abord que j'en assume la responsabilité. **Je ne subis pas seulement un couple infernal, je le crée aussi. Tant que je reste dans un état d'esprit de victime, je n'ai aucun moyen de sortir de cette situation.**

La victime

« *Mon conjoint décide toujours ce qui est bon pour moi.* »

Quand une femme s'exprime ainsi, elle montre qu'elle n'a aucune confiance en elle et que son compagnon lui renvoie la même opinion. L'un et l'autre sans doute n'ont guère confiance dans le principe féminin et se renvoient mutuellement ce miroir. Pour en sortir cette femme a besoin de ne plus jouer l'accusation de l'autre et de se mettre à l'écoute d'elle-même, de ses besoins.

Elle a souhaité sans doute attirer l'attention de l'autre en s'infantilisant, le choix d'un homme protecteur et autoritaire s'est fait en ce sens. Elle lui reproche maintenant ce qu'elle a précisément cherché. Si elle l'accuse de décider pour elle, il va se justifier et devenir agressif. Peut-être même va-t-il l'accuser à son tour de trop s'immiscer dans sa vie. L'étouffement est souvent réciproque et procède d'une volonté de contrôler l'autre. Et personne ne peut étouffer quelqu'un qui décide de ne pas se laisser envahir. Autrement dit encore, la victime a besoin de comprendre qu'elle crée son bourreau et qu'elle reproche à l'autre quelque chose qu'elle fait elle-même. La réciprocité de ces modes de comportement est hallucinante. Je ne peux voir chez un autre que ce qui m'appartient. Ce qui me dérange chez un autre c'est qu'il se permette de faire ce que je m'interdis de faire... et que je fais pourtant inconsciemment ou que je ne fais plus et qui me frustre.

Si vous demandez à quelqu'un de noter les trois ou quatre choses qui l'agacent le plus chez les autres, vous n'aurez aucun mal à découvrir qu'il s'agit de choses qui le concernent plus particulièrement, des comportements qui sont pour lui synonymes de culpabilité, qu'il ne s'autorise pas ou plus. Desserrer l'interdit sur ces comportements redonne beaucoup d'énergie.

De la même façon les qualités que l'on admire chez quelqu'un sont en nous : « Le monde est le reflet de moi-même. » Cette phrase peut avec profit être méditée tous les jours.

« *Ma femme me critique sans cesse et elle prend plaisir à critiquer tout le monde. Comment faire pour vivre une relation harmonieuse avec elle ?* »

Quand un homme s'exprime ainsi, il dit aussi implicitement qu'il ne s'autorise pas, lui, à critiquer les autres et c'est précisément là que le bât blesse. Sans doute une partie de lui aimerait bien se permettre des critiques de temps en temps, d'ailleurs son intervention elle-même est une critique non reconnue. Plus cet homme reconnaîtra dans l'attitude de sa femme une partie de lui, plus il cessera d'être agressé par son comportement. Les critiques que quelqu'un émet sur les autres ressemblent beaucoup à celles que cette personne pourrait se faire intérieurement. Dans les cours de récréation, les enfants emploient une phrase lapidaire qui traduit bien ce processus de conscience : « C'est celui qui dit qui l'est. » Une telle écoute permet de dédramatiser, de mettre un peu de distance entre la critique accusatrice et soi, de se préserver d'une blessure trop vive qui risque d'entraîner la réaction et le conflit. Il faut considérer que la personne qui critique exprime aussi un grand besoin d'être rassurée sur elle-même.

« *Au début de notre relation, nous étions bien, maintenant les choses se sont détériorées et mon compagnon provoque des disputes. Que faire ?* »

Il faut être deux pour se disputer et il est peu probable que la responsabilité incombe seulement à l'un. La distribution des rôles dans le couple peut être telle que l'un est le déclencheur actif là où l'autre agit de manière plus invisible mais non moins provocante. Pendant la première phase amoureuse chacun ne voit chez l'autre que ce qui lui plaît, chacun s'efforce aussi de montrer à l'autre ce qu'il attend. Au deuxième stade, chacun remarque chez l'autre des aspects qui lui plaisent moins et renvoie à l'autre certaines images peu flatteuses. Ainsi chaque jour je suis en face de quelqu'un qui agit comme un miroir sans complaisance et c'est alors que je veux changer l'autre pour qu'il m'évite de changer et qu'il continue de correspondre à mes besoins. « Tu n'es pas celui ou celle que je croyais, je me suis trompé sur toi. » C'est dans la mesure où l'on ne s'accepte pas soi-même que l'on désire changer l'autre et dès qu'on veut changer l'autre, le conflit commence parce qu'il s'agit d'une tentative de prise de pouvoir sur l'autre.

« *Nos disputes dégénèrent et mon mari en vient aux coups. Notre couple est-il condamné ?* »

La violence physique peut être parfois le prolongement d'une violence verbale qui était aussi le fait de la femme. En s'interrogeant alors sur elle-même et sur le déclenchement de la querelle celle-ci peut prendre conscience de sa part de responsabilité dans l'attitude de l'homme. Quand cette violence est exceptionnelle, il sera bon de dédramatiser et de déculpabiliser réciproquement. Il n'y a pas d'un côté un mari bourreau et d'autre part une femme victime, il y a deux personnes qui manifestent en tout cas leur mépris du féminin, mépris pour l'homme de sa femme intérieure, mépris pour la femme de sa valeur. Le recours à la violence est l'expression d'une impasse et une tentative désespérée pour en sortir. « Comment se fait-il que je sois avec un homme si violent ? Comment se fait-il que je fasse sortir la violence dans cet homme ? Mon homme intérieur est-il violent ? » Dès que ce regard de tolérance sur soi et sur l'autre grandit, la situation change entre les deux personnes.

Tout se passe toujours comme si nous étions ensemble pour apprendre quelque chose de fondamental sur soi, pour apprendre à vivre en harmonie avec nos deux principes, masculin et féminin. Le fait de regarder tout ce qui arrive comme l'expression de quelque chose qui est en soi permet de sortir radicalement de ce rôle de victime.

« *Si elle m'aimait, elle devrait...* »

La relation commence par beaucoup d'idéalisme et d'attentes inconscientes. La déception est toujours au rendez-vous parce que cet homme en demande toujours plus. Son vide intérieur est impossible à remplir parce qu'il s'est construit dans le passé un programme d'insatisfaction et qu'il s'arrange pour provoquer des situations qui continuent de lui donner raison. Il nourrit la croyance permanente que les autres lui doivent quelque chose de spécial qu'ils ne veulent pas lui donner. Cette croyance produit des catastrophes dans la relation de couple. « Elle » ne lui donne pas assez d'affection, elle se comporte de manière trop indépendante, « elle » n'est pas une bonne épouse. Il devient en retour de plus en plus distant, irritable, désagréable, jaloux. « Elle » finit par le quitter pour quelqu'un de beaucoup plus drôle. Il peut alors se sentir victime d'une femme ingrate alors qu'il était si aimant.

Toute personne vivant ainsi dans un état d'esprit de victime hérité de l'enfance finit toujours par détruire toute relation, ce qui est une façon de détruire l'opportunité d'une évolution qui menacerait la croyance de base. Déception, jugement, critique et déception sont au programme de l'après-rencontre. La victime est une éternelle déçue.

Pour savoir si l'on est concerné par ce virus, on peut se poser la question : combien de personnes m'ont déçu(e) dans la vie ?

« *Je suis très généreux et je rencontre toujours des ingrates...* »

Le propre de la victime est aussi de se trouver dans

la situation de celle qui donne et ne reçoit rien en retour, position de sacrifice et même de martyre. Elle répète ainsi une situation vécue dans l'enfance à l'égard des parents : je fais tout ce que je peux pour vous faire plaisir et je n'obtiens jamais la satisfaction de mes besoins. Au début de la rencontre cet homme va donner sans compter, proposer des voyages, se poser en sauveur, se rendre disponible. Mais inconsciemment la partie victime en lui va faire les comptes et il y aura toujours un moment où l'excès même de ses attentions fera que l'autre va étouffer et s'écarter, donc ne pas le payer de retour. Il aura ainsi vérifié son postulat de base et chaque relation ne va ainsi servir, à un moment ou un autre, qu'à augmenter son insatisfaction. On peut remarquer que tout part d'un vide qui ne peut pas se combler parce que en même temps la personne est incapable de recevoir véritablement. Le sentiment de gratitude qu'elle demande aux autres lui est inconnu.

Chaque personne est tentée d'adopter le rôle de la victime à un moment ou un autre de sa vie et en particulier dès que les circonstances ne sont plus favorables. L'attitude qui consiste à dire : « Qu'est-ce que cette situation peut m'apprendre, en quoi suis-je le créateur de cette réalité ? » est moins courante. L'autorité parentale et l'éducation ont laissé en nous des traces et nous nous vivons comme soumis et impuissants. En particulier le psychisme féminin est invité à se glisser dans le moule de la soumission et de la victime. L'arme par excellence de la victime est la culpabilisation de l'autre : je me suis laissé faire parce que tu m'as dit que c'était pour mon bien et maintenant que je me sens mal, c'est ta faute. Cette projection de la responsabilité du mal-être à l'extérieur de soi a pour conséquence de perpétuer la situation. Ni le bourreau ni la victime ne se remettent en cause et ne reviennent à eux-mêmes. Tout ce qu'ils tentent de faire, c'est de se décharger de leur culpabilité sur l'autre. Nous tournons dans un cercle vicieux d'autant plus répétitif que des croyances négatives sur le relationnel ont pu s'« engrammer » dès l'enfance et qu'au troisième stade de la relation elles trouvent l'occasion de jouer à plein.

La position de victime occasionnelle ou à temps plein présente un coût très élevé : elle se traduit par une déception constante dans les relations, la peur de se faire avoir, la solitude, l'impression d'être séparé des autres, la fermeture, le complexe de persécution, de sacrifié, l'incapacité à recevoir, le sentiment d'injustice, l'impuissance à coopérer, la dramatisation, l'insatisfaction permanente, l'accusation de l'autre, le manque d'estime de soi, la culpabilité, la fatigue, la maladie. La vie est perçue comme comportant beaucoup de travail et peu de plaisir, il y a une sorte d'incapacité à entrer dans la joie, la légèreté, l'humour, la détente, la beauté du moment présent. Cet état d'esprit qui paraît catastrophique au vu de cette énumération est pourtant celui qui est adopté encore aujourd'hui par la majorité des gens.

Le bourreau

Le rôle du bourreau est exactement symétrique de celui de la victime, il est plus spécifiquement proposé à la mentalité masculine et au psychisme du maître alors que la victime est un apanage davantage féminin et un attribut de l'esclave. On pourrait croire qu'il y a davantage d'esclaves que de maîtres, de victimes que de bourreaux, mais la fameuse dialectique du maître et de l'esclave montre que l'existence de l'un appelle l'autre, que les rôles tendent à s'inverser dans une lutte sans merci. Au sein d'un couple le bourreau aura donc tendance à se retrouver victime et inversement.

Le bourreau étant défini comme celui qui fait souffrir l'autre et qui y prend éventuellement du plaisir, nous pouvons nous interroger sur cette capacité en nous. D'où nous vient-elle ?

De la souffrance que nous avons enregistrée étant enfant, des humiliations que nous avons subies. Nous aurons inconsciemment un besoin compulsif de répéter notre propre histoire en nous identifiant à ce qui nous a agressé. Le bourreau développe un mécanisme de défense contre le rôle de victime. Plus la haine s'est accumulée dans l'enfance sans pouvoir être reconnue parce que les parents continuaient d'être « protégés », d'être vus comme aimants-aimés, plus elle va se retrouver dans la relation intime et se rejouer. Elle se manifestera sous forme d'autodestruction ou de destruction de l'autre. Il y a dans ce rôle de bourreau une fonction d'exutoire à l'enfance blessée et une fascination dans l'exercice d'un certain pouvoir.

Le bourreau se situe dans un rapport de toute-puissance. On a vu que la grande mère des origines pouvait se montrer cruelle avec son fils-amant, de même le dieu-père domine et châtie une Ève coupable de transgression. Le bourreau récupère le pouvoir créateur de source divine, mais il en use dans la destruction. **Il est rare que le dominant soit conscient que le pouvoir exige une catharsis pour s'exercer dans le monde de l'éros.** Telle est bien la difficulté. Le pouvoir est grisant et il est assumé par des êtres qui ne contrôlent pas leur pulsion de mort, leurs haines enfantines accumulées.

Dans une relation intime tout être aimé a du pouvoir, tout être aimé peut avoir l'occasion et la tentation de mettre en œuvre son thanatos. Ainsi cet homme marié qui rencontre une autre femme, qui noue avec elle une relation. Pour ne pas ressentir sa culpabilité vis-à-vis de sa femme, il commence à critiquer ses vêtements, ses comportements. Comme elle se rebelle, il l'accuse de se comporter en mégère, il la dévalorise, il s'autopersuade ainsi qu'il avait bien raison de la délaisser. Bien entendu il rencontre en elle des points de faiblesse sans lesquels il n'aurait pas pu l'entraîner dans son jeu destructeur. Il prend appui sur son manque de confiance en elle, sur son sentiment d'infériorité envers lui.

Certains hommes se comportent avec leurs femmes comme d'éternels parents avec leurs enfants. Chaque jour ils épinglent une insuffisance, une faute, ils culpabilisent, infériorisent. La fidèle compagne fond en larmes, sourit nerveusement et revient peu après proposer ses services avec un fond de rébellion et une attitude de soumission. Comme l'homme ressent cette rébellion latente et qu'il en a peur, il accentue encore sa tyrannie et l'escalade se poursuit.

Certaines femmes aussi martyrisent avec volupté un homme vieillissant. On dit souvent que dans les premières années d'une vie de couple c'est l'homme qui domine et dans les dernières années c'est la femme. Dans la mesure où l'homme intérieur d'une femme ne peut que surgir au fil du temps et qu'il en est de même pour la femme intérieure d'un homme, on comprend l'instauration de ce nouveau rapport de force.

Les jeux de pouvoir

Jérôme est malade et il devrait s'être retiré des affaires mais il refuse d'affronter la réalité et d'une certaine manière il continue de se vivre, de se penser comme un homme en pleine possession de ses moyens. Cet état d'esprit pourrait être positif s'il ne s'accompagnait d'une sorte de mensonge personnel. Car il est physiquement très diminué et s'il est respecté pour son activité passée, il n'a plus guère d'audience aujourd'hui dans son métier. Son entreprise périclite mais il continue de croire qu'il est le seul à pouvoir la sauver. Son collaborateur, Pierre, a pris en principe sa suite, mais Jérôme lui envoie sans cesse un double message contradictoire : sois le meilleur, mais surtout n'existe pas trop et manifestetoi le moins possible car tu me ferais de l'ombre. Pierre, ligoté entre ces deux impératifs, manifeste des troubles divers, il est souvent fatigué, dépressif.

Pour prendre pouvoir sur quelqu'un je peux l'enfermer **dans une double contradiction.** La double contradiction fait le lit de la schizophrénie.

La femme de Jérôme, Nicole, est devenue le PDG de l'entreprise. D'une certaine façon Jérôme lui a donné tous les pouvoirs économiques, mais il la contrôle et la domine sur le plan psychique. Tout son jeu relationnel consiste à s'assurer jour après jour de sa soumission. Il n'est jamais content, elle n'en fait jamais assez, la petite fille en elle court derrière l'approbation paternelle, la femme se met à genoux pour obtenir une preuve d'amour, et la soumise se révolte au nom de son droit à exister pour elle-même et par elle-même.

Jérôme se comporte sans cesse comme un Pygmalion — « Tu me dois tout » — et il l'épingle par la reconnaissance et la culpabilité. Ailes frémissantes, elle se laisse faire, prête pourtant à s'envoler à la première occasion. Cette occasion arrive et elle reste.

Ces deux êtres sont complices pour entretenir ce rapport de force : l'un a appris à avoir toujours tort, l'autre a appris à avoir toujours raison. Apparemment il y a un dominant et un dominé, un gagnant et un perdant, mais tous deux sont perdants parce que Nicole va faire payer à Jérôme ses capitulations.

Jérôme pousse toujours plus loin ses exigences. Il en arrive à tomber dans le dénigrement, il demande par exemple à Nicole de prendre des mesures contre Pierre qu'il juge incompétent. Jérôme vit plus ou moins inconsciemment dans la hantise que Pierre ne le supplante et, avec l'âge, ce comportement est devenu maladif. Nicole se trouve en face d'un choix de plus en plus aigu. Jérôme la menace de représailles si elle n'obéit pas. Mais sa conscience réprouve les agissements de Jérôme, le moment vient où sa révolte devrait devenir ouverte, où elle devrait opposer un non aux demandes de son mari. Et d'une certaine façon c'est ce qu'il cherche, une conscience qui va enfin lui résister, faire échec à sa toute-puissance imaginaire.

Dans les jeux de pouvoir, il y a souvent **une demande explicite et une demande implicite** qui touche de bien plus près l'être qui la formule.

Ainsi, Jérôme veut réduire la marge de liberté de Pierre, mais en réalité il veut surtout que Nicole choisisse entre lui et Pierre, qu'elle lui prouve qu'elle est de son côté. Pour cela il est prêt au chantage : « Tu ne sais pas ce qui t'attend » ; à la flatterie : « J'ai besoin de toi, je peux compter sur toi. » Il l'implique dans ses justifications : « Nous devons être justes. » Nicole se sent très mal à l'aise, ce qui est un signe avertisseur de la présence d'un jeu de pouvoir. Une pression s'exerce sur elle parce que quelqu'un a un projet sur elle et qu'il l'exprime avec une distorsion entre l'explicite et l'implicite.

Jérôme dit volontiers qu'il a tout fait pour elle, ce qui revient à dire aussi qu'il l'étouffe. S'il avait un peu réfléchi à cela, il se rendrait compte qu'il crée toutes les conditions pour faire naître chez Nicole une animosité et une culpabilité qui aggravent encore la tension de leur relation.

Ils fonctionnent tous deux depuis longtemps sur une **complicité circulaire.** Nicole donne à Jérôme le pouvoir d'avoir du pouvoir sur elle. En lui résistant elle alimente son pouvoir. En ne disant pas ce qu'elle ne veut pas, elle lui permet de la maltraiter. Plus elle entre dans le jeu, plus Jérôme se sent autorisé à exercer son pouvoir sur elle. Si cette situation se maintient, c'est que chacun y trouve son compte. Quel avantage retire Jérôme de son pouvoir visible ? Je décide. Et quel avantage retire Nicole de son pouvoir invisible ? Je subis.

Cette analyse se complique du fait que le pouvoir réel, officiel, est détenu par Nicole et que l'influence occulte est le fait de Jérôme. Celui-ci peut faire faire à Nicole apparemment ce qu'il veut. Il jouit tout particulièrement de l'acculer au conflit, de la voir bouder puis céder parce qu'elle ne supporte plus ce mutisme pesant. C'est toujours elle qui craque la première et qui reprend la communication comme si rien ne s'était passé.

Se rendre dépendant de quelqu'un, c'est aussi le tenir sous sa dépendance, s'assurer que la relation va continuer, que l'autre ne va pas vous quitter. Plus on entre dans ce rôle de dominant ou de dominé, plus on a besoin de l'autre pour exister.

Jérôme considère que les conflits et les difficultés de leur couple viennent de l'attitude de Nicole et réciproquement. Aucun des deux ne se sent responsable de la relation, parce que chacun fonctionne dans un monde fermé fondé sur l'accusation de l'autre : tu n'as pas fait ceci, tu n'as pas fait cela. Ce qui est une façon aussi de se faire prendre en charge par l'autre au niveau de la relation : j'attends de toi que...

Remarquons que le mobile de Jérôme, derrière ses jeux de pouvoir, c'est de se faire reconnaître comme celui qui est toujours le maître, toujours compétent. Le mobile de Nicole est aussi de se faire reconnaître comme une bonne épouse digne d'être aimée par celui qu'elle a choisi comme maître. Les moyens qui sont employés pour parvenir à ces buts semblent inadaptés. Même en renforçant son contrôle sur Pierre, Jérôme ne peut rien changer ni à son âge ni à sa baisse de crédibilité. En perpétuant un conflit avec son collaborateur, il s'affaiblit lui-même. En rentrant dans son jeu, Nicole ne peut en aucune manière le satisfaire, et donc obtenir sa reconnaissance.

Si ces jeux de pouvoir ont pour caractéristique d'être **inadaptés à la réalité,** ils sont également **répétitifs** car Jérôme et Nicole ont joué des centaines de fois ce scénario sous un prétexte ou un autre. Tout se passe comme s'ils continuaient chacun d'ignorer ce que cherche l'autre et même ce qu'ils cherchent eux-mêmes, tant et si bien qu'ils tournent en rond, aveugles et désespérés, avec des moments de rémission où ils reprennent haleine. Ils ont fait le vide autour d'eux et il n'y a presque plus personne pour les accompagner dans cette ronde infernale. Plus la pression augmente, plus ils se retrouvent enchaînés l'un à l'autre. Moins ils sont satisfaits dans leur demande fondamentale, plus ils sont frustrés et plus cette frustration les entraîne à reproduire compulsivement des comportements inadaptés...

Faire pression, envoyer un double message, créer une complicité circulaire, manipuler l'autre, se rendre dépendant, être inadapté à la réalité, répéter les mêmes scénarios, telles sont les caractéristiques des jeux de pouvoir.

Comment et pourquoi en sont-ils arrivés là ?

Dans la dialectique du maître et de l'esclave, l'esclave est celui qui a tellement peur de la mort qu'il préfère se soumettre plutôt que d'affronter le maître. Celui-ci, par contre, a fait la preuve de sa détermination à préférer la mort plutôt que l'esclavage.

La peur et la mort, la peur de la mort apparaissent ici comme les grands ressorts des jeux de pouvoir. Je te domine donc j'existe. « Tu me domines donc j'existe » peut être mis en parallèle avec « tu m'aimes donc j'existe » et « je t'aime donc j'existe ».

La prise de pouvoir serait comme une version abâtardie de l'amour. Elle évite de se confronter avec la liberté menaçante de l'autre. Elle constitue une mesure pour se rassurer sur la présence de l'autre, afin de ne pas ressentir la peur d'être abandonné. Tout se passe comme si cette peur première et fondamentale pour le bébé, la peur de ne pas être nourri, se perpétuait chez l'adulte comme une conduite inadaptée, tellement inadaptée même qu'elle produit souvent une coupure dans la relation, un antagonisme. J'évite ainsi de me confronter à moi-même. Je me fais croire que et je te fais croire que... je refuse de me mettre en question, je crée une réalité qui me convient et j'essaie par un coup de force d'emporter l'adhésion de ta conscience, ce qui me confortera dans mon illusion.

Les jeux de pouvoir sont une entreprise d'anesthésie qui évite de répondre à la question : « Qui suis-je ? » Jérôme nourrit sur lui-même une croyance très ancrée et très menacée : je suis un homme exceptionnel pas assez reconnu. Et Nicole : je suis une femme exceptionnelle qui a permis à cet homme de devenir ce qu'il est. Ces croyances sont partiellement inconscientes, mais elles consomment beaucoup d'énergie et tous deux agissent de manière qu'elles soient renforcées. Tant qu'ils ne rencontrent pas d'opposition, ils ont l'impression de contrôler le monde qui les entoure. Le jeu qu'ils se jouent à deux est le seul qui les met en échec dans la mesure où leurs projets de puissance et de reconnaissance empiètent l'un sur l'autre.

Nous venons de voir que les jeux de pouvoir sont des jeux de défense :

— pour m'assurer de la possession au moins d'un autre ou de plusieurs autres qui sécurisent la relation ;

— pour éviter la question « Qui suis-je ? » et me conforter dans une image de moi ;

— pour éviter de vivre le changement et de perdre le contrôle ;

— pour me protéger de la peur de la mort ;

— pour ne pas écouter mon corps.

La fuite d'une confrontation avec l'autre, avec moi-même et avec le monde, me permet de nourrir l'illusion de la toute-puissance, mais m'interdit toute possibilité de réalisation personnelle. Je perds mon pouvoir créateur à force de me projeter dans un monde idéal. Je gagne une sécurité, je perds la vie.

Sortir des jeux de pouvoir

Dans cette histoire, le jeu de pouvoir de Jérôme est de contraindre Nicole et le jeu de pouvoir de Nicole est de se laisser contraindre tout en laissant entendre que rien n'est jamais gagné et que la prochaine fois... L'évolution de l'histoire dépend de la position prise par la pseudo-victime.

Dans la situation initiale où elle cède, Nicole est certaine d'éviter la confrontation et de se protéger du risque de rupture.

Si elle décide de changer de comportement, elle peut résister à Jérôme en se justifiant (j'ai fait cela et je ne pensais pas que... j'ai dit cela et tu l'interprètes mal, etc.), mais elle lui restera assujettie.

Elle peut aussi lui opposer ses arguments : Pierre est un très bon collaborateur, tu l'as toujours pris en grippe, tu es injuste avec lui... Elle prend alors le risque d'affirmer son système de valeurs, mais dans ce cas la pression s'accentue car Jérôme l'enregistre comme une déclaration de guerre. On a vu qu'il ne supportait pas qu'elle pense différemment de lui. Quant à entrer dans un système d'accusation vis-à-vis de Jérôme, Nicole ne s'y essaie que très indirectement car il réagit immédiatement et violemment. Sa névrose est telle qu'il ne supporte pas la plus petite remise en question.

En général, à ce niveau du combat, Nicole bat en retraite, va s'enfermer dans sa chambre en pleurant. Ils font une trêve pour récupérer et le jeu recommence.

Comment pourrait-on sortir de ce cercle vicieux ? Il serait nécessaire pour cela que l'un ou l'autre évolue dans la relation, c'est-à-dire pense autrement et agisse autrement. L'arsenal de prise de pouvoir du dominant est impressionnant.

— la culpabilisation (tu n'as aucune reconnaissance) ;

— la dévalorisation (sans moi tu ne serais rien) ;

— la menace (gare aux représailles) ;

— le chantage affectif (notre couple... notre union... je souffre... personne ne souffre comme moi) ;

— l'opportunisme (justement, je voulais te dire...) ;

— la rétorsion (puisque tu es si dévouée...).

Tant que le dominé n'a pas pris conscience clairement de toutes ces méthodes pour les débusquer et ne pas se laisser impressionner par elles, il retombera dans le piège bien rodé de son comportement passé. C'est comme sauter en parachute. Le dominé a besoin de se convaincre qu'il ne lui arrivera rien de terrible, rien de mortel s'il ne cède pas aux attentes du dominant. Il a besoin d'apprendre à dire non, pas un non de révolte, mais un non de distance réfléchie. Faire un petit pas de côté. Faire un petit pas de côté physique et psychique. Se lever et parfois savoir quitter la pièce avant que les choses ne dégénèrent.

Traverser la peur de l'autre et, pour Nicole, la peur du masculin déjà bien ancrée dans la relation au père.

Le jeu de pouvoir est terriblement mortifère, il tue encore et encore la capacité d'amour, mais il a ceci de particulier qu'il **porte en lui la possibilité de la guérison des deux partenaires.** Sans cet espoir invisible il ne se perpétuerait pas dans son absurdité répétitive.

Dans le cas de Jérôme et Nicole, seule Nicole est ouverte à la compréhension du mécanisme qui les enferme. Bien que complice et acteur, elle souhaite trouver une porte de sortie.

La drogue est une bonne image. Certains drogués ne veulent pas entendre parler de désintoxication. D'autres au contraire cherchent des aides, tentent de s'en sortir, retombent, se désintoxiquent à nouveau et parfois se libèrent totalement de cette emprise. Il ne faut pas sous-estimer les jeux de pouvoir, ils sont aussi « addictifs » pour chacun d'entre nous. Nicole ne peut pas compter sur une collaboration consciente de Jérôme. Il est même nécessaire qu'elle renonce d'avance à tout projet sur lui concernant son éventuel changement. **Vouloir que quelqu'un change, c'est prendre sur lui un pouvoir subtil et c'est souvent bloquer la situation.**

Nicole a besoin de regarder Jérôme et de l'accepter comme il est, comme elle le voit. Seule cette acceptation, qui la différencie aussi, lui permettra d'avoir la distance indispensable sur le plan intérieur. Elle n'est pas le sauveur de Jérôme, le bénéfice ne peut qu'être indirect, arriver par surcroît. Il est certain que si Nicole change son comportement, Jérôme aura une possibilité nouvelle dans son histoire, possibilité qu'il cherche inconsciemment depuis longtemps, mais le rôle de Nicole s'arrête là. Le comportement soumis de Nicole était adapté dans son enfance, adapté aussi au maître qu'a été Jérôme dans sa profession, mais inadapté en tant qu'épouse. C'est en devenant inadapté que son comportement est devenu névrotique, de même pour Jérôme.

L'aspect névrotique se nourrit du sentiment d'échec sans pouvoir tirer de leçon de l'échec. Le jeu de pouvoir s'enkyste et dégrade toujours plus la relation, engendre des frustrations. Tant que le jeu de pouvoir protège des peurs inconscientes et que ce bénéfice est ressenti comme plus important que la frustration, le comportement se perpétue. Il arrive un moment où, malgré la peur, la frustration pousse à de nouveaux comportements. On pourrait dire que la peur de Jérôme reste trop grande pour un changement mais que la frustration de Nicole atteint son point limite.

Revenons à Nicole. Comment peut-elle sortir de cette « victimisation » qui cache aussi une très forte dominance ? Comme beaucoup d'êtres, elle ne connaît que deux pôles contraires entre lesquels elle oscille en plein déséquilibre. La voie du milieu lui est la plupart du temps impraticable, sauf quand elle laisse parler son cœur avec d'autres êtres de son entourage.

Tel est bien le grand repère : l'**écoute du corps**, de ses besoins fondamentaux, et l'**écoute du cœur.**

Qu'est-ce que représente le fait de rester centré dans une relation ? C'est rester droit face à l'autre, sans pencher vers lui pour servir ses besoins. Il est certain que Nicole aura beaucoup de difficultés à intégrer cette donnée, elle qui a toujours appris qu'une femme se définissait par sa capacité de don de soi. Sa bonne santé montre quand même qu'elle sait se préserver. Observons les bénéfices d'une écoute du corps.

Si je suis attentif à mon bien-être corporel, je n'aurai pas le désir de focaliser mon attention sur l'autre, de faire pression sur lui, de le manipuler, d'avoir un projet implicite. Je suis ici maintenant, ce qui veut dire que je ne répète rien, je suis adapté à la réalité. Je ne suis pas non plus dans la dépendance parce que je satisfais mes besoins.

La conscience du corps, l'enracinement dans le corps, la respiration consciente, habiter son corps de sa pensée : il y a là toute une hygiène intérieure, extérieure, du retour à soi-même.

Le désir-projet d'être un pur esprit, d'oublier son corps, fait partie de la folie de la surpuissance. Il n'est que de remarquer à quel point nous avons un refus de nous incarner, de nous identifier à notre corps et à ses limites. Nous voulons en sortir avant même d'y être entré. C'est pourquoi la sagesse consiste d'abord à **entrer**, encore et encore, dans toutes les couches, dans toutes les cellules, avant de **sortir** vers des régions de plus en plus éthérées de soi. Un des malaises de la civilisation consiste à laisser l'intellect prendre le pas sur le corps, à valoriser les activités cérébrales par rapport aux activités manuelles. Le développement spirituel, lui aussi, peut porter la marque de ce déséquilibre en proposant des techniques de sortie du corps avant même que l'être ait intégré l'existence de ce corps.

Jérôme et Nicole souffrent de ce syndrome à leur manière. Bien qu'assez sportifs et attentifs aux besoins de leur corps, ils se décentrent rapidement dès que le psychique est en cause. La croyance de Jérôme, « Sois parfait », active en lui la méfiance, le perfectionnisme, la supériorité, le mépris... La croyance de Nicole, « il faut faire plaisir aux autres », l'amène à dire oui quand elle voudrait dire non, à continuer de jouer au sauveur même quand ce n'est pas nécessaire.

Ces croyances ne sont pas « mauvaises », mais en situation de stress elles réactivent des comportements compulsifs, elles induisent des conditionnements. Pour « rouvrir » ce cercle fermé, Nicole a besoin déjà de comprendre tout ce fonctionnement puis de se proposer d'expérimenter une autre croyance de manière délibérée, de se donner une permission, celle par exemple de dire non. Elle peut même envisager que ce non soit un signe de courage, une authenticité.

Immédiatement pourtant, sa peur va resurgir : que va-t-il faire, qu'est-ce que je risque ? Pour qu'elle fasse le pas, il faut que sa frustration soit plus forte que sa peur ou qu'elle soit convaincue de la nécessité d'un changement de valeurs.

Nicole est aussi très émotive, elle pleure facilement, ce que Jérôme dévalorise en parlant de sensiblerie. Elle a besoin de réhabiliter la valeur de ses émotions, de les écouter, de les relier à ses besoins et même de s'appuyer sur elles pour agir. Il est bon aussi qu'elle repère et connaisse ses limites pour cesser de se nier au nom de l'autre : qu'est-ce que je peux permettre, qu'est-ce qui est inacceptable pour moi ? Enfin la relation centrale pour tout être est de connaître en lui sa source d'amour, de se faire confiance en tant que dépositaire de sagesse. Nicole a besoin de se renforcer sur le sentiment de sa valeur.

Pour tout cela elle peut recevoir une aide extérieure, celle d'une amie, mais plus sûrement celle d'un thérapeute qui saura agir sur tous les points concernés : l'écoute du corps, des croyances, des émotions, des besoins, de la valeur de l'être, autant d'aspects de la connaissance de soi.

Imaginons une conversation entre Jérôme et Nicole. Désormais Nicole est sur ses gardes. Elle est bien décidée à ne pas se laisser dominer par Jérôme, à ne pas se laisser déstabiliser, à ne pas entrer dans un système de justification. Elle s'est fixé pour règle d'écouter sans répondre, et même d'écouter sans préparer de réponse, sans chercher de solution. Elle s'ancre dans son corps et dans son cœur et elle devient tout écoute. Ce n'est pas une attitude de défiance, de combat, c'est au contraire une position très relaxée, distanciée.

Après cette écoute elle utilise la confirmation (si j'ai bien compris, tu viens de dire que...) et elle prend tout le temps nécessaire pour s'assurer qu'elle a bien compris. Elle répète ce qu'il vient de dire. Si Jérôme ensuite lui demande de réagir, de prendre position, elle lui répond d'un ton calme qu'elle a besoin de réfléchir et qu'elle donnera son avis plus tard.

Par cette attitude Nicole sort de la dynamique des jeux de pouvoir. Elle n'est ni dans la soumission ni dans la résistance.

Si Jérôme lui fait des reproches, elle le laisse parler sans essayer de se justifier. D'une certaine façon elle accepte d'envisager que ces reproches puissent avoir un sens : je ne sais pas, peut-être as-tu raison. Elle n'entre pas dans le conflictuel : j'ai raison et tu as tort. Elle ne cherche pas à le faire changer d'avis, mais elle n'accepte pas pour autant d'adopter son point de vue au-delà d'une interrogation. Elle peut aussi s'informer : qu'est-ce qui déclenche ce jugement chez toi ?

Elle écoute ce qui se passe en elle. Elle se donne la permission d'être comme « cela ». Elle ne s'identifie plus à ce jugement de l'autre. Plus encore, elle sait qu'on est toujours une chose et son contraire. Qu'elle est gentille mais aussi potentiellement toujours méchante et que cette méchanceté n'a pas à lui faire peur, qu'elle n'est que l'ombre de la lumière.

Tout le puissant ressort de l'accusation et de la culpabilité repose sur la dualité, sur la peur de la face noire des choses. Quand on commence à lever cette peur, on desserre le nœud de la culpabilité.

Il ne s'agit pas pour elle de faire changer l'autre mais de **se positionner au bon endroit.** Pour cela elle a aussi besoin de cesser de s'occuper de Jérôme en priorité et de s'occuper d'elle. Par exemple elle ne lui demandera plus s'il a envie de regarder tel spectacle avec elle ou de manger tel poisson, elle dira ce dont elle a envie. Au lieu de lui faire des reproches intérieurement et d'empoisonner la relation par les non-dits, elle exprimera ce qu'elle ne veut plus : je ne veux pas que tu te mettes en colère contre moi.

C'est toute une entreprise d'**assainissement de la relation** qui est à mener. A court terme les fruits ne seront pas toujours évidents mais à long terme ils apparaîtront.

De l'amour du pouvoir au pouvoir de l'amour

Comment passer de l'amour du pouvoir au pouvoir de l'amour, de l'amour du pouvoir à la puissance de l'amour ? Nous sommes là au cœur de la difficulté qui se pose pour chacun d'entre nous et pour la conscience collective de l'humanité tout entière. Comment passer de la peur à la confiance, de la domination autoritaire et esclavagiste à la coopération ? Tous les « passeurs » de notre temps apportent leur savoir-faire et leur savoir-être à cet endroit précis où achoppent les bonnes volontés.

Aujourd'hui les neuf dixièmes de l'humanité sont encore englués dans la survie, dans la peur et les relations sont teintées de compétition, de domination, de lutte. La planète Terre vit dans la guerre ouverte et larvée, guerre armée, guerre économique, psychologique et même amoureuse. Quelques vainqueurs paradent à la tête d'une armée de vaincus, d'esclaves, de victimes. Et ces vainqueurs sont eux-mêmes les victimes de la solitude du pouvoir.

La conscience collective dénonce aujourd'hui majoritairement l'absurdité de la guerre et des conflits. Les consciences individuelles refusent de plus en plus l'absurdité des conflits familiaux. Les couples éclatent plutôt que de rester ensemble dans l'affrontement permanent. Mais personne encore ne semble savoir comment entrer dans l'ère de la paix intérieure et extérieure.

Actuellement l'humanité se vit de façon diurne au niveau du ventre et elle se cherche un passage au niveau du cœur. Ce passage est d'ordre à la fois collectif et individuel. Nous sommes tous concernés, nous sommes tous en difficulté pour effectuer ce passage et nous avons besoin de nous encorder pour les moments difficiles.

L'ombre de la puissance nous guette et nous nous dirigeons vers la lumière de la puissance. Nous savons bien que chaque chose peut être bonne pourvu qu'elle soit utilisée à sa juste place, à sa juste dose. Il ne s'agit pas de se condamner à l'impuissance sous prétexte que la puissance a des aspects dangereux. Nous avons besoin de mettre la puissance au service de l'amour et c'est alors que s'accomplit la mutation, la transmutation. L'action illuminée par l'amour multiplie les possibles, ouvre un chemin de réalisation plus magique et plus souple. L'action est inspirée.

Le dessein est clair désormais : comment passer d'une vie dominée par la peur à une vie guidée par l'amour. Au moins à cinquante pour cent, soyons lucides sur nos forces et nos faiblesses.

L'acceptation des autres et de soi-même introduit à

un nouveau mode de pensée, à une logique du paradoxe, qui constitue l'une des clés de ce passage d'une vie défensive, peureuse et agressive, à une vie rayonnante et heureuse. La culpabilité et le jugement sont les instruments d'oppression par excellence dans la relation dominant/dominé et ils ont été si bien intériorisés par tous qu'ils sont devenus les acteurs de la division intérieure, de la guerre que nous nous menons à nous-mêmes par critique intérieure interposée. Plusieurs personnages sont en lutte à l'intérieur de nous. L'alignement, le centrage, la confiance dans sa graine de sagesse personnelle, tous ces éléments vont contribuer à développer la puissance de l'amour.

Je suis persuadée aujourd'hui qu'il est possible d'agir à plusieurs niveaux, d'une part sur nos comportements en les modifiant, d'autre part sur les causes qui nous manipulent, et enfin de s'éveiller, notamment par la pratique de la respiration, pour libérer de nouvelles ressources, développer sa joie de vivre et changer de niveau de perception. Tenir compte du conscient, de l'inconscient et de l'énergétique dans le processus de libération intérieure.

QUATRIÈME STADE

Le couple éclairé

Je ne désespère plus
mais je n'ose encore croire à mon espoir.

Entre savoir et faire

Le stade éclairé correspond à la tentative de sortir du couple conflictuel par la compréhension et l'intelligence. Nous sommes toujours en présence d'une femme lunaire et d'un homme solaire, mais avec des différences. Cette femme lunaire tend au mode actif alors que dans le même temps l'homme solaire tend au mode passif. Tous deux sont confrontés souvent inconsciemment à une certaine forme de contradiction intérieure. Ce couple éclairé est celui qui consulte les thérapeutes, qui s'informe, qui lit, qui s'engage dans une voie d'évolution consciente, qui prend le risque de se mettre en question.

C'est à ce stade éclairé qu'appartient le grand chambardement du mouvement féministe avec les importantes reconquêtes qui en ont résulté sur tous les plans, politique, économique, social et sexuel. Des hommes sont acquis à cette cause sans pour autant se sentir très à l'aise, parce qu'ils sont encombrés de leur complexe de supériorité. Les femmes se cherchent et jouent sur plusieurs registres, entre la soumission et la domination.

Le stade éclairé est un stade de passage, de recherche où l'intelligence vient au secours des instincts et des conventions pour définir de nouvelles pistes. C'est aussi un moment ouvert sur le risque du changement, avec trois pas en avant et deux pas en arrière. On abandonne les vieux comportements, on sait ce qu'on ne veut pas et on ne sait pas encore très bien ce qu'on veut. Certaines parties de soi sont évoluées, d'autres en plein archaïsme et ces écarts font parfois un cocktail détonant.

Riche de promesses, ce stade s'alourdit parfois aussi de déceptions, de découragements, de perte de foi dans la possibilité de se hausser au-dessus des zones turbulentes du conflit. Les remises en question font aussi le lit des ruptures. Les avancées et les régressions sont au rendez-vous. Les superwomen, supernanas, les nouveaux hommes, les nouveaux pères, les nouvelles mères, la déroute des sexes, toutes ces tentatives de descriptions journalistiques et sociologiques sur l'état de la société actuelle témoignent des essais et erreurs, des tâtonnements dans la redéfinition des identités homme et femme.

C'est cela la sortie du patriarcat : une zone indéterminée où les formes usées du passé sont abandonnées sans très bien savoir ce qu'on va mettre à la place.

Tout se passe comme si l'humanité s'était déjà essayée à une civilisation de la mère puis à une civilisation du père et qu'elle cherche maintenant un saut qualitatif : une civilisation où le père et la mère coopéreraient, **une civilisation de l'homme ET de la femme.**

Le féminin était représenté dans les temps préhistoriques par les hanches pléthoriques de la mère. Ce n'est que plus tardivement que la femme est apparue avec sa taille mince et cette femme de séduction n'a jamais pu se déployer comme un être à part entière. Elle était une moitié de l'homme. Par voie de conséquence l'homme n'était pas non plus un être à part entière. Dans la société nous n'avons connu qu'un mariage dominant/dominé, il reste à inventer une union qui soit coopération-cocréation.

Nous sommes en train de découvrir qu'en parler ne suffit pas. Ce stade des lumières est très important sur le plan collectif comme sur le plan individuel. La raison, la logique, la science, et une certaine forme d'art sont les fleurons d'une pensée masculine, mais l'intuition, le paradoxe, la poésie, l'amour et la sagesse demandent aussi à être entendus comme les éléments d'une forme plus féminine de l'existence.

Comprendre que l'intellect a des limites, qu'il a besoin de s'irriguer de la voie du cœur, c'est s'apercevoir aussi qu'il ne suffit pas que je sache intellectuellement ce qui est bon pour moi pour que je le fasse, c'est se trouver en face de la distorsion entre savoir et faire.

Il y a ceux qui parlent et il y a ceux qui incarnent ce qu'ils disent. Aujourd'hui les éléments d'un nouveau paradigme commencent à se dessiner clairement.

La synthèse des nouveaux comportements propres à une ère de coopération entre l'homme et la femme est déjà là. Près de dix pour cent de la population actuelle en France a déjà accès à cette synthèse, en tant qu'information, mais très peu la mettent en œuvre dans leur vie. Ils ont la clef, ils ne se sont pas encore décidés à la faire tourner. C'est sans doute à ce stade que se produit pour les individus comme pour les sociétés un tournant décisif. Tout le travail de la psychanalyse, de la psychothérapie et des méthodes d'éveil, se fonde sur la possibilité de ce passage.

Chacun commence à voir que son conflit extérieur avec l'autre a ses racines dans un conflit intérieur avec lui-même. C'est le début d'une transformation profonde. On quitte le « tu m'empêches de faire ce que je veux » et l'on comprend qu'on se sert de l'autre pour s'empêcher de bouger. Chacun va reconnaître le niveau de sa projection sur l'autre. **Chacun apprend à transformer le négatif de son histoire en positif.**

Le couple éclairé sait qu'il a débuté avec un désir de symbiose, qu'il a découvert la différence et la peur de la différence avec ses jeux de pouvoir, qu'il s'est enlisé dans le conflit. Il peut maintenant apprendre à s'enrichir de cette différence et à retrouver une autre forme de symbiose. Le couple conflictuel est derrière lui mais l'harmonie à deux n'est qu'entr'aperçue, conceptualisée, espérée. Toutes les vieilles habitudes de comportement sont encore là, prêtes à resurgir aux premières peurs, aux premières blessures. Situation instable donc, très courante et repérable dans la société actuelle. Les magazines féminins donnent beaucoup de conseils, les ouvrages de psychologie aussi et le public les achète, ce qui signifie que les hommes et les femmes s'interrogent sur leur crise relationnelle. Une grande partie de la conscience collective est aujourd'hui entrée dans le stade éclairé, au sens d'une volonté de dépasser le modèle patriarcal.

« *Ne pas vivre comme mes parents* »

C'est un leitmotiv. Gérard est parti très tôt de chez lui avec cette idée en tête : « Je vais me marier et je vais réussir un couple, je vais réussir là où mes parents ont échoué. Ils sont toujours ensemble mais quel enfer ! je sais ce qu'il ne faut pas faire. » Mariage, enfant, échec. Gérard aimait sa femme pour son côté artiste, bohème, il ne supporte plus son désordre, ses retards, son manque d'organisation. Leur couple fusionnel a explosé après la naissance du premier enfant. Gérard devient progressivement aussi opprimant et exigeant que son père. Ils se quittent pour la même raison que celle qui les a attirés l'un vers l'autre. Lui si strict, si rangé, avait rêvé de la fantaisie de cette femme, et elle aimait s'appuyer sur sa stabilité rassurante. Ils avaient fait le projet conscient/inconscient de marier leurs qualités respectives, de s'enrichir chacun de celles de l'autre. Le programme d'échange n'a pas fonctionné. Ils se sont durcis dans leurs engrammes respectifs et il est arrivé un moment où il l'a perçue comme invivable, où elle l'a perçu comme intolérant. Les identités se sont bloquées. A l'inverse des parents, ils ne sont pas restés ensemble dans le conflictuel.

Quelques années plus tard il vit avec Françoise qui

est médecin, un profil de femme apparemment très différent. Françoise, elle aussi, sort d'un divorce et ils sont tous deux très attentifs au couple qu'ils forment. Ils avancent l'un vers l'autre à pas comptés, ils s'engagent avec prudence. Ils ont longtemps gardé deux appartements et ne partagent le même espace que depuis peu. Ils se sont donné les moyens de comprendre les possibilités de sortie du conflit. Ils pratiquent la non-accusation de l'autre, ils savent se centrer sur leurs besoins et se respecter mutuellement, mais ils achoppent à un autre niveau. Sous des apparences très solides renforcées par son métier, Françoise cache une petite fille très « insécure » sur le plan affectif. Quand elle est avec Gérard, elle a une demande éperdue et elle se comporte de plus en plus en Ève. Elle désire d'ailleurs très fortement le mariage et pour le moment Gérard résiste. Récemment il lui a avoué combien il la découvrait différente de ce qu'il avait imaginé. En somme, il lui a avoué une sorte de déception. Son premier couple n'aurait pas résisté à une telle révélation. Mais il a beaucoup changé. Il est devenu plus ouvert, plus doux, plus féminin et il apprécie l'indépendance chez une femme, ce côté Lilith qui lui plaisait déjà dans le tempérament artiste de sa première femme. Françoise est une femme très séduisante. Il sait bien aujourd'hui que si elle joue à Ève, elle n'en est pas moins Lilith dans un pôle renié d'elle-même. Il l'encourage donc à développer cet aspect tout en sachant aussi qu'il ne peut pas vouloir la changer.

Que va-t-il se passer pour ce couple ? Dans l'intensité de ses sentiments pour Gérard, Françoise a envie d'incarner un couple patriarcal. Mais Gérard, lui, en pleine découverte de sa féminité intérieure, a besoin d'espace et rêve d'un couple du sixième stade, d'un couple évolué. Dans l'état actuel des choses aucun des deux ne peut abandonner son rêve sans « pencher » vers l'autre, ce qui fera surgir un conflit à plus ou moins long terme. Il reste la possibilité que Françoise prenne conscience que sa demande a un côté régressif, qu'elle résolve son déséquilibre affectif et qu'elle retrouve son goût fondamental pour une certaine liberté. Ensemble ils pourraient alors inventer un engagement du sixième stade, un mariage évolué et non plus patriarcal.

Dépendance/indépendance

Sylvain et Karen s'aiment, se quittent et se retrouvent à intervalles réguliers depuis plusieurs années. Ils ne parviennent pas à comprendre leurs jeux passionnels. Sylvain a déjà été marié et il s'est séparé de sa femme au moment où sa petite fille venait de naître. Il dit qu'il a fui pour survivre parce qu'il étouffait dans le contexte familial à cause du rapport étroit entre sa femme et sa belle-mère. Sylvain a quitté l'archétype d'Ève et a rencontré en Karen, jolie, sensuelle et indépendante, l'archétype de Lilith. Mais il va très vite refermer la cage sur Karen en lui proposant de ne plus travailler. Au bout de quelques mois Karen devient frigide avec Sylvain et, pour sortir de cette situation, rencontre quelqu'un d'autre. Souffrance et jalousie pour Sylvain et séparation.

Quelques mois plus tard ils se retrouvent et tout recommence. Cette fois Karen garde son indépendance financière, mais la pression de Sylvain sur elle est à nouveau si forte qu'elle a tendance à refuser les contacts intimes. Pourtant elle le pousse vers l'engagement et ils parlent parfois mariage ou départ commun vers de nouveaux horizons ; mais au moment de concrétiser, elle s'affole et renonce.

Karen est prise entre son désir de dépendance et son désir d'indépendance, entre ses aspects Ève et Lilith. Elle aime que Sylvain lui permette d'accéder à Ève, mais confusément elle sent sans doute aussi qu'elle lui plaît en Lilith, que c'est là que se trouve son pouvoir sur lui. Aucun des deux n'est clair sur cette question de dépendance et d'indépendance. Chacun renie un des deux pôles. Le plus souvent dans leur couple c'est Karen qui joue à l'indépendance et Sylvain à la dépendance mais ils peuvent aussi inverser les rôles. Tous les couples fonctionnent un peu sur cette problématique, simplement chez eux elle est exacerbée au point d'osciller d'un pôle à l'autre sans trouver la voie du milieu. C'est en reconnaissant leur double besoin de dépendance et d'indépendance qu'ils pourront éventuellement progresser l'un vers l'autre, s'apprivoiser et se respecter. Ce qui les dresse le plus l'un contre l'autre, c'est de se refuser à eux-mêmes ce que l'autre s'accorde, la liberté pour Sylvain, la possessivité pour Karen. Nous avons déjà vu que rien ne nous énerve davantage que de voir jouer en face de nous le scénario que nous nous interdisons.

La femme éclairée, ou la femme penchée

La femme éclairée n'est plus la femme soumise du patriarcat, elle exerce un métier, elle a une indépendance financière, elle cherche à trouver un équilibre avec l'homme, mais elle retombe souvent dans de vieux schémas. Son piège principal est d'ordre affectif.

Pourquoi Véronique aime-t-elle pour la deuxième fois un homme qui ne l'aime pas ? Pourquoi Marianne ne va-t-elle voir au cinéma que les films qui plaisent à Charlie ? Pourquoi Andrée est-elle aussi serviable ? Pourquoi Virginie se fatigue-t-elle autant à « tout faire » pour Hervé ? Qu'est-ce que ces femmes ont en commun ? Une faiblesse affective, un besoin d'amour qu'elles colmatent par un dévouement excessif, par une démission d'elles-mêmes, par une non-écoute de leurs propres besoins, par un décentrage. Ces femmes « penchent » vers l'homme au détriment de l'estime d'elles-mêmes. Par ailleurs elles peuvent se montrer brillantes, responsables et même autoritaires dans le travail. Mais au niveau affectif elles redeviennent terriblement soumises et victimes de l'amour, sacrificielles. Elles ne s'intéressent guère à des hommes stables et fiables qui pourraient les aimer. Ceux-là, elles ne les voient pas. Ce sont les cas extrêmes qui les intéressent, ceux qui sont piégés dans une passion : l'alcool, le jeu, l'ambition, etc., et qui n'auront qu'une très faible énergie à leur consacrer. Elles peuvent ainsi reproduire une situation qui vient souvent de l'enfance, situation dans laquelle les besoins affectifs n'étaient pas vraiment satisfaits. Comme elles choisissent un homme peu disponible, elles sont prêtes à tous les sacrifices pour le conquérir et le garder. Elles se considèrent comme responsables de la relation et se sentent toujours coupables des échecs. Elles déguisent en dévouement et en amour un besoin de contrôler l'autre étroitement. Elles existent quand elles peuvent investir sur quelqu'un leur capacité à entourer l'autre et parfois à le sauver. Ces soumises volontaires cherchent à contrôler, à dominer à leur manière. En réalité il ne s'agit guère d'amour, on pourrait parler plutôt d'une attraction irrésistible, d'**un besoin de l'autre en réponse à une blessure initiale qui a structuré un certain type de psychisme.**

Chez certaines femmes il s'agit d'une véritable névrose, mais plus généralement toutes les femmes imprégnées de la mentalité patriarcale ont cette tendance issue de la soumission et de la culpabilité de l'archétype d'Ève. Je ne suis pas digne d'être aimée, j'ai de grands besoins d'amour, je me sens vide. Papa, malgré tous mes efforts, ne m'a jamais beaucoup regardée, il faut que je me rende indispensable, que j'achète en quelque sorte cet amour par mon infinie complaisance, par mon dévouement. Celle qui reste à la maison et qui est soutenue matériellement peut même avoir l'impression qu'elle n'en fait jamais assez, qu'elle est corvéable à merci. Les petites tâches matérielles n'en ont jamais fini de la solliciter de manière répétitive. Cet esclavage extérieur se double d'un esclavage intérieur.

Souvent aussi la femme se sent responsable de

l'amour. Ce sera de sa faute si l'homme ne l'aime plus, s'il se lasse, s'il rentre tard, s'il a une maîtresse. Comment séduire encore et encore ? Ventre plat et seins dressés, cuisses de marbre et de soie, l'impératif du paraître est toujours chargé de tension. Objet de désir, sujet de plaisir, efficace et capable, hétaïre et cuisinière, reine et servante, plus que jamais la femme se donne un modèle inatteignable, épuisant et culpabilisant. Rappelons-nous la Vierge Marie. C'était aussi un modèle inatteignable : comment faire un enfant tout en restant vierge.

Aujourd'hui les petites filles ne rêvent plus guère d'être des Vierge Marie, mais elles se voient impeccables dans un tailleur bien coupé, avec des ongles laqués, une chevelure flamboyante, souriant à un bébé, répondant au téléphone, passant de l'avion au micro-ondes, du bureau aux draps soyeux. **La femme d'aujourd'hui penche vers son image idéale, vers le paraître d'une perfection idéalisée, dans un narcissisme collectif alimenté par les impératifs de la consommation.** Toutes les infinies tentations de la publicité concourent au décentrage féminin comme d'ailleurs au décentrage masculin. Mais la femme a deux bonnes raisons de pencher : sa conception oblative de l'amour et le narcissisme de son image. Dans certains cas le narcissisme vient supplanter le besoin d'amour mais ce n'est qu'une apparence. Certaines femmes n'ont plus de temps ni d'énergie pour l'amour, parce que l'ambition d'une part, l'obsession de la forme et de l'apparence d'autre part les consument. Pour d'autres moins privilégiées, c'est le stress du travail, la charge des enfants et de la maison qui brûlent les ressources d'éros. Si les moyens font oublier la fin, le réveil est toujours brutal car ces femmes apparemment obnubilées par leurs défis ne voulaient qu'être aimées. Si le mari part, elles s'effondrent avec l'impression d'avoir tout gâché.

« Est-ce que tu m'aimes ? » Le besoin d'amour n'est pas en soi problématique. Mais l'intensité de ce besoin conduit l'être à se comporter de telle manière qu'il ne peut pas trouver ce qu'il cherche. La femme « penchée » suscite inconsciemment la fuite ou le désintérêt de la part de l'autre, à moins que les deux partenaires ne restent ensemble en mourant un peu à eux-mêmes. « Est-ce que tu m'aimes ? » signifie aussi « Si tu m'aimes, j'existe ». Cette phrase signe une dépendance. Pour rééquilibrer les choses, je vais basculer vers l'autre pôle. « Je t'aime donc j'existe » et je te consacrerai beaucoup d'énergie. Je peux même en arriver à oublier le premier pôle, c'est-à-dire ma demande d'amour. Je donne, je donne... je penche et je tombe.

L'homme éclairé

Il dit ce qu'il fait et il ne fait pas ce qu'il dit. Il clame son amour des femmes, il est même prêt à se promener avec des pancartes, à accuser son propre sexe, à déclarer bien haut qu'un homme ne vaut pas une femme. **Mais cette survalorisation de la féminité cache une misogynie profonde, une peur de la femme.** A la fois sûr de son pouvoir et orgueilleux de son statut, il peut s'offrir le luxe de tendre la main à ces pauvres opprimées. Il a l'esprit ouvert, il veut que les choses changent, mais il est bien le dernier à se lever à table ou à aider pour la vaisselle — sauf s'il y a du monde à la maison. Il parlc beaucoup, il parle plus fort que tout le monde et surtout plus fort que sa femme. Il dit qu'il ne pourrait jamais considérer la femme comme un objet de plaisir, qu'elle est avant tout une personne, que l'intelligence, le charme... quand on le pousse un peu il avoue qu'il ne cesse de suivre du regard toutes les croupes de jolies femmes qui passent à sa portée. L'homme éclairé est plein de bonne volonté mais il veut toujours avoir raison, il est très susceptible, et il veut surtout que ses belles idées sur la femme lui attirent les faveurs féminines en amitié comme en amour. Surtout que personne ne le remette en cause, qu'il soit en somme le seul dominant d'une cour de femmes puisqu'il est le seul à les comprendre aussi bien. Il trouve que la liberté sexuelle est une bonne chose mais pas pour sa femme. Il est d'accord pour que les femmes se libèrent, mais à condition que cette histoire ne change rien à ses prérogatives.

Le couple penché

Dans un couple c'est souvent la femme qui se sent responsable de l'éros, de la tension passionnelle lourde d'émotions qui imprègne toute la conception de l'amour dans notre culture. Beaucoup de gens ignorent l'aspect « agapê » de l'amour, la relation stable, l'éclosion dans la confiance.

L'amour passionnel est un désir brûlant qui se nourrit de l'absence, l'amour-tendresse s'établit dans la durée, la confiance, l'intimité. Ces deux types d'amour ne s'excluent pas nécessairement, ils ont chacun leur beauté, leur valeur, mais tout se passe comme si nous n'imaginions pas qu'ils puissent cohabiter dans le même couple. C'est toujours la fameuse logique d'exclusion, la dualité à l'œuvre dans nos conceptions, nos croyances. Nous entretenons l'idée qu'une relation s'allume dans la passion et se poursuit dans la tendresse, que l'un débouche sur l'autre. Notons d'abord que souvent la passion fait exploser la relation. Notons aussi que souvent la tendresse ne suffit pas non plus à maintenir un couple ensemble et que l'irruption d'une passion ailleurs, chez l'un des deux partenaires, va perturber la relation et parfois l'interrompre. Nous aurions donc bien besoin de préserver et de faire cohabiter ces deux aspects et d'abord de croire que c'est possible.

Le couple penché est déséquilibré par rapport à ces deux pôles. Le couple fusionnel qui vit dans la passion physique ardente connaît les tensions de la souffrance de l'absence, de l'anxiété, du doute. Dans ce climat émotionnel érotique il manque la sécurité affective qui est aussi un besoin de l'être. Le couple engagé dans une rencontre sur la durée s'arrondit dans des sensations de sérénité, de sécurité, de soutien mutuel, de bien-être, mais en arrive à se demander où est passée la passion, l'émerveillement.

Le couple éclairé est souvent de ceux-là. Le « nous » existe, il est constitué, mais il est bancal. Les deux partenaires sont respectueux l'un de l'autre, mais cela ne suffit pas. Au nom du « nous » du couple, comme au nom de la famille et des enfants, deux êtres peuvent s'enfermer dans une aliénation. A partir du moment où l'un des deux penche vers l'autre, par peur, par amour, par sacrifice, par contrôle, éros disparaît.

Nous avons vu que la femme était susceptible d'aimer trop, en réponse souvent à une situation d'enfance défavorable sur le plan affectif. Mais l'homme penché existe aussi, qu'il se place en dominant ou en dominé, en amoureux fou ou en champion de la fuite. Dans un contexte patriarcal les femmes sont majoritairement en manque affectif là où les hommes sont en excédent. Entendez par là qu'ils ont formé avec maman un couple souvent trop étroit dont ils se sont sortis avec difficulté et ils arrivent dans la relation avec cette demande : surtout ne m'emprisonne pas comme maman, ne referme pas tes bras sur moi, et ne me sépare pas des autres hommes comme maman m'a séparé de papa. Par contre la petite fille, qui a eu peu accès à papa, qui a formé avec maman un couple insatisfaisant parce que du même sexe, se présente dans le couple avec une très forte demande. Elle est affamée d'un amour impossible. Nous sommes donc en face de deux êtres qui n'ont pas le même besoin : « Ouvre tes bras », dit l'homme : « Referme tes bras sur moi », dit la femme.

Dépendance/indépendance. Ils ont bien fondamentalement le même besoin de se déplacer d'un pôle à l'autre et de trouver une voie du milieu, mais au sortir de l'enfance ils courent le risque de se fixer sur des identités bloquées. Entre une femme qui aime trop et un homme qui refuse de s'engager, la rencontre ne peut être au début que passionnelle et lourde d'attentes, puis souffrante et explosive.

Aujourd'hui ce schéma a la possibilité de s'inverser avec un homme qui aime trop et une femme en fuite comme nous le verrons au chapitre suivant. Si un tel couple arrive malgré tout au stade éclairé, il continuera à boiter, avec trop d'éros d'un côté et trop d'agapê de l'autre, une tendance romantique et une tendance associative raisonnable. Par contre, si les pôles s'échangent tant soit peu, le couple commencera à découvrir d'inépuisables ressources en explorant l'autre sous des facettes contradictoires.

Le couple éclairé héritier du patriarcat est penché parce qu'il existe un déséquilibre affectif profond chez les deux partenaires du fait que le masculin et le féminin n'ont pas été perçus de la même manière dans l'enfance. C'est en effet à ce stade que se repèrent les malaises de civilisation qui tiennent les individus prisonniers dans leurs rets.

Le masculin et le féminin

La société actuelle est toujours en déséquilibre. Elle est malade d'une pléthore de masculin, d'un déséquilibre entre les polarités masculine et féminine. Trop de rationnel, trop de combat, trop de guerre, trop d'argent, pas assez de fluidité, d'intuition, de douceur, de tendresse, de délicatesse, pas assez d'éros, trop de thanatos, de complicité avec la destruction et la mort. Les hommes parlent, les femmes se taisent, certaines écoutent et répètent, d'autres se bouchent les oreilles. **Notre civilisation est malade d'avoir défiguré l'amour entre l'homme et la femme, d'avoir peur de l'amour et de la femme et cette peur est masculine, patriarcale.** Lorsque nous sommes enfants, nous enregistrons le déséquilibre de la relation entre papa et maman, on peut même dire que tout notre psychisme se constitue à partir de ce premier modèle, mais nous ne sommes pas conscients.

Martha a une mère dominée et un père dominant. A l'intérieur d'elle le masculin va être une valeur plus positive que le féminin. Elle va idéaliser les valeurs masculines et dénigrer les valeurs féminines comme beaucoup d'autres enfants. Cette polarisation des sexes va la diviser intérieurement pendant longtemps et la diviser dans son rapport à l'autre. Martha choisit plus volontiers son père que sa mère comme modèle. Sa réussite dans la société sur le plan professionnel ne posera pas de problème mais elle aura des difficultés à vivre sa féminité.

Gérard, lui, avec une mère dominée et un père dominant, n'aura pas une bonne opinion de la féminité et il ne laissera guère vivre sa femme intérieure. Dans l'un et l'autre cas l'harmonie du masculin et du féminin est compromise dès le départ.

Il est très important de prendre conscience que nos difficultés relationnelles avec nous-mêmes et avec les autres ont leur source dans ce handicap social : le masculin est supérieur au féminin. Il faut bien voir que la domination masculine est encore à l'œuvre dans notre idéal culturel et qu'elle survit au déclin de l'autorité paternelle et à l'apparition de nouvelles structures sociales.

Pour nous, l'individu se définit par son autosuffisance, son indépendance. Plus un individu est indépendant, plus il a de la valeur. La dépendance et la faiblesse sont reniées, en tant que synonyme d'aide maternelle et de petite enfance. Mais la répudiation de la faiblesse signifie aussi la répudiation de notre faiblesse face à la mort. **Cette conception de l'individualité favorise une montée d'angoisse permanente dans la société.**

Ce qui rend la faiblesse dure à supporter c'est le sentiment qu'on n'a pas en soi la source de la bonté, qu'on ne peut ni s'apaiser soi-même, ni trouver de l'aide. Cette confiance en soi se crée par l'accord affectif avec une mère puissante et se renforce par une vie culturelle où la proximité physique, la sensibilité font circuler une onde chaleureuse. Celui qui connaît ces valeurs les recrée partout.

La confiance est viciée lorsque ces aspects sont dévalorisés et abandonnés au nom de l'autonomie. Plus l'individu perd contact avec les formes intérieures et extérieures de sa mère nourricière, plus l'indépendance échoue, plus la faiblesse angoisse et plus l'idéal de maîtrise se renforce.

On insiste à juste titre aujourd'hui en psychologie sur les « pères manquants », les pères trop absents qui handicapent affectivement leurs fils et leurs filles. Les mères ont d'ailleurs largement contribué à cette absence paternelle dans la mesure où l'éducation des enfants constituait un royaume qui compensait leur statut d'infériorité.

On peut insister tout autant sur les mères « présence dévalorisée ». Car les enfants ne pourront mettre à profit la présence du père que dans la mesure où les mères transmettront aussi une conscience de soi positivée.

Aujourd'hui encore se pose un problème de fond : l'accession à l'indépendance passe par la dévalorisation du pôle de la mère. Pour être un individu à part entière il ne faut pas que je me laisse aller à mon féminin. Telle est la définition du masculin : les garçons ne pleurent pas car le manque de courage est féminin. Mais les petites filles, elles aussi, ont retenu la leçon et plus elles émergent, plus elles font taire la femme en elles.

La différence entre les sexes est gouvernée par la domination au détriment de l'interdépendance de tout ce qui vit. Pourquoi l'affirmation individualiste de soi devrait-elle toujours se faire au détriment de la reconnaissance de l'autre ? L'actuel déclin de l'autorité du père n'a pas fait disparaître cette croyance en un idéal d'individualité autonome, mais une contradiction se révèle de plus en plus : comment se confronter à la réalité indépendante de l'autre ? Comment aimer, au sein de cette lutte des individus pour exister au détriment de l'autre ?

Le concept d'individu continue d'être représenté implicitement par un individu masculin. Le principe de rationalité est une rationalité masculine. La volonté de puissance est une volonté de puissance masculine. Comment faire cesser cette coupure entre le père et la mère, entre l'autonomie et la dépendance ? Comment entrer dans le sentiment d'interdépendance relié au sentiment d'unité constitutif du sacré ?

Le rééquilibrage affectif d'un être se situe là. Les deux partenaires d'un couple éclairé sont amenés à se poser la question de leur couple intérieur respectif. Ils sont amenés à reconnaître qu'ils sont composés l'un et l'autre de deux polarités masculine et féminine et qu'ils ne parviendront pas à une certaine qualité d'intimité sans commencer à se rééquilibrer intérieurement. Quelle est mon idée du masculin ? du féminin ? Comment mon masculin joue-t-il avec mon féminin ? Dans quelle mesure mon masculin est-il au service de mon féminin et inversement ?

Aujourd'hui, chez la plupart des êtres, le féminin est au service du masculin et non l'inverse. **Et pourtant un être ne peut être heureux que dans la mesure où son masculin est au service de son féminin.**

Bas les masques

Dis-moi qui tu es et qui est là dans la relation.

Le couple éclairé se compose de deux personnes qui commencent à s'interroger et à se passionner pour le « Qui suis-je ? » et le « Qui est l'autre ? ». Nous avons l'intuition que l'individu à la fois un et multiple, que nous abritons à l'intérieur de nous, contient différents personnages que nous ne savons pas toujours gérer et qui surgissent parfois de manière inattendue.

Dans une relation il n'y a pas seulement deux personnes en présence, il y a toute une foule de personnages complexes qui voudraient bien s'avancer le plus souvent possible sur le devant de la scène. Un certain nombre se trouvent refoulés et agissent à visage couvert. Ce sont pour nous les plus redoutables ou les plus troublants, car ils nous sont inconnus et pourtant ils se présentent en notre nom.

Les relations ont ceci de particulier qu'elles créent entre les êtres des automatismes dans l'apparition des visages. Tout se passe comme si nous étions chacun des théâtres de marionnettes et que l'apparition d'un personnage sur l'un des théâtres appelle de manière très prévisible l'apparition d'un personnage correspondant sur le théâtre d'en face. Certains êtres vivent de très bonnes relations parce qu'ils se suscitent mutuellement de beaux rôles, ils se font surgir réciproquement des aspects positifs et lumineux. D'autres, au contraire, vont s'opposer et entrer en conflit parce qu'ils vont s'acculer mutuellement à leurs visages d'ombre et de négativité. Chacun regardera chez l'autre quelque chose qui lui est insupportable, parce qu'il l'incarne et ne l'accepte pas, ou parce qu'il ne s'autorise pas ou plus à l'incarner.

« Je lui taille un costume », dit-on familièrement, signifiant par là qu'on est en train de l'habiller d'un certain nombre de défauts qu'on réprouve tout particulièrement. Ce costume-là n'est surtout pas pour moi. Dans cette garde-robe qui est la mienne je porte les costumes chatoyants et je m'arrange pour faire porter ceux qui ne me paraissent pas flatteurs à des personnes de mon entourage qui vont me servir de portemanteaux. C'est ainsi que nous nous construisons un univers de malveillance avec des identités que nous renions, tout en prenant soin de leur donner vie dans notre environnement. Subterfuge du royaume de la conscience. Rien ne disparaît dans l'inconscient, tout peut s'engloutir mais tout peut resurgir et tout reste disponible.

Au cours d'une vie je peux très bien réduire au maximum ma garde-robe et ne plus porter que les costumes qui ont fait leurs preuves. Par exemple l'égoïste, le sensuel, le créateur, le débridé peuvent être muselés en moi parce que je pense qu'ils nuiraient à ma relation principale ou à l'idée que je me fais de moi. Mais la rencontre avec une autre personne fera resurgir cet aspect bridé et je vais devoir le reconnaître à nouveau, l'intégrer parfois douloureusement. L'évolution d'un être, sa pacification intérieure, exige que des identités soient reconnues en grand nombre.

Quand on a reconnu en soi toutes les identités, on se trouve dans un grand espace de liberté intérieure, un grand rire car l'ego se fracasse dans la multiplicité des facettes.

Mais n'anticipons pas. Nous avons envie d'être quelqu'un ou quelque chose, nous avons envie d'explorer le pouvoir qu'il y a derrière l'identité adoptée. Pour être un bon père je vais renier le mauvais père en moi, je ne vais pas l'autoriser à exister dans un premier temps, ce qui va me mettre en contradiction, en porte à faux. Car, bien entendu, par moments je serai aussi un mauvais père et si je ne veux pas le reconnaître, je vivrai des malaises et des conflits.

Je trouverai aussi autour de moi des personnes qui

incarneront ce mauvais père que je ne veux pas être et elles m'irriteront tout particulièrement. Je peux tout faire pour contrôler mon environnement à ce sujet, mais inévitablement cette étiquette reviendra me chatouiller, se présentera encore et encore dans mes relations jusqu'à ce que je l'ai acceptée. **Toute identité acceptée cache une identité reniée et souvent projetée sur les autres. C'est tout le piège de l'ego et des relations.**

Les projections positives sur les autres s'accompagnent aussi de projections négatives sur soi. L'admiration, l'amour, l'attachement que l'on éprouve pour une personne s'enracinent dans le fait d'accorder à l'autre quelque chose que l'on ne s'accorde pas à soi-même. Et pourtant, si je peux voir quelque chose chez toi c'est que déjà je le connais, je ne perçois que par échos et le monde est le reflet de moi-même.

Martine décrit son conjoint Hervé comme un homme remarquable et atypique. Son parcours n'est pas conventionnel, c'est un autodidacte, il est doué dans des domaines très différents, il est très créatif, il apporte aussi beaucoup d'ordre et de méthode dans ses réalisations. Elle le trouve très fiable et a une grande confiance dans tout ce qu'il entreprend. Il est facile de comprendre que ces qualités projetées sur l'autre ont aussi des correspondances. Martine avoue en ce qui la concerne une faiblesse du côté de l'ordre et de la méthode, une forme de démission dans l'effort qu'exige une réalisation créatrice. Elle se voit comme plus velléitaire, moins acharnée, moins constante.

Spontanément elle n'a pas pensé aux défauts de son partenaire, ce qui indique que leur relation fonctionne en ancrage positif. Quand on la pousse, elle admet qu'il n'a pas assez confiance en lui et qu'il ne s'intéresse pas toujours assez au fait de gagner de l'argent.

De son côté Hervé décrit Martine comme une femme remarquable. Cette symétrie est très intéressante car elle montre qu'ils nourrissent tous deux une forme d'humilité, d'exigence ou de déni qui ne les autorise pas à se considérer eux-mêmes autant qu'ils considèrent leur conjoint. L'ancrage positif est à nouveau très marqué : l'autre est le miroir de ce qu'ils veulent être. Il ne faut pas oublier qu'être amoureux, c'est en grande partie projeter des identités inconscientes, désirées. Pour Hervé, Martine est très intelligente, très créative ; elle réussit tout ce qu'elle entreprend, elle a une recherche de sagesse, de spiritualité et son métier de thérapeute lui paraît le plus beau métier du monde. Donc, en projetant ces qualités sur Martine, Hervé révèle qu'il adopte pour lui-même moins de facilité à réussir, et moins de maîtrise sur le plan spirituel.

Ces projections mutuelles représentent une tendance naturelle vers la croissance. L'autre est le miroir de ce que je veux devenir et mon intimité avec lui contient tout un programme d'échange. C'est ainsi qu'un homme qui a eu un père autoritaire et une mère soumise aura tendance à renier en lui la douceur et la féminité, mais il ne cessera de rechercher des femmes douces. Son programme de complétude, c'est de parvenir à entrer en contact avec sa femme intérieure à travers une femme extérieure qui lui donnera une image positive du féminin.

Une jeune fille élevée dans un esprit de soumission à l'homme et qui a renié ses ambitions professionnelles sera très attirée par ce type d'homme ; son programme à elle est de parvenir à développer son masculin intérieur, son esprit de conquête à travers un homme extérieur qui incarne une réussite professionnelle. Un homme élevé par une mère autoritaire reniera en lui le masculin dominant mais cherchera une femme dominante avec le programme inconscient de faire émerger son masculin. Une fille qui a pris son père pour modèle ou toute autre figure dominante cherchera un homme dominé pour entrer en contact avec son féminin.

Ainsi les sentiments positifs que nous nourrissons à l'égard des autres sont alimentés par ces identités reniées ou en attente. De la même façon les sentiments négatifs témoignent de nos identités reniées ou en attente. Chaque fois que quelqu'un suscite en nous un rejet, nous pouvons le regarder comme quelqu'un qui fait surgir une partie de nous que nous ne nous autorisons pas à vivre.

Jeanne a toujours réprimé en elle sa sensualité, notamment sous la très forte censure maternelle. Quand elle rencontre une jeune femme un peu provocante, sexy, elle sent monter en elle un flot de colère, de réprobation et elle tient sur son compte des jugements exagérés. Elle se sent elle-même mal à l'aise à cause de son comportement mais elle a l'impression de ne pas pouvoir se contrôler. Ce qui surgit ainsi c'est son propre refoulement, la voix intériorisée de sa mère qu'elle continue d'abriter en elle. C'est en en prenant conscience qu'elle parviendra à libérer cette partie d'elle tenue ainsi prisonnière et qui pourrait enrichir sa vie.

Quant à Anne, si on lui demande ce qui lui déplaît en elle-même, elle parle de son manque de courage, de sa forte émotivité, de sa tendance au mensonge et à la ruse pour ne pas affronter directement le jugement des autres. On peut voir qu'à travers ces identités adoptées, il y a aussi des identités projetées : un monde hostile, éprouvant, stressant, oppressif qui prend le visage des parents, des patrons et parfois du conjoint. De même, quand on lui demande ce qui lui plaît chez elle et qu'elle répond « mon humour, mon physique, mes capacités sportives », elle crée un monde complice, admiratif et valorisant. Quand elle dit qu'elle s'est efforcée de guérir de son manque d'audace, elle projette un monde qui exige de l'audace. Quand on lui demande par qui elle aimerait être approuvée et qu'elle désigne son père, elle projette sur lui un critère de rectitude. Quand elle se plaint d'être toujours bousculée par les autres, elle adopte et projette ce personnage mou et mal supporté. Elle est dans un déni par rapport à sa vivacité, elle a adopté cette lenteur comme une protection et elle se trouve toujours quelqu'un pour la faire souffrir, pour la confronter à ce comportement morcelé. C'est ainsi que nous attirons sans cesse autour de nous les personnes qui incarnent les comportements que nous ne nous autorisons pas en positif ou en négatif : pas assez bien ou trop bien.

Soyons vulnérables

Parmi les nombreux aspects, identités ou personnalités que nous abritons en nous il y a l'**enfant intérieur** qui est comme un noyau central. Devenir adulte c'est sortir de l'enfance, de la dépendance des comportements, ne pas avoir de comptes à rendre et surtout pouvoir se passer de l'approbation des parents et de tout substitut parental extérieur.

Beaucoup d'êtres ne deviennent jamais adultes car au fond d'eux-mêmes ils cherchent à faire plaisir, à obéir, à être approuvés. Les attitudes extérieures peuvent être redondantes mais l' « obéissance à » ou la « révolte contre » sont des signes que la personne est restée fondamentalement une fille ou un fils. Il y a bien en eux aussi un père ou une mère, particulièrement sous l'aspect répressif, critique à l'égard de soi et des autres, mais il n'y a pas assez de mère ou de père nourricier, protecteur. L'être se sent « insécure » et il penche vers quelqu'un d'autre, patron ami, conjoint, qui est pour lui un substitut parental. Il se sent vulnérable et refoule cette vulnérabilité, son identité adoptée va être : « Je suis fort, invulnérable, indépendant », ce qui correspond d'ailleurs à l'idéal masculin. L'identité refoulée et projetée sur les autres sera : « Je suis faible, vulnérable, dépendant », et le mâle ajoutera : « C'est bon pour les femmes. »

Pourtant il existe en chacun un enfant merveilleux qui a toutes sortes de visages, ludique, malicieux, rieur, facétieux, gourmand, aimant, qui prend plaisir à tout. Plus un être est véritablement adulte, plus il peut laisser surgir cet enfant et le protéger par des parents intérieurs. Plus un être est incomplètement adulte ou véritablement infantile intérieurement, moins il osera laisser vivre à l'extérieur cet enfant.

Lorsque, dans les rêves de quelqu'un, un enfant apparaît, lorsque cet enfant est un nourrisson et que la personne le délaisse par exemple, qu'elle oublie de le nourrir, c'est souvent le signe que l'enfant intérieur est en souffrance. L'aspect le plus refoulé de l'enfant est sa vulnérabilité. Toutes les règles sociales nous poussent à mettre en avant nos aspects brillants mais nous avons aussi besoin de nous avouer et d'avouer aux autres que nous sommes fatigués, ou anxieux, ou malheureux, ou indécis... La relation d'intimité amoureuse a également ce rôle de permettre à l'enfant tendre, joueur mais aussi vulnérable, de se montrer et d'échanger.

Deux êtres qui s'aiment sont deux êtres qui mettent en contact leurs enfants intérieurs, qui ouvrent leur confiance.

Les relations avec les animaux sont aussi l'occasion de faire vivre cet aspect. Les chats très proches de leur maître offrent leurs ventres à la caresse, c'est-à-dire la partie la plus vulnérable de leur corps. Dans la rencontre sexuelle les deux corps sont nus, et cette nudité physique s'accompagne parfois d'une nudité des âmes. Les tensions et les armures sont tombées, laissant place à quelque chose de frais, de délicieux. Dans la rencontre spirituelle aussi, l'élévation de l'énergie permet le contact avec une dimension fine et cristalline, d'une grande pureté. Couche après couche nous sommes là dans la révélation du noyau.

Quand un être ne tient pas compte des besoins de repos, de plaisir, de jeu, de tranquillité, de jouissance de cet enfant intérieur, quand il s'identifie aux devoirs professionnels ou sociaux, quand il est rigide, il accumule de la frustration et risque d'agresser l'autre. Dans la relation amoureuse et conjugale c'est particulièrement évident.

Lorsque Paul ne tient pas assez compte de sa vulnérabilité, il rentre harassé à la maison et, au lieu d'écouter cette fatigue, de l'avouer et de commencer à se détendre, il adopte une position de parent critique à l'égard de Fabienne. Il s'irrite des choses qui ne sont pas faites à la maison et déclenche une violente dispute.

Écouter ses besoins, être capable d'y répondre, tel est le fondement d'une relation saine à soi-même et aux autres. Mais il y a des besoins qui entrent en conflit avec l'idée que nous nous faisons de nous-mêmes. Je suis incapable de... Nous nous proposons des défis de plus en plus grands pour obéir à l'ambitieux en nous, pour rassurer le critique intérieur qui nous passe toujours au crible de ses jugements. Nous avons besoin de faire la part des choses, de nourrir en nous l'aventurier intrépide et l'enfant vulnérable. Si nous étions totalement identifiés à notre vulnérabilité, nous pourrions devenir inconsistants, larmoyants, plaintifs, victimes constantes.

Comme toujours les deux attitudes extrêmes sont à éviter : renier son enfant vulnérable ou ne plus écouter que son enfant vulnérable. Dans l'un et l'autre cas nous cherchons à nous faire prendre en charge par quelqu'un.

De toute manière, cet enfant vulnérable ne peut pas disparaître et si nous ne l'écoutons pas, nous allons être attirés de manière inconsciente par des personnes avec qui va se créer une relation de dépendance. Souvent un homme très redouté au bureau donne une image de lui très différente à la maison parce qu'il confie à sa femme son « enfant vulnérable ». C'est elle qui est pour lui la mère responsable et il devient son fils dépendant. Cette relation assez courante explique peut-être le fait que certaines femmes considèrent les hommes comme des enfants. Dans leur désir d'être grandes et puissantes elles ont perdu le contact avec leur propre enfant intérieur.

Chacun d'entre nous a besoin d'abord d'avoir conscience de l'existence de cet enfant intérieur et de ses différents visages, notamment de la vulnérabilité. Il est particulièrement émouvant de voir apparaître sur le visage un peu figé, un peu durci d'un homme un sourire plein de fraîcheur. L'espace de quelques secondes il laisse voir son âme d'enfant et entre en contact avec elle. A la vue d'un bébé, d'un animal, certaines personnes se métamorphosent totalement. Dans un stage de prise de conscience aussi, l'authenticité des échanges fait affleurer ces âmes enfantines sur les visages, apportant une source de joie et d'énergie. Chacun peut répondre à son enfant intérieur par un autre personnage intérieur, un parent bienveillant, un adulte qui se sent capable de veiller sur lui et de répondre à ses peurs. On pourrait dire que l'enfant est notre cerveau droit — intuition, imagination, enthousiasme — qui vit au présent, ressent les choses, alors que l'adulte est notre cerveau gauche qui a appris à raisonner logiquement, à accumuler du savoir, qui pense et agit. Cet adulte apprend à aimer l'enfant qui est en nous, de manière à écouter ses besoins et à équilibrer son action. Nous avons vu que, dans la civilisation actuelle d'influence patriarcale, le féminin était au service du masculin et non l'inverse. La même chose se reproduit entre le cerveau gauche et le cerveau droit, entre l'enfant et l'adulte en nous. Le masculin logique et adulte tend à la prééminence alors que les polarités ont besoin d'équilibre et que le bonheur consiste peut-être à ce que l'adulte se mette au service de l'enfant en nous, dans la mesure où cet enfant conduit au Soi de Jung, à la conscience supérieure, à la totalité cosmique.

Y a-t-il de l'amour entre ces deux parties de vous, l'adulte et l'enfant intérieur? Êtes-vous perpétuellement en guerre dans le dialogue intérieur ou parvenez-vous à une paix intérieure? **Tout l'amour de soi est suspendu à cet équilibre, à cette libre circulation d'énergie, à cette communication entre les deux polarités, masculine/féminine, adulte/enfant, logique/intuitive.**

Créer c'est décider, changer c'est décider, ce pouvoir de choisir est chez l'adulte, mais l'adulte est beaucoup plus fort quand il sent que son action est soutenue par le désir et le plaisir de l'enfant.

Comment se fait-il que nous ayons en nous une distorsion par exemple entre le savoir et le faire?

Comment se fait-il que je sache qu'il est bon pour moi de ne pas trop manger de sucre ni de graisse et que je le fasse quand même? Comment se fait-il que je sache, à ce stade éclairé, que le conflit est stupide et que je continue à le créer dans mon couple et au bureau?

La réponse est lumineuse. **La résistance au changement vient du fait que l'adulte tente de fonctionner comme s'il était seul à l'intérieur de nous, sans tenir compte de l'enfant intérieur, sans l'informer, sans l'éduquer.**

La plupart d'entre nous ont reçu une éducation d'adulte dominant face à un enfant dominé. Nous avons intériorisé ce rapport et nous le rejouons dans notre théâtre intime. Tant que les rapports de domination priment sur les rapports de protection, nous sommes dans une situation de dureté, de forcing. Nous n'avons pas confiance en nous. L'adulte en nous est dans une situation apparemment paradoxale puisque, d'une part, il préserve l'enfant et que, d'autre part, il doit apprendre à ne pas préserver au sens de fermeture mais au contraire à s'ouvrir toujours davantage aux sensations de l'enfant, y compris à sa vulnérabilité. Sa tentation est toujours de faire fi de cet aspect pour se croire invulnérable.

Les thérapeutes sont parfois tentés par ce schéma; ils se conduisent en sauveteur avec les autres et laissent leur propre enfant intérieur se conduire en extorqueur d'attention.

Le plaisir de l'adulte peut être de travailler sans limites, celui de l'enfant est de se réserver des plages ludiques de récupération et de détente. L'enfant en nous envoie des signaux par l'intermédiaire du corps — désirs, souffrances — et jusqu'à un certain point l'adulte peut ignorer ces messages, mais les souffrances s'accroissent jusqu'à devenir intolérables ; des dérivations s'installent — alcool, tabac, nourriture —, instaurant un système de compensations. Quand l'adulte prend en charge avec amour les besoins de l'enfant, il est amené aussi à le solliciter pour qu'il trouve dans son aspect supérieur la solution.

Car l'enfant en nous a la demande et la réponse, mais il ne sait pas trouver seul cette réponse, il lui faut la médiation de l'adulte et son concours, pour la rendre effective. Notre dialogue intérieur et la façon dont nous le menons est de la première importance. Nous devrions tous apprendre à l'école la gestion de la vie intérieure, car elle obéit à des règles simples pour produire des attitudes constructives et aimantes avec soi et avec les autres.

Parmi les figures de l'enfant il y a celle de l'**enfant blessé**. Nous avons tous eu des blessures d'amour quels que soient nos parents, et l'adulte aimant est capable d'aider l'enfant blessé à guérir de cette blessure. Il permet qu'un fil se tisse, qu'un lien se rétablisse, qu'il donne sens aux souffrances et qu'il montre la **perle** venue de la blessure. Un artiste de talent a souvent construit une œuvre en réponse à ses blessures, c'est là sa perle. De la même façon chacun d'entre nous agit en artiste de sa vie. Mais pendant longtemps la perle est invisible et l'attention reste centrée sur la blessure. C'est le rôle de l'adulte de montrer la perle. Il est important d'aller rechercher toutes les blessures de la vie en commençant par le présent puis en remontant progressivement jusqu'à la petite enfance et même à la vie intra-utérine pour découvrir les blessures. Celles-ci donnent accès aux croyances que nous nous sommes forgées et qui continuent encore aujourd'hui à nous manipuler et à nous faire souffrir. Avec une mère peu aimante ou dépendante de l'alcool par exemple, nous enregistrerons le message : je ne suis pas digne d'être aimé. Le rôle de l'adulte en nous est de débusquer cette croyance et de la changer, de comprendre et de faire comprendre à l'enfant combien ils forment ensemble un être unique aux deux sens du terme : unique parce que unitaire, et unique parce que cet être ne ressemble à aucun autre, qu'il est dépositaire potentiellement de toute la sagesse et de tout l'amour et qu'il est le seul à savoir ce qui est bon pour lui.

Nourri des sensations de l'enfant, informé de ses souffrances, l'adulte peut entamer une synthèse active, découvrir peu à peu la valeur de l'être, le sens mythique de son histoire. Car chacun de nous est comme un héros qui affronte un certain nombre d'épreuves avant de revenir comme Ulysse à Ithaque, revenir dans son soi, sa patrie d'origine, ce lieu d'unité qui répond à une nostalgie intime.

L'adulte est aussi comme le guerrier de l'enfant, il se met en avant chaque fois qu'il s'agit d'affronter quelqu'un d'écrasant, de dominant qui effraie l'enfant. Souvent nous tremblons de peur dans certaines situations parce que nous restons au niveau de l'enfant sans appeler l'adulte à la rescousse. Tout conflit demande une gestion de ce type. L'adulte aimant se positionne devant l'enfant intérieur pour s'adresser à son attaquant, et dans cette position il est en mesure de sortir du conflit. S'il laisse l'enfant sans défense sous les coups de l'autre ou s'il attaque avec l'intention de nuire à l'autre, il perpétue le conflit.

On peut s'apercevoir que nos relations avec les autres sont le reflet de notre rapport à nous-mêmes. Tant que l'adulte ne met pas de limite pour protéger l'enfant intérieur, les autres réagissent avec leur tendance dominatrice et viennent empiéter sur le territoire mal gardé. Nous sommes donc responsables de ce qui nous arrive et souvent certaines expériences vont se présenter et se représenter jusqu'à ce que nous comprenions : un partenaire, un parent, un ami qui abuse de notre confiance nous renvoie à une partie de nous-mêmes qui suscite ce comportement.

Le couple enfant-adulte dans le couple

Le couple enfant-adulte que nous formons à l'intérieur de nous reproduit souvent la relation que nous avons eue avec l'un de nos parents ou les deux, reproduit aussi leur manière de jouer pour eux-mêmes cette relation intérieure. Dans l'amour et dans la relation conjugale nous sommes confrontés à un très fort désir de démission de la part de l'adulte en nous, un désir de trouver quelqu'un à l'extérieur qui va protéger l'enfant, ce qui reproduira le schéma parental. Je demande à ton adulte de protéger mon enfant intérieur. Tu demandes à mon adulte de protéger ton enfant intérieur. Ainsi ce couple est composé de deux personnes doublement décentrées, jouant à l'extorqueur et au sauveteur. Je peux aussi te demander de protéger mon enfant et refuser de protéger le tien, tu peux aussi faire la même chose, mais il est à parier que l'intimité sera frustrante et conflictuelle entre deux extorqueurs. Je peux aussi faire taire mon enfant et jouer au sauveteur pendant que tu te contentes d'être extorqueur.

Deux personnes centrées en amour seront deux personnes capables de prendre soin d'elles-mêmes et de se déléguer des soutiens mutuels sans dépendance.

Pierre et Catherine sont en situation houleuse. Ils sont mariés depuis quinze ans, ils ont trois enfants, ils viennent d'achever la construction de leur maison et ils envisagent de se séparer. Pierre a appris que Catherine entretient une liaison et il est complètement bouleversé. Pourtant, lui-même ne se prive pas de relations extraconjugales depuis plusieurs années à l'insu de Catherine. Pierre est très méprisant sans s'en rendre compte, il trouve que sa femme n'a aucune culture et il ne cesse de l'humilier à ce sujet, bien que ce soit une belle femme élégante qui manifeste beaucoup de goût et de sensibilité. Dans ce couple, le masculin écrase le féminin et cette situation se répercute intérieurement chez chacun des partenaires. La femme intérieure de Pierre est très engloutie et son enfant intérieur aussi. L'homme intérieur de Catherine vient tout juste de sortir de l'engloutissement où il se trouvait grâce à sa nouvelle rencontre. Son enfant intérieur est terriblement blessé et elle nourrit un fort complexe d'infériorité, un sentiment de dévalorisation de soi. Depuis longtemps Catherine « penche » vers Pierre et joue au sauveteur pour son enfant intérieur, notamment en faisant l'amour sans en avoir envie, sans rien ressentir non plus car elle est devenue frigide avec lui. Son enfant intérieur est recroquevillé sur lui-même mais va un peu mieux depuis qu'elle vit cette nouvelle relation dans laquelle elle se sent valorisée. Cependant on pourrait dire qu'elle a seulement trouvé un sauveur extérieur et que son adulte ne joue pas encore ce rôle pour elle.

Jusqu'à présent Catherine a été une bonne mère et une bonne épouse et le sentiment de sa valeur lui venait de ces rôles. Elle s'écoutait donc assez peu elle-même. Ses propres parents n'existaient que pour leurs enfants et la sexualité avait une couleur trouble dans la famille. Catherine n'a eu aucun modèle lui permettant de comprendre la gestion intérieure entre son masculin et son féminin, son enfant et son adulte. Elle n'a comme référence qu'un féminin soumis et un adulte sacrifié. En rencontrant Pierre elle a vu en lui le prolongement de ses parents, c'est-à-dire un protecteur et un sauveur. Sa domination inconsciemment cruelle a érodé son sens du moi, jusqu'à ce qu'elle puisse vivre un sursaut de révolte à l'occasion d'une prise de conscience dans un stage. Catherine ne désire pas vraiment quitter Pierre mais elle ne veut pas abandonner sa nouvelle relation et elle ne veut plus faire l'amour avec Pierre, ce qui l'humilie et le frustre profondément.

Pierre est brusquement à nu, mis en face de cet enfant que Catherine ne protège plus et qui est blessé. Il ne veut pas perdre Catherine, mais il ne supporte pas la situation qu'elle lui impose. De bourreau il devient victime, il pleure et se lamente sans avoir du tout conscience qu'il peut faire quelque chose pour lui-même. Il n'est pas habitué à s'occuper de son enfant intérieur, il est entièrement livré à sa souffrance et à sa violence. Ses propres aventures amoureuses lui semblent sans conséquences, bien qu'il n'ait pas très envie d'y renoncer. Il a une très forte dépendance vis-à-vis de la sexualité et il a commencé à rechercher ce qui dans son enfance motive cette dépendance.

Pierre a beaucoup souffert d'un père brutal, dominant et admiré, et face à cette violence paternelle il a appris à cacher son enfant intérieur. Avec Catherine il reproduit ce modèle. Il a perdu le contact avec son enfant intérieur et il souffre, derrière ses comportements ronflants, d'une forte dévalorisation de lui-même qu'il reporte sur sa femme à défaut de se l'avouer. Sa mère était soumise, il lui était très attaché, il avait dû la partager avec de nombreux frères et sœurs et il en a gardé un sentiment de rejet et de manque qui le propulse dans la relation sexuelle pour retrouver une exclusivité maternelle en même temps qu'une sensation de virilité.

Peu à peu Pierre a renoué, aidé par un thérapeute, avec son enfant intérieur, avec sa dimension spirituelle. Mais chaque fois que Catherine se refuse à lui, il entre dans des colères violentes, ses blessures d'enfant sont réactivées.

Ce n'est qu'en reliant progressivement l'adulte à l'enfant que Pierre commence à accepter sa souffrance. De son côté Catherine, qui a peur d'être abandonnée, inaugure de nouveaux comportements de soumission, sauf sur la sexualité. Ce n'est qu'en reliant son enfant et son adulte qu'elle parviendra à accepter de poser des limites qui lui permettront de se respecter, d'écouter ce dont elle a envie, et non de faire plaisir à Pierre. Aujourd'hui Pierre et Catherine vivent toujours ensemble parce qu'ils ont appris à se redresser, à s'occuper d'eux-mêmes, à s'accepter indépendants et dépendants, ils ont dépassé la relation dominant/dominé et ils explorent la sortie du tunnel du conflit.

Le critique intérieur

Le terrible critique intérieur est une figure de l'adulte que chacun d'entre nous a besoin d'apprendre à connaître car c'est lui qui alimente la plupart des conflits avec l'enfant. Il est la traduction de la voix parentale qui nous a tant dénié nos sensations ou reproché nos actes : tu as encore fait ceci, tu n'as pas fait cela... ce n'est pas bien, ce n'est pas juste, ce n'est pas correct, non tu as tort, non ne touche pas à cela, ne fais pas de bruit, non, non, tu n'es qu'un sale garnement, tu ne vaux rien, un bon à rien, personne ne pourra t'aimer, qu'est-ce que j'ai fait pour avoir un fils pareil ?... vilaine fille, tu me feras mourir.

Le critique intérieur a pour fonction d'évaluer sans cesse les actions et de ne rien laisser passer qui ne soit à un certain niveau de réussite. Selon les personnes il est plus ou moins lucide, plus ou moins intransigeant, plus ou moins de bon conseil. D'une certaine manière il exerce une fonction utile. Il permet de tenir compte des erreurs et d'en tirer la leçon. Il permet de s'améliorer, de tendre vers toujours plus de perfection. Mais il peut aussi devenir terriblement exigeant et se comporter en tyran. Rien alors n'a jamais grâce à ses yeux. Il regarde toujours le verre à moitié vide et il pose une poigne de fer sur la personne qui s'active comme une esclave pour le satisfaire. En pure perte. L'exigence repousse toujours plus loin ses limites : pauvre fille ! Quelle incapable tu fais ! C'est toujours la même chose, tu ne changeras jamais. Tu n'es pas digne d'être aimée.

A certains êtres le critique intérieur ne laisse aucun répit et ils sont engagés dans une escalade. C'est lui qui s'interpose pour que les besoins de l'enfant ne soient ni écoutés ni satisfaits. Il les juge trop futiles. Le critique intérieur représente un aspect moral en surface, il a partie liée avec le « tu dois », mais en profondeur il veut la toute-puissance, il est prêt à exiger les plus durs labeurs au nom de la gloire et de l'argent, il se moque de l'amour et des autres, il cultive l'amour du pouvoir et de la réussite et rien n'est trop grand ni trop beau pour lui. Il peut être véritablement démoniaque.

Quand on demande à quelqu'un d'entrer en contact avec son critique intérieur, on peut être surpris par la force que cet être se met à dégager, par la voix elle-même qui peut devenir très différente, basse, puissante, ricanante, haineuse. Le critique intérieur déteste la faiblesse. Il ne la supporte tout simplement pas et il ne pardonne pas ses manifestations. Si on ne lui met pas la bride sur le coup, il peut harceler quelqu'un jusqu'à le rendre malade et étouffer complètement la voix de l'enfant. Il est activiste, il parle souvent au nom des valeurs, il prend même le masque de la gentillesse, de la politesse, de la délicatesse. Dans la capacité à s'aimer soi-même, le plus grand obstacle reste le critique intérieur. Avec lui il convient d'appliquer la formule tantrique « Chevaucher le tigre ». Si on chevauche le critique intérieur, il peut apporter une très grande énergie et du discernement dans l'action. Mais si on se laisse mener par lui, on se trouvera en très grand déséquilibre intérieur. La coupure entre l'enfant et l'adulte aboutit toujours au même résultat. La personne cherche une protection de substitut à l'extérieur et devient dépendante.

LE CINQUIÈME STADE

Le couple lunaire

Je suis féminin-masculin,
tu es masculin-féminin
et nous luttons toujours pour le pouvoir.

Un féminin masculinisé, un masculin féminisé

L'émergence féminine sous forme d'un masculin dominant et l'évolution masculine vers la féminitude apportent une nouvelle étape et un nouveau risque dans l'évolution du couple.

Le couple lunaire est composé d'une femme lunaire dominante et d'un homme solaire dominé ou d'un homme lunaire dominé. Imaginons un couple qui a déjà traversé la première étape fusionnelle et amoureuse, la seconde étape de dissociation en déséquilibre, masculin dominant/féminin dominé, puis la troisième étape du conflit, explosive et parfois dramatique. A la quatrième étape éclairée ils ont cherché de l'aide auprès d'amis, de thérapeutes, de conseillers familiaux, de livres et ils ont tenté de prendre un peu de distance. Ils entrent maintenant dans la phase lunaire.

C'est la femme qui émerge dans le couple, qui travaille si elle restait auparavant à la maison; elle peut aussi rencontrer quelqu'un, nouer une autre relation. L'homme, lui, est entré dans une profonde remise en cause de lui-même et de son comportement patriarcal dominant, mais il est déstabilisé entre ses habitudes d'hier et sa recherche de nouveaux comportements auprès d'une femme qu'il ne reconnaît plus. Lui qui hier encore se vivait comme le chef tout-puissant de sa famille, qui se permettait des attitudes désinvoltes et même méprisantes avec sa femme, se présente maintenant en quémandeur et se sent le perdant d'une bataille.

Un certain nombre de vieux couples sont dans cette situation avouée ou cachée. Le mari a dominé sa femme pendant dix ou quinze ans et un jour la situation s'est renversée au profit de la femme. Ces hommes « perdants » se reconnaissent au premier coup d'œil par leurs épaules, leur regard, une sorte d'absence, patiente et résignée, quand ils sont près de leur femme.

Le rapport de force dominant/dominé les a liés l'un à l'autre dans une sorte de cercle vicieux qui leur tient lieu d'amour et qui s'appelle la haine. Ça occupe, ça donne l'impression d'exister. Je te hais donc j'existe, tu me hais donc j'existe. Cette histoire est terriblement aliénante pour les deux partenaires, mais on a vu qu'elle est aussi « addictive » qu'une drogue et elle est très courante. Sur le plan de la conscience et du bonheur, ces deux êtres sont également perdants, aigris, rétrécis, quelles que soient les apparences du rapport de force.

Aujourd'hui dans notre société ce couple lunaire n'attend plus pour exister un renversement du couple patriarcal. Les femmes dominantes jeunes sont légion. Ce sont des filles du père qui ont développé leur partie masculine avant même d'incarner leur féminin, elles sont actives et dominantes. Elles s'intéressent à leurs études, à leur métier, elles sont construites et décidées et elles rencontrent généralement un fils de la mère, plus lunaire que solaire, plus féminin que masculin, plus poète que guerrier. Quelques années plus tard la jeune femme est une battante en pleine ascension de carrière et l'homme est au chômage, cherchant son identité de nouveau père ou d'homme au foyer.

Ce déséquilibre femme dominante/homme dominé est tout aussi mortel pour l'harmonie du couple et pour l'amour que le déséquilibre patriarcal. Tout aussi inévitablement il conduit à une révolte du dominé et à un conflit. L'évolution de la conscience en nous obéit à une logique expérimentale. Quand j'ai expérimenté une situation, je tends à en programmer une autre, souvent l'inverse de la première.

Chantal, qui a connu à dix-sept ans un homme qui était son aîné de dix ans, s'est laissé modeler par François, son Pygmalion, mais quelques années plus tard, quand elle a pris davantage conscience d'elle-même, elle a voulu sortir de cette autorité étouffante. Elle a quitté François et elle a rencontré Stéphane, qui est en adoration devant elle et vis-à-vis de qui elle est en situation de domination.

Pour les mêmes raisons un homme dominé quittera une femme dominante pour vivre avec une femme douce et soumise dont il se lassera éventuellement, à moins qu'elle ne se transforme encore en dominante etc. C'est ainsi que les couples se défont et se font toujours sur la même toile de fond, recherchant et retrouvant les mêmes polarités ou leurs contraires, ce qui finit par revenir au même car on ne sort jamais du conflit.

Notre époque, en pleine recomposition des identités masculines et féminines, est en train de générer des bombes potentielles pour le couple, avec tout un cortège de souffrances passionnelles et de souffrances d'amour-propre. Il y a cependant un espoir.

Aujourd'hui les femmes s'intéressent massivement à la psychologie, s'informent, suivent des stages de transformation et, parmi elles, se trouvent beaucoup de femmes dominantes. Pendant plus de quatre mille ans les hommes semblent s'être accommodés très bien de leur domination, mais les femmes en souffrent rapidement.

Au bout de quelques années les femmes ont fait le tour du plaisir que procure l'amour du pouvoir et elles se mettent en quête de l'amour. Elles ne se résignent pas à ce sentiment de mépris qui naît en elles vis-à-vis d'un homme trop « mou ». Pas plus qu'elles ne se résignent à voir les hommes se détourner d'elles parce qu'elles sont trop fortes, trop exigeantes, trop indépendantes, pas assez rassurantes. Elles veulent développer leur féminité et maîtriser le côté castrateur de leur nature amazone. Pour les hommes trop féminins et pour les femmes trop masculines il y a un travail très profitable à entreprendre et qui peut porter rapidement ses fruits.

La femme dominante

La femme lunaire sort lentement de ces eaux inconscientes où elle était engloutie et, prenant modèle sur le masculin incarné par son père, son frère et beaucoup d'autres hommes, elle intègre un masculin dominant. En même temps elle récupère certains de ses grands pouvoirs féminins avec lesquels elle n'était plus en contact. La complexité de la femme lunaire tient à ce qu'elle tire sa domination de deux sources de pouvoir différentes. La grande déesse mère était à la fois solaire et lunaire, active et passive, féconde et ravageuse, créatrice et destructrice, consciente et inconsciente de sa toute-puissante complétude.

Sur le plan de la conscience l'identité féminine est pleine comme la graine, mais elle ne connaît pas sa fleur. Tout un long parcours va commencer avec le patriarcat et dans un premier temps l'identité féminine va s'engloutir dans la soumission à l'homme, perdre son rayonnement, entrer dans une sorte de clandestinité. L'aspect solaire actif notamment est étroitement muselé. Il ne reste que l'aspect lunaire, passif, dominé, qui se décline en révolté puis éclairé, retrouvant ainsi une forme active, une alliance avec le principe masculin intérieur. Mais ce lunaire est lui-même incomplet, coupé de son pouvoir initial.

La femme soumise du patriarcat a été doublement castrée : d'une part dans sa solarité créatrice, dans son influence rayonnante, et d'autre part dans sa féminité, dans son aspect lunaire profond, sexué.

Il ne faut pas oublier que le premier objectif de l'homme a été de limiter la liberté sexuelle de la femme, pour s'assurer de la paternité. Lilith, qui est le symbole de la femme révoltée, ne s'y était pas trompée. L'enjeu est capital. Elle a refusé l'asservissement d'Adam et notamment l'asservissement sexuel. Elle ne veut pas être celle qui est toujours au-dessous. Elle est partie pour toujours quand Adam a refusé sa proposition d'alterner la position dessus-dessous. En somme Lilith proposait déjà une hygiène du pouvoir et de la domination, et un art du plaisir. Qu'importe d'être dominant ou dominé si les rôles peuvent changer ? Toutes les expériences ont leur intérêt, sauf si elles emprisonnent, si elles interrompent le mouvement de la vie.

Depuis quatre mille ans, le féminin n'est plus le féminin, mais une caricature de lui-même.

Nous avons vu que toute femme, aujourd'hui encore, naît dans cette situation d'aliénation : l'homme est supérieur à la femme. C'est du moins le message que continue de véhiculer l'inconscient collectif. Chaque femme est donc confrontée dans sa réalisation en tant que femme et en tant qu'être à un certain nombre de handicaps et d'épreuves. Retraverser son penchant à la soumission, ce qui n'est peut-être jamais terminé tout à fait au cours d'une vie. Renouer avec son masculin intérieur malgré un contexte de déséquilibre des polarités masculine/féminine qui piège cette rencontre. Ou bien le masculin est idéalisé, survalorisé, ou bien il est dévalorisé, redouté. Et dans tous les cas la difficulté existe. Dans sa phase de révolte, la femme soumise commence à découvrir le pouvoir de son masculin sous une forme incisive guerrière, qui est la reproduction du modèle de l'homme patriarcal. Dans sa phase éclairée elle tente de civiliser ce guerrier intérieur. Mais c'est seulement dans sa phase lunaire qu'elle commence à retrouver sa liberté intérieure et extérieure, et le lien métaphysique puissant qui unit la sexualité à l'éveil en elle de la spiritualité.

L'aliénation de sa liberté sexuelle, l'interdit et la culpabilité qui ont été posés sur les mots *sexe* et *femme* par la chrétienté ont creusé une coupure entre sexe et spiritualité. La femme soumise du patriarcat n'est plus cette émanation de Dieu, capable de relier le présent et l'éternité, le sexe et le divin par l'amour.

Au cours de son évolution toute femme vit donc une forme de descente dans son pouvoir féminin pour renouer avec ce qu'il a d'entier. **La femme lunaire renoue ainsi avec la puissance de la déesse-mère.** Son sexe est vivant, elle se relie aux forces instinctives de la terre, de la nature, elle est magnétique, détentrice du « pouvoir de la lune ». Cette puissante séduction qui s'exerce sur l'homme est magique, elle vient moins des attraits extérieurs que d'une *émanation*, d'une énergie intérieure de captation.

Cette onde souterraine qui parcourt la femme peut se réveiller à n'importe quel âge, elle est une source de vie intense, mais comme toute force elle a deux visages. Elle peut provoquer des naufrages ou apporter une rédemption.

Il se produit un renversement fondamental. Du fond de cette puissance féminine libérée la femme connaît son homme intérieur avec plus d'intensité.

Elle le laisse s'exprimer en tant que dominant mais elle le met au service de sa magie féminine. **Pour la première fois dans ce parcours d'évolution le masculin est mis au service du féminin dans l'être.**

Ce renversement se fait subrepticement, de manière souvent incomplète et dangereuse, et pourtant il contient un espoir sans précédent. Car la femme solaire de la sixième phase sera une femme qui met son masculin au service de son féminin, et son masculin comme son féminin seront gagnés à la cause de l'amour. La femme lunaire, elle, est encore dans la manipulation, dans la revanche, elle n'a pas relié le sexe au cœur et le cœur à l'esprit. Ce qu'elle connaît c'est parfois une fulgurance entre le sexe et l'esprit, elle n'est plus coupée, mais cela ne suffit pas à la rendre humaine. Il y a en elle quelque chose d'inhumain. Elle n'est pas non plus très consciente de ce qui se passe, elle subit son pouvoir. Elle joue à se faire aimer, désirer, mais quelque chose en elle reste froid et pâle comme la lune. Elle aime son reflet, elle cultive son narcissisme, elle peut être à la fois frivole, charmante et calculatrice. Dans sa séduction il y a une perversité en partie inconsciente. Elle exerce d'autant plus d'emprise qu'elle demeure insensible à l'amour. Cette femme lunaire dominante est bien connue sous l'archétype de la femme fatale. Elle se conduit en castratrice et en geôlière. Elle est un danger aussi bien pour elle-même que pour l'homme. Elle a peur de l'amour, peur de l'homme, elle préfère en faire une proie qu'être sa proie. La guerre des sexes et des identités bat son plein. La vie intérieure est un champ de ruines et le sentiment de vide et de manque n'est comblé par aucune réussite extérieure, aucune preuve d'amour. A long terme l'exaltation de la cruauté fait place à une solitude désertique. Cette femme est devenue un tyran et la peur de l'échec l'empêche de jouir de ses succès.

Sans pousser l'archétype aussi loin, beaucoup de femmes aujourd'hui sont entrées dans cette phase dominante. Mais il faut distinguer entre les **dominantes révoltées** et les **lunaires dominantes.** Les dominantes révoltées ont reconquis leur dimension phallique. Elles agissent mais tout en restant esclaves, tout en restant manipulées par leurs frustrations profondes. Le masculin dominant s'impose dans leur personnalité au détriment du féminin, qui ose à peine se vivre même si elles soignent parfois la féminité de leur apparence. Les lunaires dominantes disposent du pouvoir féminin, mais elles s'en servent encore dans un esprit de revanche inconsciente ou par goût du pouvoir.

La fille du père

Toute femme est aussi une **fille blessée.** Cette blessure est double, culturelle et personnelle. La **blessure culturelle** vient de ce père symbolique écrasant qui règne dans la société sous forme de lois et dont la toute-puissance se fonde sur une dévaluation de la féminité. La **blessure personnelle** vient de la relation au père. Le rapport que le père entretient avec sa féminité a une importance décisive sur la manière dont la petite fille va se transformer en femme. Son attitude à l'égard du succès et du travail va influencer celle de sa fille. S'il est sûr de lui, s'il réussit, elle intégrera une partie de cette confiance. S'il est anxieux, s'il échoue, s'il a une attitude peureuse vis-à-vis de la société, elle aura ce même handicap. Le père constitue un modèle d'autorité, d'ordre et de discipline et le rapport qu'il a avec ses idéaux affecte aussi les idéaux de la fille.

Comment ce père s'équilibre-t-il entre le plaisir et la puissance ? Selon le message reçu consciemment et inconsciemment du père (pour me plaire il faut être comme ci et comme ça), la fille va adopter un modèle soumis et dépendant, ou au contraire un modèle de force et d'indépendance. Dans l'un et l'autre cas le modèle adopté sous-tendra un modèle renié et une oscillation entre les deux, déséquilibrante et inconfortable. Éternelle adolescente ou amazone, soumise ou dominante, la femme souffre d'une incomplétude et la fille blessée dominante souffre d'un complexe secret d'infériorité.

Le père était absent, ou absent/présent, c'est-à-dire absent sur le plan émotionnel, irresponsable, et dans ce cas la fille l'a rejeté. Pour pallier ce manque elle s'est identifiée au principe masculin, à sa force et à son pouvoir. De la même manière, si les représentations culturelles du principe paternel dénient le féminin, une réaction se met en place. Le besoin de pouvoir prend toute la place dans le psychisme, refoulant la capacité féminine d'entretenir des relations aimantes, emprisonnant l'être dans une sorte d'armure, de carapace masculine. Cette dominante révoltée est coupée de ses sentiments, de sa réceptivité, elle n'existe que dans le contrôle. Dans cette affirmation il y a un rejet de l'homme. La femme se jette dans le travail, se surmène, réussit parfois mieux que personne, mieux que ses collègues hommes, mais elle se sent seule. Elle croit que les hommes ont peur d'elle parce qu'elle est compétente. Elle est une sorte de fils du père par procuration, elle le prolonge, elle réussit éventuellement là où il a échoué.

La fille qui admire son père, qui a eu avec lui une relation privilégiée toute son enfance, se trouve aussi parfois dans le même cas. Elle est l'héritière de ses valeurs, son continuateur, elle veut se montrer digne de lui. Sa réussite sociale lui permet de répondre à ses attentes. Ainsi Cathy avait toujours été la championne de son père. Une fois mariée elle ne pouvait s'empêcher de comparer son mari et son père, au détriment du mari. Elle était consciente que l'échec de son mariage venait de là. Cette influence du père pour que la fille incarne des valeurs masculines procède d'un refus plus ou moins conscient de voir sa fille dévalorisée dans son féminin comme toutes les autres. Souterrainement, maladroitement, c'est une tentative de sauvetage du féminin. Et s'il n'y avait déséquilibre, le sauvetage aurait effectivement lieu, mais le féminin de cette fille reste englouti parce que souvent la mère est soumise et que l'identification au féminin n'est pas positive.

La conquérante, la dominante révoltée, est encore dans le réactionnel. Elle incarne un aspect renié ou idéalisé du père, elle cherche à devenir invulnérable et elle refoule sa vulnérabilité, ce qui, contrairement à ce qu'elle croit, la fragilise. Beaucoup de femmes

« battantes » craqueront ainsi vers quarante ou cinquante ans et cette crise sera un grand bienfait car elle sera leur chance d'intégrer leur féminin.

Gina raconte : « Je voulais être comme mon père qui réussissait dans son travail, qui aimait ce qu'il faisait et qui manifestait une grande ouverture d'esprit. Maman, par contre, ne me semblait pas heureuse. J'ai cherché à me faire des amis parmi les hommes, à me faire accepter par eux. J'adoptais une attitude supérieure avec les autres femmes, je voulais penser comme un homme. Au moment de l'adolescence j'ai rejeté ma partie féminine, je voulais m'identifier aux hommes. » Ce qui n'exclut pas pour autant de garder une apparence féminine, car beaucoup de femmes s'aperçoivent rapidement que leur féminité est un atout supplémentaire dans l'intérêt que les hommes leur portent. La petite fille de papa est à la fois jolie et intelligente.

Pour devenir une femme de pouvoir, la femme trouve souvent des alliés masculins. Il y a deux voies d'accès pour les femmes qui cherchent le pouvoir : devenir semblables aux hommes ou/et se faire aimer d'eux. Hélène avait des rapports très positifs avec son père et elle était une élève brillante dont il était fier. A l'adolescence elle connut plusieurs garçons, se mit à fumer de la marijuana. Son père la jugea sévèrement et lui retira toute son attention. A partir de ce moment-là Hélène erra, se chercha un père de substitution et rencontra un gourou très patriarcal, oppressif et misogyne. Elle devint de plus en plus marginale, de moins en moins concernée par la réussite. Ce n'est qu'en rencontrant un nouveau compagnon qui lui redonna confiance en elle, et qui fut pour elle comme un père de substitution, qu'elle reprit une carrière brillante.

La fille lunaire dominante est par contre l'héritière d'un principe féminin fort, d'une grande déesse-mère qui lui a transmis sa force, mère ou grand-mère. Cachée sous les traits de la fée se dissimule une puissante sorcière, une créature de calcul avec laquelle on n'a rien sans rien. Le père de cette femme a souvent été un homme lui-même très féminin mais un peu affaibli face à la mère. L'homme intérieur de cette femme lunaire dominante est à l'image de ce père en situation de dévalorisation par rapport au principe féminin.

Il y a comme une résurgence de la situation archaïque du premier stade, mais la polarité féminine est consciente d'elle-même et la princesse lunaire a pris la place de la reine mère solaire-lunaire. La femme fatale est une séductrice, qui répond comme telle au désir de l'homme. Elle est l'envers de la femme soumise, non plus masochiste mais sadique. Elle incarne le désir renié du patriarcat, ce qui peut être considéré comme son achèvement. La boucle est bouclée.

On ne s'étonnera donc pas de voir fleurir ici et là beaucoup de ces étranges fleurs carnivores, des jeunes filles pleines de vie et de fougue, provocantes, prenant des initiatives et traitant parfois les hommes en objets de désir. De manière caricaturale, la chanteuse Madonna incarne cet archétype d'une femme qui muscle son corps inlassablement, qui le dénude, qui l'offre, qui multiplie les aventures amoureuses avec les hommes mais aussi avec les femmes.

Ainsi, à ce niveau, le véritable pouvoir féminin serait pouvoir de séduction, pouvoir-araignée tissant habilement la toile dans laquelle vient tomber la victime. Au-delà de tout jugement moral, ce pouvoir enracine l'être dans son centre, alors que les pouvoirs masculins faisaient tourner la femme dans sa périphérie. Malgré le gouffre désertique de ses relations amoureuses, la femme lunaire active est une femme évoluée déjà engagée sans le savoir dans la complétude et la rencontre de sa solarité.

L'homme dominé

L'homme dominé de ce cinquième stade est lui aussi un être évolué, paradoxalement, bien que souvent affaibli par l'intégration de son féminin. Au cours d'une vie un homme s'achemine d'une composante patriarcale et masculine, tyrannique même, à une composante plus féminine. La spiritualisation de l'être est à ce prix. De toute façon, en vieillissant, un être — homme ou femme — se rapproche inéluctablement de son inconscient, féminin pour l'homme, masculin pour la femme.

L'évolution individuelle entreprise de manière consciente ne fait qu'accélérer le processus et lui permet de parvenir à davantage de complétude. Toute une vie se passe à rechercher l'équilibre des polarités dans tous les domaines — voie de sagesse, voie millénaire. **Le oui à la vie s'introduit par la féminisation de l'existence.**

Pour l'homme il s'agit donc de rencontrer sa femme intérieure. Pourquoi, dans un premier temps, cette intégration, cette rencontre se traduit-elle par un affaiblissement ? Il y a un changement de valeurs important. Ces hommes qui prennent conscience qu'ils se sont comportés dans leur propre maison, avec leur femme, comme des tyrans et parfois des violeurs, souvent des sadiques, pleurent douloureusement et se sentent coupables. L'armure craque. La souffrance, la vulnérabilité et la tendresse alternent. Une étincelle spirituelle a jailli qui ne cessera plus de brûler avec plus ou moins de vigueur selon les moments.

Pendant des années le processus de conscience va recomposer un autre paysage intérieur, mais d'ores et déjà ce n'est plus l'esprit de conquête qui prédomine, ce n'est plus l'*avoir,* c'est l'*être.* Ces hommes vont être confrontés à des difficultés extérieures. Les affaires ne marchent plus aussi bien, les périodes de chômage se prolongent. On peut incriminer l'extérieur, la crise, mais c'est surtout que la priorité intérieure a changé. Le guerrier s'est mué en poète.

Michel était un promoteur immobilier de haut vol, roulant en Mercedes, ayant de nombreuses aventures féminines, une femme à la maison qu'il écrasait et trois enfants. Quand sa femme lui a révélé qu'elle avait un amant et qu'elle ne voulait plus faire l'amour avec lui, il a traversé une terrible crise : beaucoup de souffrances, beaucoup de violences, une grande blessure réouverte, celle de l'abandon de la mère. Un éveil spirituel aussi. Michel a entrepris une thérapie. Tout n'est pas réglé dans son couple mais ils ont pu rester ensemble. Sur le plan professionnel, par contre, sa situation est véritablement sinistrée et pour la première fois le salaire de sa femme a pris un sens dans l'économie familiale. Ce renversement des polarités au niveau de l'argent l'inquiète, l'humilie sans doute, mais contribue à un certain nombre de prises de conscience. Notamment, il ne dévalorise plus sa femme. Il faut se rendre compte que le temps de la conscience n'a rien à voir avec le temps de nos histoires. Ce qui aux yeux du monde est un mal peut parfois être un bien dans l'histoire du développement de l'être.

Le fils de la mère

Yves a eu un père dominant et une mère qui est restée à la maison pour élever ses nombreux enfants. Yves voue une adoration à sa mère et il a toujours entretenu avec son père des relations conflictuelles et rivales. Yves est un fils de la mère parce qu'il a pris le parti de sa mère contre son père. Le conflit entre les parents n'était pas particulièrement ouvert mais l'enfant, très sensible, a toujours ressenti une forme d'injustice dans la situation familiale traditionnelle qui faisait de sa mère une servante. Yves a donc intégré dans sa structure psychique un féminin valorisé/dévalorisé, valorisé par lui, dévalorisé par le père et par les valeurs ambiantes. Comme Yves est un poète, il se sent porteur de valeurs nouvelles et sa rivalité au père se joue non seulement dans l'Œdipe mais aussi sur le plan des valeurs. Il se vit comme un nouvel archétype d'homme, de ceux qui vont permettre aux valeurs féminines de retrouver une place dans le monde. Mais ce féminin est encore englouti dans les eaux patriarcales et Yves le poète n'est pas en position de force dans la société. Lui-même subit une dévalorisation latente à travers ce principe dont il s'est fait le champion. Il cherche refuge auprès des femmes, pas n'importe lesquelles. Elles seront toutes des femmes dominantes, elles auront toutes un masculin affirmé, une position de créatrices. Il sera écrivain avec une femme qui écrit, homme de théâtre avec une femme metteur en scène, homme de radio avec une femme qui fait de la radio, informaticien avec une informaticienne, drogué avec une droguée. De manière caricaturale et féminine il penche vers toutes ses compagnes et s'identifie à elles, fidèlement second comme pourrait l'être une femme soumise.

Yves va aller très loin dans cette identification au féminin. Il élève ses deux petites filles pendant les premières années. Il reste à la maison et il se substitue à la mère qui, elle, travaille au-dehors et ramène l'argent. Son identification à sa propre mère est alors réalisée au plus près. Bien entendu, Yves n'est pas pleinement heureux dans cette situation. Il en ressent le déséquilibre, il se débat mais il ne sait pas comment faire autrement ; tous ses projets de travail à l'extérieur échouent et il commence un processus d'autodestruction, de dévalorisation de lui-même. Il est pourtant entouré de compréhension. Cette situation arrange tout le monde, en premier lieu sa compagne. Il incarne à plein temps le nouveau père mais en même temps il est l'éternel marginal, l'éternel adolescent ; il y a en lui quelque chose de ligoté, d'impuissant, de désespéré même. Il a essayé quelquefois de rentrer dans le moule, de tenir une place d'employé derrière un ordinateur, mais chaque fois il est rejoint par le sens du dérisoire et le découragement ; les objectifs patriarcaux ne marchent plus pour lui, il n'a plus assez peur de la mort, il n'est plus un esclave social, même s'il est encore un esclave intérieur. Mais il n'est pas non plus en prise avec le créateur en lui parce que le déséquilibre intérieur masculin/féminin est trop fort. Il n'y a que l'homme sage en lui qui puisse lui faire accomplir le saut en le rattrapant sur sa trajectoire. Il a besoin de rencontrer l'autre, une sorte de père de substitution, un ami ou une amie qui lui fournisse le mode d'emploi, le modèle de masculin auquel il pourrait s'identifier pour soutenir ses qualités féminines. Il l'a cherché jusqu'à présent dans les femmes, car avec les hommes il a toujours rejoué une rivalité initiale.

Les fils de la mère sont de plus en plus nombreux à notre époque, soit depuis le début, comme Yves, soit dans l'évolution d'une vie, comme Michel. Ils sont en voie d'intégration lunaire mais ils sont en déséquilibre par rapport au masculin. L'identification à la mère n'est pas seule en cause. La relation au père est insuffisante. « Père manquant, fils manqué », dit Guy Corneau. Père trop absent de la maison, père présent/absent, avec qui il n'y a pas d'échange affectif, pas de tête-à-tête. Le fils éprouve de la peur pour ce que le père représente de puissance non partagée et du mépris pour sa faiblesse devinée sous la cuirasse. La trajectoire de réconciliation d'un fils de la mère avec lui-même passe par ses retrouvailles au moins intérieures avec le principe masculin et paternel.

Yves est père de deux enfants et ce n'est pas de cette paternité dont il s'agit. Le modèle du masculin offert par son propre père ne lui convient pas. Pour qu'il puisse réintégrer un rôle social, il a besoin de trouver un modèle d'homme auquel s'identifier qui lui servira de tuteur concrètement et symboliquement. Quand Olivier est venu le chercher, Yves s'est tout de suite enflammé pour son projet et il n'est pas anodin qu'Olivier soit un homme en quête de puissance et de sagesse à la fois. Dans un premier temps Yves sera un excellent collaborateur, dans un deuxième temps Olivier devra avoir la sagesse de tenir compte de son besoin d'émergence : la traversée du père. Selon la manière dont ce virage sera négocié, Yves et Olivier continueront ensemble ou séparément. Mais Yves sera peut-être mis sur orbite.

Pour Jean-François le problème est tout autre. Fils unique, il a eu une relation fusionnelle intense avec la mère qui l'a séparé du père. Il n'a pas souffert consciemment de cette coupure mais il se conduit avec les femmes comme un enfant gâté et même comme un nourrisson. Tous les seins de femme lui paraissent également attractifs et il vit dans la compulsion sexuelle. Ce manque d'attachement affectif, cette boulimie sexuelle le déstructurent, le culpabilisent. Il se perçoit comme un être sans colonne vertébrale. Par contre, sur le plan professionnel il est stable et compétent. Son apparence physique, pourtant très virile, a quelque chose de flou, de mou, d'indéterminé. Dans ce problème d'infantilisation affective la rencontre d'une femme ayant des caractéristiques solaires peut s'avérer décisive. Jean-François est bien un fils fasciné par la mère, conditionné à la fusion avec elle, conforté aussi dans le sentiment de toute-puissance qu'elle lui donne : « J'ai l'impression que j'ai droit à toutes les femmes, que je n'ai qu'à me servir ». Son déséquilibre s'est joué sur l'absence du père qui a permis cette fusion avec la mère et c'est cette fusion elle-même qui a besoin de se corriger. Son principe féminin cherche sa sagesse pour accepter que la réalité vienne limiter le plaisir. Jean-François est comme Osiris, comme lui il est démembré, éparpillé dans la confusion, il cherche son Isis, une âme sœur alliée à qui il puisse faire confiance pour ramasser ses morceaux et lui permettre une résurrection.

Le mythe d'Isis et d'Osiris

Dans la religion égyptienne le pharaon était l'incarnation du dieu solaire Râ, Isis et Osiris étaient reliés à la lune, au principe féminin et à la matière. Le principe solaire représentait la religion officielle, alors que le culte d'Isis et d'Osiris renvoyait à l'aspect initiatique et secret.

L'histoire d'Osiris raconte qu'il fut un grand roi au caractère aimable, brillant musicien et artiste. Il charmait son peuple par la force de son verbe et de ses chants, lui enseignant conjointement la raison et l'art. Il était l'homme-muse, l'homme de la lune. Il était associé à la croissance du blé, au printemps, après les crues du Nil. Plus profondément, il était le symbole d'une vie végétale qui meurt et ressuscite. Osiris est cette vie toujours verte dans la psyché humaine qui meurt et ressuscite, qui transcende la mort. Seth, son frère, est à la fois son ennemi et l'ennemi de Râ. Chaque nuit Râ doit affronter Seth, la nuit, l'obscur. Seth représente le pôle opposé à la lumière. Comme il jalouse Osiris, il lui prépare un piège. Il fait faire un coffre aux dimensions exactes du corps d'Osiris et, lors d'un banquet, il propose ce cadeau à celui des invités dont la taille s'adapterait exactement au coffre. Osiris est le seul à pouvoir y entrer et dès qu'il est à l'intérieur, les sbires de Seth se précipitent pour l'enfermer. Le coffre devenu cercueil est conduit sur le Nil et abandonné au courant. On est alors à la vingt-huitième année du règne d'Osiris selon le cycle lunaire. Quand Isis apprend la nouvelle, elle se met immédiatement en quête pour retrouver le corps d'Osiris. Isis est la déesse-lune, elle règne au côté d'Osiris, elle est la nourricière, la sagesse ancienne, la sagesse de l'instinct, le bien et le mal, les forces constructives et les forces destructrices. L'une de ses statues portait cette inscription fameuse : « Je suis tout ce qui fut, qui est et qui sera et nul mortel n'a jamais soulevé mon voile. » Isis la magicienne incarne le pouvoir de l'amour.

Après bien des péripéties elle retrouve le coffre mais Seth parvient à l'intercepter et découpe le corps d'Osiris en quatorze morceaux qu'il disperse. Les quatorze morceaux correspondent aux quatorze jours de la lune décroissante. Isis part alors à la recherche de tous ces morceaux. Elle réussit à rassembler treize des quatorze morceaux et les recolle par magie, mais il manque un morceau important. Le pénis d'Osiris a été mangé par les poissons du Nil. Par la puissance de son amour elle fait revivre ce phallus et conçoit même un enfant appelé Horus le jeune. Cette cérémonie devient l'occasion d'une commémoration dans toute l'Égypte.

Osiris mort, puis démembré, puis castré, ressuscite grâce à Isis et le phallus qu'elle lui restitue, le façonnant elle-même, est une sublimation du pénis, l'avènement d'Éros. Osiris a affronté son double monstrueux, les enfers de son inconscient, il a été vaincu mais l'amour de la femme l'a sauvé. Osiris, *re-né* de l'amour d'Isis, représente le passage de la nature animale à la nature spirituelle. C'est par le pouvoir d'Isis qu'Osiris s'élève vers la vie spirituelle. **C'est par le pouvoir de la femme que l'homme s'élève vers la vie spirituelle.** Osiris est immortel, il symbolise l'odyssée humaine dans la quête d'immortalité, la mort et la résurrection à l'aide du principe féminin. Il n'y a pas de lutte ici entre l'homme et la femme. Chacun joue son rôle complémentaire pour échapper à la condition de simple mortel et pour accéder à la seconde naissance spirituelle. L'Égypte est le seul pays qui ait ainsi dévoilé le rôle primordial de la femme dans la passion de l'homme. Seth, l'ombre, n'est pas anéanti et il faut toujours recommencer la lutte dans la succession des cycles mort/renaissance

Le processus de l'évolution individuelle et collective se joue ainsi avec ses défaites et ses victoires et il appartient à chacun de nous d'éliminer la peur, la haine et la violence qui nous habitent. **L'homme fou en nous doit être nommé, reconnu, pour qu'advienne l'homme sage.**

Isis, première grande déesse d'amour et de bonté, préfigure la Vierge Marie. Elle a conçu son fils par le simulacre du phallus d'Osiris qu'elle a créé. Elle est « cette sainte et incorruptible nature selon laquelle le divin s'engendre lui-même ». La virginité et l'immaculée conception sont déjà présentes. Mais la virginité antique désigne l'unité intérieure, le divin en soi, la complétude des noces intérieures. Avec le christianisme cette notion deviendra physique et non plus spirituelle.

Osiris n'est pas un sauveur, il n'a pas à racheter de péché, de faute collective. Il indique la voie par l'exemple. **Là où Osiris ressuscite par l'amour de la femme, le Christ ressuscite par l'amour du père.** L'homme dominant, solaire du patriarcat, privé de son Isis, sa sœur, mère, amante, épouse aux pouvoirs de déesse, ne peut plus affronter son ombre, descendre dans les enfers de son inconscient et mourir à lui-même en toute impunité. Tant que la femme soumise n'a pas émergé, tant qu'elle n'a pas retrouvé sa conscience libre, sa dimension spirituelle, tant qu'elle ne s'est pas recentrée dans sa royauté intérieure, elle ne peut pas aider l'homme à remonter des enfers de la guerre, pas plus qu'elle ne peut renouer avec son propre principe masculin.

Les problèmes de notre civilisation sont clairs. **La**

route de l'initiation pour l'homme et la femme est barrée par l'engloutissement de la déesse sous la main impérieuse du guerrier dominant.

Le poète, le saint, le sage sont devenus des figures marginales, n'apparaissant plus qu'en filigrane et bien peu comprises dans leur totalité psychique. Où ont-ils trouvé leur Isis? Dans la nature, dans la conscience collective, dans le souvenir, dans l'idéal et dans la foi. Car seule une Isis, une femme du pouvoir de l'amour, peut permettre à l'homme de traverser les dangers de sa lune, de sa féminité, de son inconscient, d'émerger en homme-lune sans perdre son soleil. Le trajet de l'initiation masculine passe du lunaire du premier stade au solaire des quatre autres stades pour revenir au lunaire conscient des sixième et septième stades. Par sa féminisation l'homme coïncide avec son centre. Le parcours initiatique de la femme n'est pas le même, bien qu'il comporte une symétrie, puisque la femme commence dans un solaire inconscient, entre dans sa lune pendant quatre stades et arrive à sa dimension solaire aux sixième et septième stades.

La non-reconnaissance de cette différence et le fait que souvent l'homme a voulu être le prêtre, l'initiateur de la femme expliquent la perte de sens et de spiritualité vécue par notre civilisation.

Le couple initiatique

Quand l'homme entre dans son parcours de féminisation, quand la femme entre dans son parcours de masculinisation, quand l'homme retrouve son guerrier solaire au-delà du désir de domination, quand la femme retrouve son pouvoir lunaire sans se laisser glisser dans la soumission, le couple devient — de manière inconsciente souvent — un couple traversé de pulsions de transformation et touché par une dimension initiatique.

Au cinquième stade on a l'impression de revenir au point de départ puisque l'opposition dominant/dominé se rejoue plus que jamais, avec une inversion des rôles. Les écueils, les épreuves existent mais nous sommes dans la voie du héros et de l'héroïne. De plus en plus les couples actuels ressemblent à ce cinquième stade parce qu'ils sont composés d'un homme dominé et d'une femme dominante.

On peut voir ce fait sociologique comme un indice de la spiritualisation croissante de notre culture. Beaucoup de bons esprits sont aujourd'hui d'accord sur ce point. Nous sommes dans un monde de valeurs masculines et nous cherchons comment le rééquilibrer par des valeurs féminines. Les femmes accèdent au pouvoir dans des secteurs autrefois verrouillés. Problème : ces femmes de pouvoir sont masculinisées, virilisées, elles ne sont parvenues là où elles sont que parce qu'elles ont adopté des comportements et des armes masculines. Dans l'élan de la libération, les femmes ont cru qu'elles devaient prouver qu'elles pouvaient tout faire comme les hommes, aussi bien qu'eux et même mieux. Beaucoup de femmes aujourd'hui encore sont dans cet état d'esprit ; elles font leurs preuves pour être acceptées et gagner l'estime des hommes. Mais ne faudrait-il pas changer de niveau ? La valeur de la déesse-mère tenait à sa dimension spirituelle. En dehors de toute religion révélée, en dehors de toute influence masculine, quelle est cette valeur spirituelle et spiritualisante de la femme ? Combien de temps faudra-t-il pour que l'aliénation très subtile de la pensée masculine, de la spiritualité masculine cesse de s'exercer sur les femmes ? Le clivage est si profond qu'on ose à peine en parler. La spiritualité ne s'adresse-t-elle pas en nous à l'être ? Pourquoi faire cette différence entre les sexes ? Dans ce domaine ne sommes-nous pas tous des anges ? Le verrou le plus subtil est là. Pourquoi les prêtres sont-ils des hommes ? Où sont les prêtresses d'antan ?

L'histoire d'Isis et d'Osiris nous invite à comprendre qu'à un moment de son odyssée, l'homme a besoin d'une femme de sagesse. Où est-elle ?

La sortie de la « dominance »

La femme dominante va partir à la recherche de la sagesse de son homme intérieur et l'homme dominé à la recherche de la puissance de sa femme intérieure. Remarquons que l'homme dominé n'est pas pour autant un homme soumis, c'est plutôt un homme fasciné.

La chance d'une femme dominante, c'est sa détresse intérieure. « Dans la tête d'une femme forte, une voix répète : je te l'ai dit, vilaine, mauvaise, putain, vieille bique, sorcière, esclavagiste, personne ne t'aimera, pourquoi n'es-tu pas féminine, pourquoi n'es-tu pas douce, pourquoi n'es-tu pas silencieuse, pourquoi n'es-tu pas morte ? » Il y a un moment où les femmes qui ont réussi ont l'impression d'être trahies ou de s'être trahies elles-mêmes. Elles éprouvent un sentiment de vide, de lassitude. Puis le corps se met à parler : une grippe qui ne se guérit pas, une douleur d'estomac, une grosseur au sein. L'usure du travail dans des rôles mâles dessèche les femmes jusqu'au centre de leur être. Cela se joue entre l'*être* et le *faire ;* toutes les femmes peuvent le ressentir. Elles sont tellement douées pour se réjouir de toutes les choses de la vie qu'elles ne peuvent se mentir très longtemps.

Le paradoxe

« Ô ciel au-dessus de ma tête, ciel clair, ciel profond abîme de lumière ! En te contemplant je frissonne de désir divin, me jette à ta hauteur, c'est là ma profondeur ! » (Nietzsche.)

Est-il possible d'envisager une civilisation de l'homme et de la femme dans une relation de coopération ? La différence biologique et psychique peut-elle être vécue et comprise autrement que sous le signe de la peur, de la menace, de l'hostilité, de l'exploitation ? Nous sommes confrontés à une création nouvelle et brûlante de nos relations et de nous-mêmes.

Existe-t-il un troisième terme, un au-delà du masculin et du féminin, un au-delà du bien et du mal ?

Nous sommes enfermés dans une logique d'exclusion. Si je suis masculin, je ne peux pas être féminin ; pis encore, je ne peux que me poser en m'opposant, m'inscrire contre le féminin qui me menace. Est-il possible de se vivre dans une bipolarité, d'être une chose et son contraire, de circuler d'un pôle à l'autre, de vivre dans la tension des deux pôles, dans la richesse de l'ambivalence ?

Le seul péché, n'est-ce pas justement de s'identifier à un seul pôle au détriment de l'autre, de se limiter à un seul type de réalité ? Dans la morale, la pensée dualiste prend bien soin de nous faire distinguer entre le bien et le mal, de nous culpabiliser sur le mal et de nous valoriser sur le bien. Nous aurons tendance à endosser facilement les vêtements du bien et à refuser les vêtements du mal. Ce que je suis sera le bien, le mal je le réserverai pour l'autre. Je lui taillerai éventuellement un costume sur mesure pour endosser tout ce que je ne suis pas prêt à accepter pour mon propre compte. Autrement dit, si je me retrouve dans la situation de quelqu'un qui ne reconnaît chez lui ni la gourmandise, ni l'envie, ni la malhonnêteté, etc., je vais trouver quelqu'un d'autre en face de moi qui va assumer tout cela. Nous avons vu que le compagnon est le support idéal de ces projections-déjections. Je suis le bien, l'autre est le mal. Le masculin (ou le féminin) est le bien, le féminin (ou le masculin) est le mal. C'est ce qui s'est passé pendant quatre mille ans de patriarcat et de justification théologique des grandes religions monothéistes. L'extraordinaire simplicité du processus ne permet pas pour autant la lucidité. Les hommes et les femmes se sont enfermés dans ces croyances dualistes qui répondaient à un réflexe premier de peur et de survie, d'affirmation et de conquête.

Pouvons-nous passer au-delà du bien et du mal selon la formule nietzchéenne, au-delà de cette opposition ? Qu'y a-t-il de nouveau à inventer ?

Ce qui fait mourir l'amour, ce qui rend l'intimité insupportable pour certains, c'est cette pression moralisante qui s'exerce de l'un sur l'autre, ce contrôle et cette aliénation de conscience. Pouvons-nous imaginer une autre manière de vivre en couple qui ne comporte pas d'ingérence sur l'autre ? Respecter l'autre véritablement comme une personne à la fois même et différente sur laquelle je n'ai pas fondamentalement de droits. Que devient l'engagement du couple dans cette perspective ?

Peut-on être à la fois solidaire et solitaire, amant et ami, fiancé et marié, allié et libre, dépendant et indépendant ? Nous sommes apparemment là dans des exigences contradictoires mais notre pari d'humanité semble bien être d'entrer dans la réconciliation des contraires, dans le dépassement des oppositions, dans l'instauration de la paix au sein de l'acceptation de la tension.

Dans quelle mesure le fait pour chacun d'entrer dans l'acceptation de la tension ambivalente entre deux pôles, sans s'identifier à aucun, correspond-il à la fin de l'intolérance et du conflit ? Apposer deux choses, comme dit Jacques Salomé, les mettre l'une à côté de l'autre au lieu de les opposer.

C'est d'une véritable révolution de l'esprit qu'il s'agit, d'un revirement de la conscience, d'une sortie de l'emprise du péché et de la culpabilité.

Pourquoi les couples se séparent-ils de plus en plus et de plus en plus vite ? **L'individualité devient une valeur à part entière.** Personne ne supporte plus de se voir raccourci et rétréci au nom de la famille et du mariage. L'aliénation d'une personne à une autre est devenue intolérable, irrespirable. « Tu me pompes l'air. » Cette expression familière montre bien le besoin d'espace dans toute association. L'air du temps véhicule cette exigence et la popularise, alors qu'elle était d'abord réservée aux artistes : **Aller jusqu'au bout de soi-même quel qu'en soit le prix.** Cette exigence est d'ordre spirituel, même si elle n'est pas comprise comme telle. En effet il s'agit plus ou moins souterrainement de ne pas abandonner en route le désir sexuel et de ne pas se couper de la possibilité de rencontrer l'exaltation et peut-être l'élévation de l'amour. Car le sexe est la porte de l'amour, l'amour est la porte de la réalisation intérieure.

Sexe, amour, lumière. Même ceux qui n'ont jamais réfléchi à cette flèche de développement la poursuivent opiniâtrement, mettant en scène rencontres, fusions, séparations.

Est-il possible de s'engager dans un couple et de ne pas perdre le feu du désir ? Certains avancent la date de quatre ans comme fatidique à l'attraction sensuelle des corps, d'autres donnent sept ans ; quoi qu'il en soit, la mort du désir sanctionnerait toute relation engagée dans le temps et l'espace d'une cohabitation. N'y a-t-il pas des couples qui peuvent témoigner du contraire ? Et dans ce cas, quelle est leur recette ? Le jardin du couple demande-t-il à être fertilisé pour produire des fleurs en toute saison ?

Saint-Exupéry a déjà donné un élément de réponse resté célèbre : non pas se regarder l'un l'autre, mais regarder ensemble dans la même direction. L'accomplissement d'une œuvre en commun donne un sens à ce « nous » du couple. On peut concevoir que les forces engagées dans une réalisation extérieure ne seront pas retournées à l'intérieur dans un sens de destruction. Mais pour œuvrer au niveau de ce « nous » il faut avoir un bon terrain d'entente préalable. D'autre part, une œuvre accomplie en commun ne garantit pas le désir vivant. La coopération amicale et l'ambition de la réussite peuvent investir la libido du couple et le laisser exsangue dans ses relations.

La vraie question reste celle-là : le désir s'accommode-t-il de la durée, de la répétition ? La réponse passe par une autre question. De quel désir s'agit-il ? Ne faut-il pas distinguer entre un désir de peau, un désir de cœur, un désir de partage, un désir de communion, le désir d'être désiré, désirant et le désir de désirer ? Avez-vous besoin d'être allumé ou êtes-vous le créateur de votre désir ?

Qu'y a-t-il derrière cet appel parfois aveugle du désir ? Quellc révélation propose le désir ? Chaque être ne cherche-t-il pas à rejoindre une partie plus obscure, plus absolue ou plus vivante de soi, une partie non encore atteinte, non réalisée et parfois reniée ? Chaque être n'est-il pas engagé dans cette recherche inconsciente de son noyau le plus tendre et le plus immortel, de son essence ?

L'autre est le prétexte, le catalyseur de cette rencontre parfois foudroyante de soi à soi.

L'autre ne sait pas souvent ce qu'il éveille, ce qu'il

permet de résonance, de rêve, tout cet espace de foi qui fait rayonner la vie en son centre. « Je suis amoureux », je suis soulevé du grand désir de toi qui est aussi le grand désir de moi. Pour quelques instants de réconciliation intérieure et de présence totale, à l'instant je suis prêt à beaucoup de choses. Ainsi le désir est-il dans son essence une surprenante illusion et une totale réalité.

Dans ce rêve éveillé il est possible de s'abandonner tout entier. Il est possible aussi de garder un œil lucide sur l'illusion et de laisser l'autre œil vivre son rêve. Là encore, un pôle et son contraire s'offrent à la conscience. Quand on s'abandonne passivement à la manipulation du désir, le réveil peut être dur. C'est en ce sens que la sagesse populaire dit que l'amour est aveugle. Souvent il s'agit plus de désir que d'amour, désir de quelque chose de soi qui se « contacte » à travers l'autre. Plus cet autre me demeure inatteignable, mystérieux, insaisissable, plus mon désir reste levé, tendu, vivant. Mais si cet autre me devient décodable, prévisible, transparent, aliéné, et prisonnier, mon désir s'effrite.

J'ai besoin que l'autre reste un vivant mystère pour continuer de trouver en lui le miroir de ma propre quête d'âme et je fais tout pour qu'il s'aliène, pour qu'il me promette de s'aliéner, pour qu'il me rassure dans mon besoin de sécurité affective. Tel est le paradoxe du couple.

Dans la construction délibérée d'un foyer, d'une famille, d'un projet, une marge de liberté et d'incertitude a besoin de se maintenir. De la même manière, l'amour a besoin de confiance et d'incertitude, d'un terreau sûr où fleurir et des risques d'une exploration. Une tension entre les deux pôles permet d'atteindre un état qui participe des deux et qui est entièrement nouveau. **Ainsi l'androgyne n'est ni du masculin ni du féminin, mais un troisième sexe sur le plan psychique.**

L'androgyne est-il une création de notre imaginaire commun, une trace d'un très lointain passé ou une réalisation-avenir, à venir ? L'androgyne est par excellence l'être de la réconciliation, la perfection d'un monde perdu, d'un monde d'avant la coupure. Nous sommes précisément incarnés dans un monde de coupure avec deux sexes séparés. Nos furtives étreintes ne sauraient remédier véritablement à cette incomplétude fondamentale. C'est le point de vue de Platon, c'est aussi celui des religions révélées qui vont même jusqu'à exacerber la coupure, à marquer le sexe au fer rouge du mal définitif.

Le sexe-coupure ne saurait participer à la quête religieuse qui est fondamentalement de relier l'être, de l'unifier. Paradoxe. Comment unifier en laissant de côté une partie de l'humain et non des moindres ? La coupure ne s'en agrandit-elle pas davantage ? C'est bien d'ailleurs le sens de l'héritage du judéo-christianisme, du dualisme entre le bien et le mal. La coupure ontologique est devenue une faille profonde. Tout se passe comme si de siècle en siècle nous n'avions cessé de prendre toujours de plus en plus au sérieux — au tragique — le réflexe de peur de la différence. L'autre est vraiment devenu l'AUTRE. D'un côté les hommes, de l'autre les femmes. Tous les hommes sont comme ci... toutes les femmes sont comme ça... Ces généralisations sous-tendent notre compréhension des relations humaines. Les femmes ne comprendront jamais rien aux hommes et vice versa. Dans cette renonciation-provocation la coupure s'affirme avec ostentation. Le fossé n'est pas la guerre si chacun reste chez soi. Mais personne ne peut rester chez soi puisque tout le sel de la vie tient dans cette exploration de ce qu'on ignore. Dans quel état d'esprit les deux protagonistes vont-ils s'engager sur le terrain de l'autre ? Esprit de conquête dévastatrice, esprit d'exploitation, de colonisation, de coopération, de contemplation. Il y a bien des manières de prendre les risques de la quête.

Nous cherchons à reconstituer notre androgynat psychique, à récupérer cette part d'humanité que nous n'incarnons pas dans notre corps, à devenir des êtres à la fois masculins et féminins.

La prise de conscience du sens de ce destin humain a commencé de s'introduire dans la conscience collective, notamment depuis que Jung a créé les concepts d'*anima* et d'*animus* que nous pourrions traduire par **femme intérieure** et **homme intérieur.** L'homme cherche à entrer en contact avec sa femme intérieure à travers une femme extérieure ou plusieurs. La femme cherche à entrer en contact avec son homme intérieur à travers un homme extérieur ou plusieurs. En ce sens nous serions bien exactement symétriques dans nos besoins.

Assumer ces **noces intérieures,** ce mariage du

masculin et du féminin à l'intérieur de moi, c'est me donner des outils sans précédent dans la rencontre. Imaginons que de plus en plus d'hommes et de femmes aient conscience de cette quête fondamentale sur le plan personnel quand ils sentent monter en eux l'attrait du désir et le sentiment amoureux. Imaginons que nous soyons éduqués à ramener dans la lumière de la conscience réfléchie nos sentiments et nos émotions, à nous sentir responsables. Nous ne « tomberions » plus amoureux, nous ne serions plus jamais séduits, au sens d'un rapt, d'un piège extérieur, nous écouterions ces appels parfois mystérieux de parties plus profondes de nous-mêmes. Nous aurions du respect pour l'insondable du désir, de l'écoute et du respect pour nous-mêmes, de l'écoute et du respect pour l'autre.

Dans la mesure où nous sommes censés abriter une sorte d'ennemi intérieur, dans la mesure où nous nous méfions d'une partie de nous-mêmes qui serait mauvaise, destructrice ou diabolique, nous ne pouvons pas nous faire confiance, nous ne pouvons pas faire confiance à l'autre. Dualité toujours, dualité à dépasser, car elle est un héritage du passé, un garde-fou social, une entreprise gigantesque d'asservissement de la conscience libre individuelle au profit de la cohésion sociale et de quelques esprits maîtres et dominateurs.

Il est possible d'expérimenter une autre logique intérieure qui tienne compte de la coexistence de deux pôles à l'intérieur de soi, le masculin et le féminin, le bien et le mal avec la naissance-prescience d'un troisième terme sur lequel nous savons bien peu de chose.

La sagesse et le bonheur sont du côté du paradoxe. La réconciliation des hommes et des femmes passe par le fait d'assumer ce paradoxe. Sortir de l'identification à un seul pôle, sortir de l'identification à un seul sexe. Bien sûr j'ai besoin d'approfondir mon incarnation, d'explorer ce sexe vivant qui reste mon centre. Si je suis une femme, mon sexe est une chaude présence qui me ramène à l'intérieur, un feu qui s'érige en lumière. Si je suis un homme, mon sexe me propulse à l'extérieur dans l'exploration et la conquête. **Mais moi, femme, je suis aussi phallique, moi, homme, je suis aussi vaginal.**

Donner et recevoir, aimer et être aimé. L'homme est un amoureux aimé, la femme une amoureuse aimée, leurs chants se conjuguent. Le Cantique des cantiques nous disait déjà que **l'amour est une incantation, non pas une communication mais un espoir de communion.**

SIXIÈME STADE

Le couple d'androgynes

« Oui », solitaires et solidaires.

« L'essentiel de la vie d'un couple est dans l'alliance respectueuse et toujours réactualisée de deux libertés. [...] L'amour est-il un terreau, pour un mieux-être et un bien-être, un ferment à la joyeuseté, à l'amplification des possibles, au plaisir [...] mon amour et le tien peuvent-ils s'appuyer sur l'interdépendance, sur la confrontation et le partage créatif [...] dans une relation proche ? »

Jacques Salomé.

Autonomie et cocréation

Le sixième couple est composé de deux êtres qui ont conquis suffisamment d'autonomie pour pouvoir vivre à deux sans retomber dans les pièges des jeux de pouvoir et d'aliénation. Pour la première fois depuis le premier couple nous allons pouvoir reparler d'amour. Les cinq premières étapes de l'évolution du couple ont été franchies et le Grand Passage s'est opéré.

Un homme et une femme se regardent face à face avec de la joie, de la tendresse, de l'amitié, du rire, de la complicité, et un parfum mystérieux, volatil, qu'on appelle l'amour. Ils communiquent au niveau du sexe, du cœur et parfois de l'esprit. Ils ont conscience que cette réussite relationnelle est leur œuvre au moins à cinquante pour cent et ils laissent un certain pourcentage à la magie des circonstances qui les a réunis et maintenus ensemble.

Ces deux êtres se regardent dans les yeux et cet autre particulier représente aussi le Grand Autre, le visage d'une humanité irréductiblement différente et pourtant même. L'intensité de la fusion n'abolit pas la tension de la différence, le mystère de l'être dans l'appel de sa complétude reste présent dans ce couple et alimente une quête qui ne saurait cesser.

Ces deux êtres regardent aussi dans la même direction, ce qui signifie qu'ils partagent un idéal, une vision, une conception de l'existence et de son sens et chacun représente pour l'autre un peu de cet idéal. Ils n'ont pas nécessairement la même passion, la même activité mais ils s'intéressent à ce que fait l'autre, ils se soutiennent et s'enrichissent mutuellement de ce qu'ils sont, de ce qu'ils font. Ils se donnent du pouvoir l'un à l'autre sans craindre que ce pouvoir et cette indépendance les éloignent l'un de l'autre.

Ils vivent la cocréation, la coopération. Sur le plan biologique un couple est d'abord une cellule de procréation, mais c'est seulement dans la mesure où il passe à la cocréation qu'il pourra véritablement exister en tant que couple sur un plan psychique. La vie à dcux dans l'organisation matérielle comme dans l'éducation des enfants suppose, pour être réussie et harmonieuse, cette dimension de convergence qui fait appel autant à l'intuition qu'au raisonnement. Il y a de la souplesse télépathique et une anticipation constante dans la musique d'une journée réussie.

Le bonheur sur terre n'est pas une utopie, il est là

sans cesse à portée de main comme un fruit qui demande à être cueilli, comme un fruit que les humains ne s'autoriseraient pas à cueillir parce qu'il représente la liberté, l'autonomie, et que cette liberté fait peur. La pomme de l'arbre n'a jamais été cueillie, le paradis terrestre n'a jamais été quitté parce qu'il n'a jamais été goûté ailleurs que dans le ventre de la mère de manière diffuse. Le paradis terrestre se présente à nous comme une porte qui demande à être poussée, une porte intérieure, un parcours initiatique dont personne ne peut se dispenser. Comment franchir ma peur de ne pas survivre, ma peur que l'autre ne me tue d'une façon ou d'une autre, comment ne plus vivre la vie comme un combat, comment aimer ?

L'amour est la clef de la porte du bonheur et le couple peut être la chance de l'amour, la chance d'une révélation, d'un lâcher-prise dans la confiance.

Les errances et les difficultés du couple dans les cinq premières étapes pouvait nous faire croire que cette organisation sociale était périmée, que ce mode de vie était dépassé. La montée de l'individualisme et du narcissisme pouvait laisser augurer la progression du mode de vie célibataire. Cependant, le couple est moins dépassé qu'à réinventer avec une conscience nouvelle. Jusqu'à présent il a été bricolé, rafistolé, déguisé, caricaturé, détourné de son sens, capturé au profit de la procréation et de la stabilité familiale. Le couple était d'abord une unité sociale, très accessoirement au service de l'épanouissement individuel. Il y avait accouplement et association.

Il nous reste à découvrir comment le couple est une **cellule privilégiée d'évolution.** Il est l'occasion d'une évolution décisive parce qu'il nous confronte aux aspects les plus vulnérables, les plus sensibles de nous-mêmes.

Un couple heureux est composé de deux êtres qui se sont mutuellement donné l'occasion d'une expansion de la conscience et de la confiance. C'est une forme moderne de l'aventure spirituelle qui engage à la fois le corps et l'esprit. Notre époque a besoin de prendre conscience de la force de cette possibilité et de créer cette chance de passage. Jamais encore dans les civilisations qui ont été expérimentées sur la planète il n'y a eu autant de conditions réunies pour que le fruit du couple puisse être cueilli et permette le passage collectif à un autre niveau de conscience. Ni la civilisation des temps primitifs de la mère, ni le patriarcat — par les déséquilibres qu'ils introduisaient entre le masculin et le féminin — ne permettaient la création psychique d'un couple harmonieux.

Aujourd'hui l'homme et la femme se redéfinissent dans leurs identités respectives, recherchent une complétude féminin/masculin et permettent d'envisager le couple comme un **laboratoire d'évolution individuelle et collective.** Tant que la féminité a été dévalorisée, notamment dans le cadre des trois grandes religions monothéistes, le célibat et la vie monastique pouvaient apparaître comme les seules états conduisant à la complétude. D'une certaine manière, le prêtre et le moine, en se soustrayant aux obligations matérielles et guerrières des chefs de famille, favorisaient une féminisation de l'être. Aujourd'hui, au sein même d'une vie profane, la répartition des rôles entre l'homme et la femme permet à l'un et à l'autre d'incarner aussi bien du masculin que du féminin.

Deux androgynes

Le couple du sixième stade est composé de deux êtres ayant eux-mêmes des caractéristiques androgynes de manière inversée. On est quatre dans le couple androgyne, un homme extérieur accompagné de sa femme intérieure, et une femme extérieure accompagnée de son homme intérieur. Ce *deux* qui fait *quatre* constitue l'unité du couple en passant par le *trois* de l'enfant, de l'œuvre à deux, du « nous ». L'axiome alchimique affirme : « Un devient deux, deux devient trois et du trois sort l'un comme quatrième. »

L'androgynat est un très vieux rêve de l'humanité. Platon en parle explicitement dans *Le Banquet* comme d'un paradis perdu. Initialement l'être humain aurait été un être à deux têtes, quatre bras et quatre jambes qui roulait comme une boule. Mais sa puissance était si grande que les dieux s'en offensèrent et demandèrent à Zeus de le couper en deux, ce qui fut fait. Depuis, les deux sexes sont séparés et pleurent inlassablement leur unité perdue, la sexualité n'étant qu'une brève, trop brève et trop illusoire sensation de retour à cette unité. Ce mythe traduit bien un sentiment de nostalgie dont chacun peut entendre l'écho au fond de lui-même, mais cette nostalgie peut être aussi prescience d'une unité à venir, d'une quête. Pourquoi chercherions-nous si nous ne savions pas déjà ce que nous cherchons ?

L'androgynat est sans doute moins un paradis perdu qu'un paradis à conquérir, quelque chose qui est déjà là, derrière cette porte que nous ne savons pas toujours ouvrir. Toutes les traditions portent en germe cette connaissance. Dieu est androgyne. La réalisation d'un être, son éveil, son illumination se définissent sur le plan énergétique comme le mariage des énergies féminine et masculine. Sur le plan psychologique on retrouve la même affirmation : un être sera d'autant plus complet qu'il se donnera la possibilité d'incarner des comportements masculin et féminin, et qu'il adoptera aussi bien les valeurs féminines d'aide et d'interdépendance, de passivité, de contemplation que les valeurs masculines de pénétration dans la matière, d'action et de réalisation. Le « connais-toi toi-même » de Socrate ne saurait se passer de cette lucidité sur le masculin et le féminin de l'être.

Dans le patrimoine ancestral commun à toute l'humanité on trouve une fable érotico-sacrée sur les origines, construite sur le motif de l'androgyne et se référant à un temps non historique. Il s'agit toujours du moment où l'unité incarnée par l'androgyne fait place à la dualité par l'apparition de la sexualité. Cependant dans le mythe iranien représentant le combat de la lumière et de l'ombre, l'androgynat apparaît comme facteur de réconciliation et l'humanité est appelée à reconstituer l'androgyne en s'unissant à son double céleste, son ange, son guide, à savoir pour l'homme son essence féminine qu'il retrouve dans la beauté des femmes réelles. Le soufisme est ainsi une religion d'amour qui implique une transparence du divin dans l'humain, une mystique amoureuse qui apparaît aussi chez les mystiques chrétiens.

Les troubadours des XIe-XIIIe siècles transposaient dans l'amour courtois cette attitude face à la division des sexes. Ils éveillaient le double féminin qui sommeillait en eux et projetaient consciemment cette image de l'âme sur une femme réelle qu'ils choisissaient d'honorer et d'idéaliser. « Le couple était ainsi constitué : il ne formait qu'un être unique. Tout ce qu'éprouvait l'un était aussitôt éprouvé par l'autre. L'influence magique féminine était installée au cœur de l'homme et inversement » (R. Nelli).

Ce n'est qu'au XIXe siècle que naît l'idée que la vraie fonction de la sexualité est d'aider l'homme et la femme à intégrer intérieurement une image humaine complète, androgyne, et que le couple a une valeur mystique. Le *Séraphîta* de Balzac est écrit en ce sens. A partir des idées du Berlinois Fliess qui pensait avoir découvert que toute cellule vivante était bisexuelle, Freud intègre l'idée de l'androgyne et il lui écrit : « Je m'habitue à considérer tout acte sexuel comme un événement impliquant quatre personnes. » Jung va continuer dans la même direction et faire une grande étude du mythe de l'androgyne qu'il va définir comme étant un archétype fondamental de la psyché. Jung exhume l'androgyne des grandes cosmogonies, de la Genèse, des religions, et il l'identifie dans le psychisme humain. Il constate que l'homme transporte une figure féminine, son *anima,* et la femme une figure masculine, son *animus*. Chaque être est ainsi amené à assumer la totalité de son psychisme, sa **bisexualité intérieure.**

Dans ce bref survol historique nous pouvons voir que nous sommes passés d'une explication des origines à une nostalgie de la psyché puis à une description d'une réalité psychique.

L'androgyne se rapproche de plus en plus de l'humain jusqu'à devenir sa composante intérieure fondamentale et même son projet de réalisation. D'une certaine manière on pourrait dire que **le temps de l'androgynat est venu.** Plus la conscience collective s'emparera de cette idée, plus elle la fera vivre, plus elle tendra vers l'équilibre d'une chose et son contraire, plus elle sera à même de permettre le dépassement de la guerre des sexes et de la guerre tout court.

Dans la mesure où l'individu est conscient de cet androgynat latent en lui, il peut aider à sa réalisation au lieu de le combattre inconsciemment. Quand on sait que plus on avance en âge plus on est sollicité par son inconscient, quand on sait aussi que l'**inconscient a la teinte de l'autre sexe,** on comprend que cette tendance naturelle à la complétude, à la sagesse, peut être un projet conscient. C'est René Nelli qui écrivait : « Tous les messages divins qui ont appelé l'humanité au vrai progrès moral ont été l'émanation de sages et de saints en qui les hommes ont cru voir des dieux mais en qui nous voyons surtout des êtres à la fois suprêmement hommes et suprêmement femmes. »

Pour Valery Larbaud : « Une noble virilité chez la

femme et une féminité élevée chez l'homme sont le contrepoids des défauts inhérents à chaque sexe. Elles marquent la victoire sur la bête humaine et se rejoignent dans la sainteté. »

Pour Teilhard de Chardin : « Nous commençons seulement à sentir l'importance de l'amour, la synthèse nécessaire des deux principes masculin et féminin dans la personnalité humaine. »

Pour Jacobi : « Dans la première partie de la vie l'amour a souvent pour objet physique l'union physique et la procréation alors que dans la seconde il s'agit surtout d'une conjonction psychique avec le partenaire de l'autre sexe, afin que naisse le fruit, l'**enfant spirituel**, conférant la durée à l'être spirituel des conjoints. »

Citons encore : « Le règne de la mort durera jusqu'à ce que le masculin et le féminin ne fassent plus qu'un » (Évangile des Égyptiens, texte gnostique du IIe siècle).

Tous ces auteurs nous confirment dans cette intuition fondamentale qui définit la sainteté (au sens de « réalisation spirituelle ») comme un androgynat à la fois énergétique et psychologique. Cet enfant spirituel du couple est à rapprocher de l'**enfant-soleil** qui désigne aussi la glande pinéale, la glande de l'illumination, le lieu du mariage des deux énergies mâle et femelle remontant le long de la colonne vertébrale.

Nous naissons dans un corps sexué mais nous avons à découvrir que notre psychisme est bisexué, et plus nous acceptons cette bisexualité, plus nous évoluons. Là où les choses se compliquent, c'est que l'éducation, la pression de la conscience collective tendent au contraire à nous enfermer dans des comportements stéréotypés appartenant à notre sexe biologique. « Comme un garçon », « comme une fille ». Jusqu'où ces conditionnements vont-ils nous poursuivre ?

C'est l'androgynat qui inspire ce sentiment de déjà-vu si cher aux poètes : « Avant de te connaître, allons donc, ces mots n'ont pas de sens. Tu sais bien qu'en te voyant pour la première fois, c'est sans la moindre hésitation que je t'ai reconnue », dit Breton alors que Nerval interroge : « Dans quel monde nous étions-nous rencontrés ? Par instants je crois ressaisir, à travers les âges et les ténèbres, des apparences de notre filiation secrète. » Y a-t-il ainsi un amour « de toute éternité », entre les êtres, ou un être qui pour chacun de nous répond plus particulièrement à une image intérieure ?

« Je crois, ma petite fille, lorsqu'on s'aime comme je t'aime, que l'on s'est toujours aimés. Comment se rcconnaîtrait-on, si l'âme depuis toujours n'en contenait une image encore que voilée ? Nous sommes partagés en deux moitiés : l'une exposée au jour et l'autre plongée dans la nuit, inconsciente. Elles vivent et vont ensemble et communiquent : on l'éprouve quelquefois sans se rendre vraiment compte de cet échange. Où va ce qui jaillit, d'où vient la vague qui nous submerge, notre regard débile ne le voit pas. Jusqu'à ce que l'autre moitié aussi peu à peu s'éclaire et se révèle. Alors non seulement devant nous se découvre la plénitude de toute une vie, mais derrière nous trouvons levée la sombre barrière qui nous cachait la moitié de notre être. Et nous voyons comment ce qui semblait distinct et pourvu de voies séparées était déjà en communication avec le reste. » Cette merveilleuse lettre est celle d'un homme d'État, l'auteur de la constitution hollandaise, Thorbecke (lettres à sa fiancée et à sa femme, 1936). La rencontre de l'amour a fait de lui un poète, l'a relié à une partie plus vaste, plus mythique de lui-même. La barrière qui s'est levée est celle de l'inconscient qui le met en contact avec la partie féminine de lui-même, son anima, et lui donne un sentiment de complétude jamais connu.

Ainsi la rencontre amoureuse peut déclencher une véritable évolution dans l'être, un éveil décisif, une intégration de soi à soi.

La biologie nous donne aussi des indications précieuses sur l'androgynat. Dans le règne animal il y a de nombreux hermaphrodites qui ont une double sexualité, des infusoires aux gastéropodes. Au niveau fœtal, l'humain est d'abord indifférencié sexuellement, tous les embryons sont XX, ce n'est que secondairement qu'ils se développent en XY pour les mâles et XX pour les femelles, ce qui amène certains auteurs à conclure que le premier sexe est féminin, que **la féminité est première dans la nature humaine,** que l'existence du mâle est un luxe et que la nature qui connaît bien la reproduction par parthénogenèse aurait pu se contenter d'une femelle. Aristote disait que la femme est un mâle ébauché et mutilé, aujourd'hui la biologie conduit plutôt à dire que le mâle est une femelle modifiée, mais tous ces arguments ne cessent d'alimenter une sorte de guerre des sexes sous-jacente. Il est plus intéressant de constater que les appareils génitaux de l'homme et de la femme comportent autant d'analogies que de différences. Chacun des deux sexes semble avoir conservé comme une ébauche de l'autre.

Sous le contrôle des hormones produites par les gonades, le même organe va se métamorphoser, développant certains conduits génitaux puis certains organes tout en laissant des traces du sexe qui n'est pas adopté. Ce qui conduit à comprendre que tout être humain porte biologiquement en lui les traces d'une autre possibilité sexuelle.

Mais c'est au niveau hormonal que les choses sont le plus spectaculaires. Il suffit en effet d'une injection d'hormones pour développer les glandes mammaires et pour induire certains comportements plus féminins ou plus maternels. Chaque être humain est sous l'influence d'un certain équilibre naturel entre hormones mâles et femelles, androgènes et œstrogènes. On pourrait dire que ces hormones maintiennent une imprégnation bisexuelle constante, une sorte de flottement entre les deux sexes. L'équilibre hormonal suppose un jeu hormonal bisexué.

Ainsi, par ce jeu hormonal, l'androgynat est en nous biologique. Telle est bien la contradiction que la nature humaine est amenée à surmonter, être à la fois androgyne d'une part, complet, et d'autre part sexué, incomplet. Qu'est-ce que l'amour et quel est son rôle dans ce parcours complexe qui nous amène à lire le sens d'une vie humaine comme la réalisation psychique d'un androgynat déjà suggéré biologiquement ?

La conjonction sexuelle, la force qui attire deux

sexes l'un vers l'autre, permet la reproduction mais elle est aussi une réponse à la séparation des sexes, une forme de compensation à la dualité. Nous sommes là dans un mouvement universel vers la fusion qui semble animer tous les êtres vivants et déborder de toutes parts le seul projet de reproduction. **Le désir de l'accouplement correspond à cet élan vers la fusion, l'unité,** le désir ne se soucie pas du résultat éventuel qu'est la reproduction, le désir obéit à son propre mouvement qu'on pourrait qualifier de métaphysique. L'amour prend naissance dans cet élan unitaire et en ce sens on peut trouver de l'amour dans tout ce qui vit, des infusoires à la bactérie, à la molécule. Toutes les particules sont bien reliées entre elles par ce désir d'union. Il est important pour nous de ressentir cette continuité pour pénétrer plus avant l'essence de la rencontre amoureuse.

Il y a une concordance entre l'attrait cellulaire et ce qui se passe pour l'humain au niveau psychique. D'une part la vie tend à l'expansion, à la multiplication, d'autre part elle tend à fusionner, à se regrouper, à rétrograder, à réintégrer un état originel, à faire retour à l'unité primordiale et notamment à cet équilibre fondamental de l'inanimé, de la mort. On ne peut que penser aux fréquents parallèles qui sont établis entre l'amour et la mort, deux manières complémentaires et convergentes de faire retour à l'unité. Pour Shiva et Shakti qui représentent en Inde l'union du principe mâle et du principe femelle, l'existence séparée n'est que fiction. « C'est l'union des sexes qui est la seule réalité. » Le couple éternel est symbolisé par l'union du *linga* et du *yoni*, représentation parfaite du divin, victoire sur l'antagonisme des sexes, expression de la non-dualité. L'acte d'amour réalise l'androgynat, et cette matérialisation éphémère sert de guide à une réalisation unitaire plus intérieure.

Les comportements de l'ovule et du spermatozoïde montrent une continuité entre le cellulaire et le psychique pour caractériser le masculin et le féminin. C'est le spermatozoïde qui se déplace, qui vient rencontrer l'ovule, qui pénètre par effraction dans l'ovule, qui lui transfère son matériel génétique et qui le féconde. L'ovule commence alors un long travail de nidification, de transformation, de multiplication. Ainsi le masculin se caractérise par la conquête, l'agression, la pénétration là où le féminin se définit par la passivité, la soumission, la construction dans le fixe. C'est en s'appuyant sur ce schéma biologique qu'on peut définir l'homme comme dominant, polygame, nomade, là où la femme serait monogame, fidèle, soumise et sédentaire. Mais cette traduction qui répond au modèle d'organisation patriarcal ne tient précisément pas compte de l'androgynat de l'être, ni même de son imprégnation hormonale bisexuée. Une chose et son contraire cohabitent en chaque être.

Il est remarquable qu'on puisse faire de l'humain des lectures très différentes selon que l'on se place à un niveau animal ou à un niveau culturel ou encore à un niveau spirituel. Ainsi, pour certains, la guerre des sexes est irréductible, le désir se nourrit d'agressivité, la rencontre sexuelle est un combat. On peut voir que chez les animaux les rites de la sexualité tiennent à la fois de la fascination et de la terreur. Il y a des rites de séduction, des parades, des jeux, des émissions d'odeurs, des chants, des colorations mais aussi des morsures, des blessures, des éventrations, des mutilations et des dévorations. Ces violences auraient pour but d'augmenter la frénésie de l'acte sexuel, autrement dit l'amour animal se vivrait dans la combativité la plus ardente. Souvent c'est le mâle qui tendrait à soumettre, immobiliser, et pénétrer plus profondément la femelle — baiser meurtrier des lamproies ou coup de stylet de certains mollusques. Chez la femelle l'exacerbation du côté récepteur se manifesterait par la dévoration ou l'absorption buccale de semence comme chez les locustes. Avec bien des variantes ces comportements se retrouvent chez les humains dans des attitudes érotiques qualifiées parfois d'aberrantes ou d'anormales, ou de perversions. Nous ne nous soucions pas ici de jugements moraux mais nous voudrions souligner que tout ce qui relève du combat nous livre au jeu de notre instinct de survie et à notre peur de l'autre, même si elle est enrichie culturellement par les trouvailles de la fabulation, de l'imagination comme dans les jeux sadomasochistes.

Sur le plan philosophique, si l'on s'en tient à la séparation des sexes, on ne voit pas comment sortir d'un rapport dominant/dominé, d'une lutte entre deux libertés qui ont tendance à s'aliéner mutuellement. J'ai un désir de moi pour moi à travers l'autre. Ce besoin de l'autre limite immédiatement ma liberté, menace mon indépendance. Dès que je suis désir, je suis en déséquilibre, ce déséquilibre ne peut disparaître que par l'absorption de l'autre, la mort de l'autre. C'est l'aspect tragique et mortel du désir dans son essence. C'est la transposition de la fameuse analyse hégélienne du maître et de l'esclave. Vus sous cet angle, les sexes s'affrontent de manière chronique et plus quelqu'un est désiré, plus il est redouté. La sexualité fait de l'humain un guerrier sans guerre apparente et toutes les relations amoureuses sont menacées par ce soubassement. Freud aussi a souligné l'ambivalence du sentiment amoureux, la haine et l'agressivité qui jouent en contrepoint. Cette angoisse constitutive se déplace facilement en accusation de l'autre, cet autre qui est désigné comme agent perturbateur et qui n'est bien sûr que bouc émissaire. Cette **angoisse d'aimer** se doublerait pour chacun des deux sexes d'une jalousie d'un sexe à l'autre : la femme envierait l'homme et l'homme envierait la femme. Les processus de destruction vis-à-vis de l'autre et parfois de soi-même se mettent alors en place. Toute la défiance à l'égard de la sexualité pourrait bien s'être édifiée sur ce risque incontournable.

« L'amour, son moyen c'est la guerre et il cache au fond la haine mortelle des sexes » (Nietzsche, *Ecce Homo*). Cette constatation est reprise par Denis de Rougemont : « Notre notion de l'amour, enveloppant celle que nous avons de la femme, se trouve donc liée à une notion de souffrance féconde qui flatte ou légitime obscurément, au plus secret de la conscience occidentale, le goût de la guerre. » La différence des sexes se vit-elle de manière irréductible sur fond de violence ? La réponse est oui tant que l'être s'identifie à son sexe biologique renforcé de carapaces sociales.

En tant que masculin ou féminin exclusif, je suis menacé par l'autre.

Dans la mesure où ma prise de conscience me permet d'enrichir ma rencontre extérieure d'une rencontre intérieure avec mon *anima* ou mon *animus*, je me trouve dans une situation radicalement différente. Je suis déjà ce que je désire tout en ne l'étant pas. Je suis engagé dans un processus d'évolution et de métamorphose. Je suis moi, de plus en plus moi par la médiation de toi. Je ne penche pas vers toi pour devenir toi, je ne suis pas fasciné par toi, je ne suis pas dévoré par toi, je ne te dévore pas, je deviens un peu plus *deux* chaque jour et mon *deux* s'enrichit de ton *deux*. **La seule manière de pouvoir rester centré dans l'amour, c'est d'avoir un contact intérieur avec son principe complémentaire.** Peut-être même faudrait-il, dans un premier temps au moins, lui donner une figure extérieure, une représentation, un dessin, une statue par laquelle la sensation du double se ferait de plus en plus présente. Les deux sexes se sont vécus comme ennemis au cours des siècles parce que l'aspect biologique a été pris au sérieux. Les sociétés se sont ritualisées en mettant un soin infini à séparer les deux sexes, à codifier les passages flous de l'adolescence. La réaction de survie à la différence est toujours la peur. Depuis des millénaires nous vivons en situation archaïque de peur vis-à-vis du sexe que nous n'incarnons pas. Chacun d'entre nous se trouve amené à refaire ce passage et tant que l'éducation ne proposera pas aux enfants un langage clair pour comprendre et accepter sa double nature de force pénétrante et de douceur réceptive, nous serons plongés dans les réactions antagonistes et les échecs de couple se multiplieront.

Pourtant le couple, on le comprend aisément, est la voie royale de l'androgynat intérieur, mais il y a une certaine frontière qui a besoin d'être atteinte, conquise par chacun des partenaires pour que le couple fonctionne au-delà du rapport de force. Autrement dit, l'éducation devrait permettre à chacun d'entre nous de s'équilibrer sur son masculin et son féminin de telle manière qu'une certaine stabilité, une certaine harmonie rendent possible un mariage intérieur de ces deux énergies. A partir de là, l'adolescent arriverait dans la rencontre amoureuse avec des possibilités très différentes. Les cinq premières étapes seraient franchies relativement aisément et le couple se stabiliserait dans l'exploration du sixième couple, avec des incursions dans ce que nous appellerons le septième couple, le couple éveillé. Ce sixième couple, composé de deux êtres équilibrés dans leurs composantes féminine et masculine, va permettre à chacun des deux partenaires de s'enrichir et de progresser individuellement sur la voie de l'androgynat. C'est là que les yeux peuvent commencer à s'ouvrir sur le Grand Jour de l'amour.

Un couple d'androgynes se manifeste-t-il comme tel à l'extérieur ? Oui et non. L'essentiel ne se démontre pas, il est installé au cœur des choses. La liberté n'est pas circonscrite dans la multitude des rôles. Deux créateurs qui acceptent leur solitude acceptent aussi de s'accompagner sur le chemin de la vie. Nous sommes là dans la compréhension ou dans l'approche de cette pensée paradoxale qui nous fait tant défaut. Peut-être est-il plus facile de dire ce que le couple paradoxal n'est pas que de dire ce qu'il est.

Quelle chance de rencontre approfondie dans le ventre rond du bonheur peut-il y avoir entre un homme et une femme qui incarnent l'un le jour l'autre la nuit, l'un la parole l'autre le silence, l'un le blanc l'autre le noir, l'un la lumière l'autre les ténèbres ?...

C'est pourtant là le cœur de cet amour proposé aujourd'hui dans la conscience collective et dont la femme souvent se sent le dépositaire. Pour être la femme, pour être ta femme, je m'aliène à toi et je sers l'amour. Le créateur et sa muse, le patriarche et sa femme à la maison, tous ces couples sont condamnés d'avance à la destruction, par l'antagonisme des pôles adoptés. Aucun être ne peut se contenter de n'être que... La liberté ouvre sur toutes les identités.

Le couple d'androgynes est bien loin du couple androgyne qui serait constitué de deux êtres installés dans la limitation de rôles complémentaires. Le couple androgyne se condamne à l'insatisfaction mutuelle et au conflit, ce que nous avons déjà vu dans la répartition des rôles du patriarcat. Le couple androgyne est l'illusion pernicieuse qu'ont longtemps véhiculée la littérature, la poésie : il existerait au monde une personne qui me serait particulièrement destinée, la solution de ma complétude se trouverait ainsi à l'extérieur de moi dans un objet-sujet de conquête que ma destinée m'amènerait ou non à rencontrer. Selon les croyances, on pourrait même ajouter que cette personne, je l'ai déjà rencontrée dans une autre incarnation, et je dois cette fois faire un pas de plus avec elle, etc.

Le couple androgyne se condamne à la fusion, sans toi je ne peux pas vivre, sans toi je ne suis pas complet, sans toi je fais des bêtises. Il y a là les bases d'un parcours d'aliénation, de dépendance au détriment de l'indépendance. Toute dépendance a son versant de perversion, et la relation dans laquelle se quitter c'est mourir un peu est comme une drogue pour l'être. Elle peut durer pendant des années mais un jour elle révélera ses failles et exigera soit une transformation, soit un éclatement. L'erreur est très profondément enracinée dans la conscience collective. Tous les couples sont tentés de se glisser comme dans un gant dans ce faux moule de l'harmonie sans même s'en rendre compte. Je me mutile au nom de l'amour pour être plus dépendant de toi et je m'aliène ainsi au plus secret de moi, au plus secret de toi ; quelque chose se pourrit de l'intérieur, la lumière s'éteint, je te mange et tu me manges. Je m'enferme dans une fausse sécurité en étant, en n'étant que la moitié de quelque chose, la moitié d'une unité fusionnelle à laquelle je m'accroche parce qu'elle me distrait de ma terrible et bien-aimée et exigeante solitude. J'ai besoin d'un véritable espace pour poursuivre ce dévoilement intérieur qui donne tout son suc à une vie et je suis terriblement complice pour ne pas me donner cet espace. **Le romantisme du couple fusionnel cache un désir d'unité mortel pour l'être. L'unité est à chercher à l'intérieur de chaque être.** Deux êtres qui ont préservé l'exigence de la quête peuvent alors se rencontrer pour allumer ensemble les zébrures incandescentes de leur ferveur intérieure. Le couple d'androgynes est un couple de la quête.

Le sens de la quête

Le couple de la quête est charnel jusque dans l'esprit, spirituel jusque dans la chair. Le couple a souvent été considéré du côté de sa sédentarité, de sa stabilité. Ils se marièrent et eurent beaucoup d'enfants. L'histoire s'arrête là généralement et on a l'impression que ce qui se passe après n'a rien de palpitant, que tout est déjà tracé, qu'il n'y a plus rien à découvrir, plus rien surtout à conquérir. La vie du couple n'intéresse personne, ou alors les gens heureux n'ont pas d'histoire et on ne peut être qu'heureux une fois réalisé l'appareillage de deux sexes. Ce couple-là est celui que la société immobilise, statufie au service de la famille et d'un ordre collectif.

La réalité individuelle des deux partenaires est tout autre. C'est tout un **parcours initiatique** qui commence et le couple n'a de chances de parvenir au sixième niveau que dans la mesure où le Grand Passage commence à s'effectuer pour chacun, dans la mesure où l'angoisse de l'amour et les projections culpabilisatrices sur l'autre commencent à laisser place à une confiance, à une acceptation inconditionnelle de l'autre.

A ce stade, l'aventure du couple devient consciemment une **quête spirituelle,** une avancée dans les territoires de l'amour. C'est en ce sens que Rainer

Maria Rilke écrivait : « Pour l'être humain, en aimer un autre est sans doute la plus difficile de toutes ses entreprises, le critère essentiel, l'ultime preuve, le travail pour lequel tout autre n'est que préparation. » Un autre et pas n'importe quel autre, celui qui vit avec soi dans la plus grande intimité. Souvent nous sommes tentés de porter l'amour sur un être lointain facilement sublimable. Les thérapeutes, les enseignants savent bien que leur amour est plus facilement inconditionnel avec les patients ou les enseignés qu'avec les proches. Combien d'êtres admirés dans leur fonction se révèlent décevants dans leur famille ?

Dans le couple, précisément, chacun est confronté à ses plus grandes zones de vulnérabilité. Il y a sans doute bien des manières de mener cette quête mais il me semble qu'en premier lieu l'acte d'amour change de plan.

Dans le mot « couple » il y a *copuler* et un couple qui ne copule plus est-il encore un couple ? Chacun est conscient du processus de réintégration androgynique qu'il poursuit et qui se poursuit en lui, chacun assume ce projet de complétude et chacun reconnaît en l'autre l'interlocuteur privilégié de ce processus de réalisation personnelle. L'élection de l'autre ne se fait pas ou plus sur le mode de l'attraction invincible mais sur une reconnaissance à la fois instinctive et volontaire. Chacun honorant son moi supérieur se trouve à même d'honorer le moi supérieur de l'autre et l'acte d'amour, pour relativement fugace qu'il soit, se fait sous des auspices d'éternité. C'est tout l'être dans sa subtilité qui s'échange avec une dimension d'illimité. La quête qui se mène dans le couple n'est rien de moins que la quête d'amour, même si elle semble rarement atteinte dans notre civilisation actuelle.

On se plaint que précisément le mariage et la vie en commun tuent l'amour et le désir, on avance des chiffres divers, trois ans, sept ans, comme fatidiques. Au niveau d'un attrait sensuel ce chiffre peut même se réduire à quelques heures ou à quelques mois, mais le propre de l'amour est justement d'enrichir le désir par la sublimation. Et la sublimation n'est pas le mensonge de l'idéal, il en est la révélation.

L'amour que nous portons à un être nous permet de le voir dans ce qu'il a d'unique et d'unifié, il nous permet d'accéder à la générosité du regard, mais aussi à la transparence qui laisse voir l'étincelle du divin dans l'être. Il y a ainsi des êtres qui nous rendent meilleurs parce qu'ils nous créditent de ce meilleur et qu'ils nous laissent l'espace pour l'incarner. D'une certaine façon tout être a besoin d'être regardé, aimé, vénéré dans ce qu'il a de divin. Le compagnon ou la compagne peuvent être ce médiateur, ce catalyseur.

Dans sa brièveté, dans sa violence parfois, le désir ne permet pas ce regard apaisé, purifié, profondément régénérateur pour l'être. Entre le désir et l'amour il s'établit une continuité mais aussi une mutation d'ordre spirituel. La beauté physique alimente la naissance du désir mais à elle seule elle ne suffit pas à garantir l'apparition du lien, la sensation vibratoire du cœur. Par contre il arrive qu'un être en pleine déchéance physique, un malade mortellement atteint noue une relation d'une incomparable beauté avec un accompagnant ou un soignant. Plus une âme se met à nu au cours de sa vie et plus elle est capable d'aimer.

Le paradoxe reste que nos sens cherchent des corps tout en n'aspirant ultimement qu'à des âmes.

Nous ne pouvons pas court-circuiter les corps et nous ne pouvons pas non plus nous limiter à eux. A un certain moment de notre évolution tout se passe comme si nous étions invités à exercer toujours plus consciemment nos capacités d'ouverture à l'autre, pour lui laisser toujours plus d'espace à la révélation de lui-même. Nous orientons notre regard vers ce que l'autre a de meilleur. Cette activité sublimante reste lucide sur les insuffisances éventuelles (toujours relatives) de l'autre, mais nous refusons de nous y arrêter ou de les renforcer par notre attitude accusatrice, méprisante ou provocante. Ainsi le couple de la quête pourrait avoir pour éthique d'exercer sa capacité de sublimation.

C'est déjà ce qui était pratiqué d'une certaine manière par l'amour courtois. La distance, le maniement de la distance, y était aussi codifiée. Souvent le couple souffre d'une trop grande proximité et le désir s'use. Pour rester des époux-amants, des époux ardents, les deux partenaires peuvent trouver d'instinct des zones d'isolement, de repli, des temps de chasteté, des comportements de retrait. L'intelligence peut aussi venir relayer l'instinct et proposer des règles dans une situation où la pratique sexuelle semble être consentie une fois pour toutes. La relation sexuelle a besoin de garder un sens sacré et elle ne s'accommode pas de la routine, de la répétition sans âme.

La chasteté conjugale peut être précieuse si elle est vécue comme une accumulation d'énergie et non pas comme une baisse de désir. La rétention pratiquée par l'homme change aussi considérablement la situation. De manière plus générale, c'est toute une **éthique sexuelle** que le couple de la quête se trouve invité à réinventer. On peut ressentir quel immense besoin de revalorisation du sexe, de sacralisation, se manifeste dans le monde contemporain.

L'amour humain, incarné dans le couple, est peut-être la seule valeur qui puisse proposer un sacré collectif en dehors de toute religion. La pacification qui passe par un nouveau rapport de l'homme et de la femme est une source de régénération. Mais comment préparer les plus jeunes, comment éduquer pour que cette évolution ne se fasse plus dans le tâtonnement, par essais et erreurs ?

C'est parce que nous avons des difficultés à faire la liaison des contraires, à relier la chair à l'esprit, que nous privons l'amour de sa plus haute signification.

La dégradation de l'amour et du couple est la rançon d'un engloutissement de la femme et de l'intuition, et d'une prééminence de l'homme et de la raison. Aujourd'hui les couples de la quête ne sont pas légion. Ils sont des pionniers qui redécouvrent progressivement une nouvelle érotique. Toute la honte attachée au sexe se trouve progressivement lavée, la notion de secret s'efface et celle de mystère apparaît.

Le sexe est relié au dévoilement de l'âme, le plaisir est relié à l'amour, la passion s'inscrit dans la durée. Le couple de la quête fait émerger une troisième voie entre le profane et le sacré, ce qu'avait déjà pressenti Teilhard de Chardin : **une troisième voie** « non moyenne mais supérieure », « entre un mariage toujours polarisé sexuellement sur la reproduction et une perfection religieuse toujours présentée théologiquement en termes de séparation ».

La femme solaire

La femme solaire est l'élément central du sixième couple. Qu'est-ce que la femme solaire ? J'ai écrit un livre entier pour montrer ce qu'elle n'est pas ou n'est plus et ce qu'elle tend à être. Je n'ai pas pour autant épuisé le sujet. D'une certaine manière j'ai l'impression d'avoir à peine esquissé ses contours. Dans les séminaires, je rencontre des femmes qui apportent des éléments à ce puzzle inachevé et je crois que nous sommes tous ensemble, hommes et femmes, en train de donner une naissance collective, une naissance d'archétype à ce nouveau visage de la femme.

Je n'ai sans doute pas totalement inventé ce terme de « femme solaire », je l'ai entendu dans la conscience collective mais je l'ai réinventé pour moi et je dois avouer que je ne le connaissais pas culturellement. J'ai été heureuse de le retrouver chez Jean Markale sous le terme de « femme-soleil » mais je n'en savais pas plus et tout le reste appartient à l'expérience et à l'intuition. J'ai été très frappée par la forme d'évidence que j'ai rencontrée : pour certaines personnes ce nom était comme des retrouvailles heureuses, une musique qu'elles adoptaient instantanément comme si elle était là depuis toujours dans l'inconscient.

Je crois qu'elle était aussi cachée dans les replis de mon être. Le premier livre que j'ai écrit et qui était un roman s'intitulait l'enfant-soleil. Ce nom était arrivé comme une musique, il me renvoyait à l'amour que j'ai pour ma fille, et au fait que mes livres qui sont comme des enfants pour moi lui volent un peu de cet amour. Plus tard j'ai compris aussi que l'enfant-soleil désignait la glande de l'illumination, la glande pinéale en Inde, et que tout ce premier livre était traversé de ce désir de lumière, malgré les confusions et les errances, et qu'il se terminait par un hommage à Kahil Gibran, l'auteur du Prophète, parce que la sagesse me lançait déjà ses appels. La femme solaire à n'en pas douter est un être de lumière, un être qui va vers la lumière. Le soleil est traditionnellement un attribut masculin et la lune un attribut féminin, bien que dans les temps préhistoriques la déesse-mère soit qualifiée de solaire. On en trouve encore la trace dans certaines langues, notamment le « Die Sonne » allemand.

La femme est biologiquement accordée à la lune, par ses cycles mensuels, comme elle aussi elle reçoit, elle est apparemment passive et reflétante. Mais psychiquement la femme est appelée à se compléter, à contacter intérieurement sa partie masculine, à manifester extérieurement ses possibilités de réalisation pénétrantes, phalliques, à s'appuyer sur sa force intérieure et extérieure.

La femme solaire est un être qui a conscience de sa nature psychique bisexuée, de sa force et de sa douceur. La femme solaire rencontre son *animus* pour la réalisation de son androgynat.

Tous les inconscients féminins ont la teinte de cet autre sexe, toutes les femmes sont appelées à découvrir plus ou moins cette partie masculine d'elle-même, au fur et à mesure qu'elles avancent en âge. Cette évolution lente et comme organique se fera plus ou moins facilement, avec plus ou moins de conflit selon les composantes de la personnalité, restera avortée ou trouvera les éléments de sa réalisation. Mais plus le processus deviendra conscient, mieux il sera vécu par les femmes, et plus il se manifestera comme une complétude heureuse, harmonieuse, entre les deux principes masculin et féminin.

Il faut bien comprendre que cet *animus* peut être un enfant ludique ou coléreux, ou capricieux, un adolescent révolté, ou idéaliste, ou rêveur, un homme mûr responsable, un tyran, un vieillard sage ou sénile, etc. Les aspects de maturité et de sagesse bienfaisante ne sont pas assurés d'entrée de jeu et une fois pour toutes. Le principe masculin peut aussi entrer en conflit avec le principe féminin à l'intérieur d'une femme et constituer un mariage houleux qui se reflétera dans le comportement de la personne et dans les rapports de couple extérieur. Il n'est pas rare de voir une femme de cinquante ans en plein conflit avec ce mari avec lequel elle a cohabité à peu près paisiblement pendant toutes les années consacrées aux enfants ; mais maintenant elle veut exister par elle-même, son principe masculin se manifeste et vient bousculer les habitudes prises par le féminin. Il y a une lutte intérieure et une lutte extérieure. Sur le plan de la connaissance de soi et de l'action thérapeutique, ce discernement à propos des deux principes en chaque être, de leur âge, de leur force d'affirmation, de leur rapport de force, de leur position dominant/dominé est très éclairant. Chaque femme a besoin de se poser cette question : quel visage a mon *animus ?* Tout est signifiant, notamment la présence ou l'absence d'un homme aux côtés d'une femme, le visage de cet homme, l'état de la relation.

Une femme qui est avec un homme beaucoup plus jeune qu'elle entretient souvent avec lui une position de déesse-mère vis-à-vis de son fils-amant. Son principe masculin est souvent jeune, actif, il entretient une relation de dépendance au principe féminin maternant, même s'il tend à émerger et à s'affirmer de temps à autre comme protecteur. Car la barrière n'est jamais étanche entre les rôles et les caractéristiques.

Lorsque les pôles vont et viennent, changent et évoluent, le mouvement de la vie est respecté et il n'y a pas de difficultés majeures. Mais souvent des barrières s'accumulent, des impuissances trépignent et font conflit. L'homme extérieur de cette femme cherche à passer du statut de fils au statut de père qui est pour lui un plus grand stade d'autonomie intérieure et extérieure, il a besoin de traverser la mère en cette femme. Celle-ci va peut-être résister et tenter des manœuvres diverses d'infantilisation qui la rendent elle aussi prisonnière de la mère toute-puissante et l'empêchent d'avancer vers son émergence masculine créatrice. Ce qu'elle redoute au fond d'elle-même, c'est peut-être moins de perdre la toute-puissance de la mère que la place d'amante, mais dans sa fragilité elle confond les deux places.

C'est ainsi qu'à vouloir traverser la mère toute-puissante qui le sclérose, un homme est amené à rejeter l'amante qu'il souhaiterait garder.

La femme va souffrir d'être rejetée comme amante alors que cet homme n'a voulu quitter en elle que la mère. La souffrance du malentendu sera très grande pour ces deux êtres avec les conséquences d'une blessure difficile à cicatriser : la peur d'aimer. La solution se trouve du côté de la conscience. Cet homme et cette femme ont partie liée pour ouvrir leurs comportements, ils ont besoin de prendre conscience de leur désir d'évolution réciproque. En dépit des apparences, cette femme a peur du masculin en elle et en dehors d'elle, et l'infantilisation maintenue de son partenaire répond à cette peur. C'est par un double mouvement intérieur et extérieur, en apprivoisant son masculin, en l'autorisant à se manifester, en relâchant son pouvoir féminin qu'elle incarnera un nouvel équilibre.

De son côté l'homme est à la fois fasciné et terrifié par le féminin et c'est en s'autorisant à prendre contact avec son *anima* qu'il se permettra une autonomie différente, et, paradoxalement, une masculinité plus affirmée, plus solaire. Traverser la mère ce n'est pas la quitter. Certains hommes quittent une femme puissante et nourrissent ensuite à son égard une grande hostilité parce qu'ils n'ont pas pu faire le parcours. Ils se croient piégés par elle, ils sont en fait piégés par eux-mêmes, ils ont confondu déplacement et traversée et cette femme jeune malléable qui est maintenant à leurs côtés leur permet de jouer un masculin dominant, mais sans que le problème de fond vis-à-vis du féminin soit résolu. Un tel homme s'achemine vers un durcissement masculin, parfois même une tyrannie qui tente de masquer une infantilisation fondamentale. On peut même dire que tout le patriarcat s'inscrit dans ce schéma, ce qui fait dire à beaucoup de femmes avec une légèreté indulgente, non dénuée de supériorité : « Les hommes sont de grands enfants. »

La femme solaire n'est pas la déesse-mère, mais pourtant sur la spirale de l'évolution ces deux archétypes se donnent la main. La boucle est bouclée. La femme solaire a la puissance de la déesse-mère mais non pas sa toute-puissance. Elle ne règne pas exclusivement, elle règne entre autres. Elle est en contact avec sa magie féminine, érotique, guérisseuse, mais elle en use dans la conscience et dans l'amour.

L'inconscience unitaire des origines a fait place aux douleurs de la dualité, de l'engloutissement, de la soumission, de la révolte et du resurgissement progressifs. Son visage est apparu à la surface des eaux et progressivement son corps se dégage. Ce corps est un corps de lumière, fécondé de conscience. Quelque chose de vaste et de profond s'est développé en elle, elle a traversé la tyrannie, la toute-puissance masculine, elle n'a plus peur du principe masculin, elle commence à pouvoir le rencontrer intérieurement et à son tour il va la féconder pour que naisse l'enfant-soleil.

La femme solaire donne naissance à l'enfant-soleil intérieur. La femme solaire est un être de rayonnement dans l'amour.

Tant d'hommes ont appelé de leurs vœux la nouvelle Ève. Ils l'ont rêvée, dessinée, décrite, imaginée, cherchée en chaque femme. Tant de femmes aussi se sont senties investies de ce projet de réalisation, ont tâtonné, essayé encore et encore, se sont heurtées aux limitations sociales et à leurs limitations internes. Comment être un être à part entière, et non pas une caricature de l'homme, une caricature de soi ? Le complexe d'infériorité nourri par les femmes et entretenu par les hommes a été terriblement mutilant. « Où sont les femmes ? dit la chanson. Où sont les femmes avec leurs gestes pleins de charme ? » Plus les femmes émergent, prennent des responsabilités sociales, plus elles perdent, selon les hommes, leur douceur et leur délicatesse intérieures. Elles gardent l'arsenal extérieur de la féminité, elles usent de leur pouvoir d'attraction, de captation, elles soignent délicieusement leur corps et leur parure, mais elles ont l'âme masculine du chasseur et l'homme devient leur proie.

« La femme est rare », disait Giraudoux. Selon Louis Pauwels, la race des femmes aurait été pourchassée, détruite, dispersée, anéantie par l'Église chrétienne : « Nous appelons femmes des êtres qui n'en ont que l'apparence, nous prenons dans nos bras des imitations d'une espèce entièrement ou presque détruite. [...] La plupart des hommes, en épousant une médiocre contrefaçon des hommes, un peu plus retorse, un peu plus souple, s'épousent eux-mêmes. [...] C'est moins froid après tout que d'épouser un miroir. » Le même auteur nous propose une description de la vraie femme : « Elle enjambe les crues, elle renverse les trônes, elle arrête les années, sa peau est de marbre. Quand il y en a une, elle est l'impasse du monde. [...] Où vont les fleuves, les nuages, les oiseaux isolés ? Se jeter dans la femme [...] mais elle est rare. [...] Il faut fuir quand on la voit, car si elle aime, si elle déteste, elle est implacable. [...] La vraie femme, celle qui nous vient du fond des âges, la femme qui nous fut donnée, appartient tout entière à un univers étranger à celui de l'homme. Elle rayonne à l'autre extrémité de la Création. Elle connaît les secrets des eaux, des pierres, des plantes et des bêtes. Elle fixe le soleil et voit clair la nuit. Elle possède les clés de la santé, du repos, des harmonies de la matière. C'est la sorcière blanche entrevue par Michelet, la fée aux larges flancs humides, aux yeux transparents, qui attend l'homme pour recommencer le paradis terrestre. Si elle se donne à lui, c'est dans un mouvement de panique sacrée, lui ouvrant, dans la chaude obscurité de son ventre, la porte d'un autre monde. C'est la fontaine de vertu. Le désir qu'elle inspire consume l'excitation. Plonger en elle redonne la chasteté. Elle est stérile car elle arrête la roue du temps. Ou plutôt c'est elle qui ensemence l'homme : elle le réenfante, elle réintroduit en lui l'enfance du monde. Elle le restitue à son travail d'homme, qui est de monter le plus haut possible en lui-même. On dit sur-homme, on ne dit pas sur-femme, car la femme, la vraie, est celle qui fait de l'homme plus qu'il n'est. Elle, il lui suffit d'exister pour l'être avec plénitude. Il faut à l'homme passer par elle pour passer à l'être, à moins qu'il ne choisisse d'autres ascèses, où il la rencontrera encore sous des formes symboliques [...]

découvrir la vraie femme est une grâce. N'en être pas effrayée est une autre; s'unir à elle réclame la bienveillance de Dieu. [...] Quelle étrange rencontre! elle apparaît brusquement dans le troupeau des fausses femelles, et l'homme favorisé qui la voit se met à trembler de désir et de crainte. »

Que penser de ce texte quand on est une femme? Le modèle est-il si glorieux qu'il paraît inatteignable? Sommes-nous en face de la description de cet éternel féminin qui une fois de plus, par langage masculin interposé, mystifierait la femme, la couperait un peu plus d'elle-même et de sa réalité? Ou sommes-nous en face de la femme solaire donnant la main à la déesse-mère des origines? Saluons dans ces lignes une prescience masculine à l'égard de son *anima*. C'est dans la mesure même où l'auteur s'est beaucoup approché de lui-même qu'il a pu écrire cet hymne à la féminité.

En même temps, on peut y trouver la trace d'une misogynie farouche à l'égard de toutes celles qui n'incarnent pas cette vraie femme, et qui ne sont que des victimes d'un processus historique développé dans l'intérêt du mâle. Pas trace non plus de processus d'évolution. La femme était parfaite dès l'aube des temps, elle resurgit parfois, toujours aussi parfaite, ayant échappé comme par miracle à ses destructeurs. Cette apologie est ambiguë et traditionaliste.

La femme est, l'homme devient. Oui et non. Il y a bien dans le féminin une dimension d'intériorité liée à son sexe, ne serait-ce que biologiquement. Son sexe est intérieur, elle vit à chaque instant avec cette sensation. Son fonctionnement énergétique est sans doute plus plastique et sa capacité de remonter l'énergie du sexe vers le cerveau plus immédiate, plus constante. Mais son imprégnation psychologique et psychique porte les marques et les blessures de la conscience collective. En tant qu'être, elle a tout un parcours de complétude à réaliser pour rencontrer son androgynat. La femme dont parle Pauwels est la femme pour l'homme, un fantasme de femme-déesse qui détiendrait toutes les clés du mystère de l'être. D'une certaine façon tout part de la femme, tout part du ventre de la femme, tout part de la féminité et y revient, selon une féminité du monde qui serait présence à l'instant. D'une autre façon, chacun des deux sexes contient un germe, une graine qui a besoin de se développer pour trouver son plein épanouissement, et dans ce germe il y a une partie masculine, une partie féminine, une partie qui appartient au *faire*, à l'*avoir*, à l'espace et au temps, une autre qui est parfaite dans l'instant.

Ce paradoxe et cette dualité ont fait le lit des oppositions théoriques, de discours et de justifications interminables. La cohabitation de l'historique et de l'éternel est consubstantielle à l'humain. « Faiblesse des anges, force des chiens », dit Christian Bobin. Force des anges, faiblesse des chiens, c'est la même chose. Le masculin et le féminin aussi échangent leur faiblesse et leur force. Chaque être humain est faiblesse et force. La femme solaire est force et douceur dans le même creuset, pour la même cause, vivre l'authenticité.

La femme solaire a un sexe vivant, non aliéné. Elle

est libre sexuellement. Le sexe est pour elle une magie, un art de sentir et de modeler les forces invisibles et subtiles. Il permet l'éveil de la conscience dans des niveaux profonds au-delà du rationnel. L'acte d'amour et de plaisir est un rituel au moins intérieur qui se fait dans un espace circulaire qui devient sacré où qu'il se trouve. La femme active en elle la déesse, un être vaste qui vibre dans l'infiniment grand et l'infiniment petit. L'élévation de l'énergie permet l'activation du centre d'énergie du sexe puis de celui du cœur, et finalement celui du sommet de la tête, avec la perception de la corne de la licorne. Nous sommes sur le chemin de l'extase et des états de conscience modifiés.

Le corps tout entier est fait pour l'amour dès que l'attention se consacre à lui, à ses sensations. Les femmes ont souvent davantage ce privilège, ce pouvoir d'une jouissance « cellulaire ». Elles sont plus proches de leur corps — ne serait-ce que parce qu'elles lui accordent plus de soins —, plus proches de leur sexe aussi parce qu'il est toujours disponible à la jouissance. Les femmes de devoir, les femmes de travail, celles qui se sont laissé envahir par l'ambition, par la respectabilité, par la culpabilité, par le service à l'égard de l'homme et des enfants font taire en elles la déesse, comme si elles débranchaient le circuit de la jouissance immédiate. Elles sortent du présent au profit de la ligne passé-présent-avenir. D'autres femmes vont et viennent, apparemment occupées aussi mais en réalité attentives à cette plénitude d'exister, plus disponibles pour l'amour qu'aucun homme jamais n'a pu le comprendre.

L'essence de la féminité est faite de cette disposition à la plénitude. Cette grâce intérieure constitue tout l'attrait conscient/inconscient exercé sur l'homme. La femme solaire ne fait pas l'amour qu'avec l'autre, elle le fait aussi avec elle-même, avec la nature, avec la vie. Sa conscience de l'énergie lui permet de s'élever chaque fois que les choses sont possibles. Il y a dans le brillant de l'œil, dans la chaleur de la voix, dans la douceur de la peau un éclat qui ne trompe pas qui est aussi présence à soi et plaisir de vivre.

Une tête d'ange, un cœur de chevalier, un corps de femme.
Les pieds, sur terre, l'amour dans le cœur et la tête dans les étoiles.
Un sexe vivant, un cœur rayonnant, une tête reliée.

L'homme lunaire

Je définis l'homme lunaire comme étant celui qui a intégré au moins à cinquante pour cent un équilibre entre son énergie masculine et son énergie féminine, sa force et sa douceur intérieures et extérieures.

Autant la femme solaire paraît glorieuse, autant l'homme lunaire inspire des réticences, ce qui montre bien à quel point la féminité et la passivité lunaire ont pris des connotations péjoratives dans notre conscient et notre inconscient. On s'accorde généralement à observer qu'une transformation est en cours, que l'identité masculine est en pleine recomposition. Pour certains elle est menacée et la traduction lapidaire de cette inquiétude s'exprime par : « La femme monte et l'homme descend. »

L'homme qui va à la rencontre de sa féminité ne peut qu'être affaibli. C'est l' « homme mou » dont parle Élisabeth Badinter. Nous connaissons tous des hommes qui semblent en effet flotter entre les deux sexes, qui ne se sentent pas à l'aise dans le monde des mâles, qui ne se sentent pas non plus compris, acceptés et aimés dans le monde de la femme. On pourrait dire qu'ils incarnent une mutation non encore achevée. Sur un plan sociologique un nouveau modèle d'homme se cherche, s'ébauche.

Au cours des âges la conscience collective n'a cessé d'évoluer et nous sommes les héritiers à la fois de ses archaïsmes, de ses racines et de ses fleurs. Il appartient à chacun d'entre nous de retraverser les étapes et de nous situer au plus près du meilleur de nos possibles. Les hommes d'aujourd'hui héritent des cinq étapes déjà évoquées. Certains sont prisonniers du premier stade, ils sont enfermés dans le cercle de la mère, d'autres incarnent le père tout-puissant, le patriarche, d'autres encore iront jusqu'au tyran. L'homme intelligent se voudra éclairé par des aller et retour entre un comportement dominant et un comportement dominé. Au stade suivant, nous trouvons cet homme trop « mou », qui aime se laisser dominer par une femme. Quoi que l'on puisse en penser, ce n'est pas une régression, mais l'acceptation d'un processus d'évolution qui se traduit temporairement par un affaiblissement. Une intégration est en cours, celle du féminin à l'intérieur de l'homme, et c'est bien d'une réconciliation qu'il s'agit quand on émerge d'une société encore déséquilibrée par la dévalorisation du féminin. Si la femme des deux pôles est rare, l'homme des deux pôles est rare aussi.

Entendons-nous sur le sens des termes. L'homme lunaire est bien sûr solaire-lunaire, il n'a rien perdu de son masculin, il s'est enrichi de son féminin, et à partir de son féminin il a rejoint son masculin. L'homme lunaire est fort et doux. Si l'on suit Jung, on peut s'apercevoir que plus un homme avance en âge, plus il sera confronté à son inconscient et donc à cette partie féminine souvent refoulée pendant la première moitié de sa vie. Les hommes qui ont dépassé la cinquantaine l'avouent volontiers, ils sont plus sensibles, et ceux qui s'engagent dans un processus plus conscient et plus accéléré vivent une véritable révolution. A l'heure actuelle tout se passe comme si un certain nombre d'hommes n'avaient plus besoin d'attendre l'évolution de l'âge pour entrer dans ce processus. Leur structure psychique est plus bisexuée d'entrée de jeu parce que le déséquilibre masculin/féminin était sans doute moins accentué dans le couple parental. Un père plus tendre, une mère plus virile permettent à un jeune garçon de se constituer intérieurement de manière plus souple.

Tout n'est pas joué pour autant. Car il y a un véritable saut qualitatif dans cette émergence masculine. La sortie des pièges du patriarcat avec sa masculinité dure et dominante, visant originairement à l'exclusion du féminin, semble ne pas pouvoir faire l'économie d'une phase de démembrement. Ce solaire passif et dominé qu'est l'homme mou cherche son épreuve et sa crucifixion à travers une femme dominante, fascinante parce que dominante. L'homme mou tend à revivre le statut du fils-amant des origines avec sa déesse-mère. Il veut réaliser sa mutation dans le ventre rond de la femme qui ne serait plus une mère mais une initiatrice. A ce stade il a besoin de faire confiance au principe féminin. Comme Osiris il est démembré, ses morceaux sont éparpillés et seule une Isis peut les rassembler, leur redonner vie, reconstituer même le phallus, pour que s'opère la résurrection.

Nous sommes là au cœur d'un grand mystère qui n'a guère été élucidé. Pour la seconde fois l'homme naîtrait d'une femme qui n'est pas sa mère, mais sa sœur-amante-épouse. Autrement dit encore, c'est la femme solaire qui serait susceptible de permettre la naissance de l'homme lunaire. **La femme est celle qui engendre physiquement, elle est aussi celle qui engendre psychiquement par l'amour-passion, et spirituellement par l'amour inconditionnel.**

Depuis des millénaires la femme initiatrice est rare, raréfiée. Le modèle d'une Ève coupable de la chute et interdite de prêtrise a englouti cette aptitude fondamentale de la femme à spiritualiser l'existence. Le véritable génocide à l'égard des femmes et de l'humanité se situe à cc niveau-là. Tant que les femmes n'auront pas retrouvé leurs capacités d'initiation, les hommes ne pourront pas accéder à leur aspect lunaire.

Je vois arriver à moi un certain nombre d'hommes en difficulté qui cherchent une femme solaire pour pouvoir intégrer leur féminité sans courir le risque d'une destruction. Ces hommes n'ont souvent trouvé dans leur parcours que des femmes dominantes qui les castraient de plus en plus. Une femme thérapeute tient un rôle de médiatrice, de passeuse d'une rive à l'autre, d'accoucheuse, et peut permettre cette naissance de l'autre à lui-même. Elle est solaire dans cette fonction, même si par ailleurs, dans sa vie privée, elle n'incarne pas ce seul visage.

L'homme a besoin de l'intercession de la féminité pour arriver à Dieu ou, ce qui n'est peut-être qu'une façon de dire la même chose, **l'homme a besoin de l'intégration de sa féminité pour réaliser son androgynat.** Cette intégration le conduit dans les enfers de son inconscient et il a besoin d'une main féminine secourable pour remonter dans une solarité fécondée.

Faut-il en conclure que depuis l'instauration du patriarcat aucun homme n'a pu se réaliser faute de femme solaire ? Non, car toutes les époques ont eu leurs femmes solaires en tant qu'êtres d'exception, et c'est en ce sens que la sagesse populaire propose de chercher la femme derrière tous les grands hommes. Les femmes ont été muses, inspiratrices et parfois éminences grises, elles sont les doubles invisibles qui communiquent avec l'inspiration. Leur rôle a souvent été minimisé, gommé, parce qu'il n'entrait pas dans la logique du patriarcat de leur rendre hommage. Ainsi le rôle des femmes auprès de Jésus, notamment celui de Marie-Madeleine, ne nous est guère connu, pas plus que celui de Claire auprès de saint François. Nous décodons la réalité à travers une grille de croyances. A partir du moment où la femme était considérée comme une entrave à la vie spirituelle de l'homme, sa présence auprès d'hommes remarquables ne pouvait être interprétée que comme accessoire.

Il est nécessaire de remarquer aussi que les hommes ont fondé beaucoup de religions, accumulé beaucoup de paroles d'élucidation sur la vie spirituelle, et ce savoir théorique a souvent fini par prendre le pas sur le vécu réel d'une réalisation personnelle. La culture a remplacé l'expérience directe, le symbole s'est substitué au ressenti. Les belles paroles sur le divin ont légitimé toutes les agressions, toutes les guerres. La coupure des sexes comme la coupure entre l'être et le faire, entre le faire et l'intellect, entre le cœur et le sexe sont devenues la norme, et la « reliance » de tous ces plans a été perdue de vue.

Que sont les hommes devenus ? Les séminaires, les rencontres, les livres se multiplient. Un éveil considérable est à l'œuvre, notamment en France. Les pratiques de développement personnel regroupent des gens de toutes tendances, qui ont en commun le « connais-toi toi-même » de Socrate, un désir et une foi de transformation. Il n'y a pas d'idéologie dans ce mouvement qui vient de l'expérience, simplement un désir de ressentir plutôt que de proclamer, un contact avec l'être. Les femmes y sont deux fois plus nombreuses que les hommes et les hommes qui sont là ont une sensibilité à fleur de peau. Certains sont confrontés à la difficulté du passage à l'homme lunaire, d'autres ont atteint ce 50/50 qui permet de s'équilibrer entre le masculin et le féminin. Ils sont descendus dans leur féminin tout en gardant le contact avec leur masculin, ou bien ils réémergent des abysses féminins pour renouer avec leur masculin. Car il y a deux parcours pour l'homme comme pour la femme au sortir du patriarcat. Les fils du père se structurent au masculin et ont besoin de retrouver leur féminin. Les fils de la mère se structurent au féminin et ont besoin de reconstruire leur masculinité. Les filles du père commencent aussi au masculin, les filles de la mère au féminin.

Les hommes lunaires, au sens de réconciliation des deux pôles, sont à un niveau d'évolution où le psychique a pris le pas sur le biologique. Sur le plan intérieur il se passe un phénomène important qui est celui de la présence à soi-même, à travers ce contact avec la femme intérieure. L'amour n'est plus tant au-dehors qu'au-dedans, ce qui n'exclut pas, bien au contraire, la femme extérieure. Les hommes lunaires sont très séduisants pour les femmes, car ils ont une dimension d'idéal en même temps qu'une grande souplesse. Pas de rigidité doctrinale, mais une souple bienveillance, une gaieté et une douceur venues de l'intérieur qui les rendent très attentifs à l'instant. Ils sont très présents dans l'amour, très « cellulaires », comme la femme solaire. Tout leur corps est vibrant et ils aiment faire vibrer le corps de l'autre. Ce sont de merveilleux amants, indépendamment de la taille de leur sexe, de leur âge et de leur vitalité. Ils établissent une communication de peau à peau, un contact psychique, ils cherchent une communion d'âme. Ils aiment recevoir des caresses et s'abandonner, se couler dans une passivité féminine, solliciter le côté actif de la femme dans l'amour. L'harmonie entre les deux principes masculin et féminin leur permet de connaître une certaine plénitude intérieure qui leur fait vivre l'amour de manière différente. Les sentiments de possession, de jalousie, s'éloignent, comme aussi les sentiments de rivalité, d'affirmation par la domination. Les besoins changent, les niveaux de plaisir aussi. L'harmonie du comportement ne répond pas à une exigence morale, mais à un besoin intérieur, à un goût. Il s'agit de coopérer avec l'autre comme on coopère avec soi-même avec la même amitié et le même plaisir.

Le poète apparaît, celui qui fait danser les mots, celui qui s'émerveille d'un sourire entrevu, d'une hanche qui roule, d'une poitrine qui se tend, celui qui fait pousser les fleurs, celui qui sifflote en voyant passer une femme, celui qui mange la couleur, celui qui dessine les parfums, celui qui habille le corps des femmes d'impalpable, celui qui ne sait qu'inventer pour aimer encore et encore cette féminité incontournable de la terre, de la vie, de la femme et de son âme.

Mais où est donc le terrible guerrier du patriarcat, celui qui veut sortir victorieux de toutes les guerres, qu'il crée dans une hâte répétitive tant il redoute l'inaction et son secret désir de contemplation ? Il est toujours là, mais son épée est au service du poète. Il se manifeste, il s'engage dans des conquêtes, mais il n'est plus l'aspect dominant. Il s'est soumis à d'autres valeurs que les siennes, il entre volontiers au repos, le fameux repos du guerrier. Il garde l'intrépidité du chevalier pour s'investir dans l'action.

L'homme lunaire est libre, en voie de liberté. Il peut s'engager profondément et délibérément dans une relation comme il peut se garder de tout engagement, mais il y a une partie de lui qui reste irréductiblement et consciemment solitaire, sauvage, à jamais rebelle à toutes les structures. Il a une solitude heureuse et féconde qui lui permet d'entrer en contact avec son *anima*. Rabindranath Tagore décrit cette rencontre dans ses derniers poèmes :

Un jour de printemps, une femme se présenta
Dans les bois où je vivais en solitaire,
Sous les traits délicieux de la Bien-Aimée.
Elle rendit mélodieux mes chants,
Et donna douceur à mes rêves.
Une vague impétueuse soudain déferla
Sur les rivages de mon cœur,
Balayant avec elle les mots.
Mes lèvres furent incapables de nommer ma Bien-Aimée,
Elle se tenait près de l'arbre,
Se retourna et posa les yeux sur mon visage triste de chagrin.
D'un pas leste elle s'approcha et s'assit à mon côté.
Elle dit, me prenant la main :
« Tu ne me connais pas,
Pas plus que je ne te connais
Et cela je ne le comprends pas ! »
Je lui répondis :
« Ensemble nous construirons un pont entre nos deux êtres, pour toujours,
L'un à l'autre inconnus. »

Ce puissant émerveillement est au cœur même des choses. Plus l'*anima* se précise sous la forme d'une image, d'une sensation, d'une musique, plus l'être est invité à vivre sa béatitude intérieure, plus il peut se poser dans l'immédiateté du présent et cesser de courir après une conquête toujours repoussée. L'homme lunaire a réussi à opérer une jonction entre le sexe, le cœur et parfois l'esprit. Cette jonction, même partielle, lui permet de rayonner d'amour, de gentillesse sans complaisance. On est bien en sa compagnie, on ressent une chaleur, un bienfait qui peut augmenter dans l'intensité de l'échange.

Pour cette description je me suis appuyée sur les hommes que je connais, que je côtoie. Car mon instinct m'a toujours conduite à rechercher la compagnie d'hommes en voie de féminisation, d'une sensibilité artistique aiguisée, avec aussi parfois une nature puissante, ravageuse, aussi profonde et destructrice qu'elle peut être élevée. J'ai la sensation et la conviction de ne pas tenir un langage d'utopie mais de parler de ce que j'ai reconnu et apprécié. Je voudrais encourager ceux qui se reconnaissent dans ces pages à ne pas se dévaloriser, car la compétition a la peau dure, et parfois le conflit avec le père ou les pères, ou la loi sociale, écorche à vif cet animal en mutation et menace de le faire régresser dans les rets d'un moule ancien. Il appartient aux femmes de leur dire tout l'attrait sensuel, psychique et spirituel que de tels hommes exercent sur elles. L'amour est au rendez-vous de la délicatesse intérieure.

Une tête d'ange, un cœur de chevalier, un corps d'homme.
Les pieds sur terre, l'amour dans le cœur, la tête dans les étoiles.
Un sexe vivant, un cœur rayonnant, une tête reliée.

Amis et amants

Un monsieur m'avoue un jour avec une certaine fierté : « Je suis marié depuis quarante ans. » Je lui demande alors : « Votre femme est-elle une amie pour vous ? » La réponse fuse, spontanée : « Oh non ! » Leur relation de couple s'était inscrite dans la durée, pas dans la confiance. Un professeur de yoga vénéré par ses élèves, assez âgé, qui a nourri plusieurs générations de ses conseils de spiritualité et de sagesse, évoque aussi sa difficile histoire de couple, une sorte de conflit permanent qu'il acceptait comme son épreuve, sans doute parce que son attachement à la figure de la mère restait très grand et qu'il avait fini par s'habituer à cette relation sado-masochiste, qu'elle lui « tenait chaud à sa manière ». Beaucoup de couples restent ainsi ensemble malgré cette intensité négative ou à cause d'elle, ils prennent goût à cette souffrance.

On a toujours voulu exclure l'amitié de l'amour. L'amitié serait impossible entre deux personnes du même sexe, elle serait toujours teintée d'accroches sous-jacentes libidineuses, elle « virerait » immanquablement dès qu'elle atteindrait une certaine intimité. Le consensus collectif s'attache à reconnaître que deux personnes qui ont déjà eu une histoire d'amour, qui ont donc épuisé l'attrait sexuel entre elles, peuvent éventuellement trouver l'amitié. Mais il reste impensable qu'on soit à la fois amis et amants. Quelle est donc cette exclusion et ne pouvons-nous pas la remettre en cause ?

J'ai ouvert les yeux autour de moi et je me suis aperçue qu'effectivement bon nombre de couples d'un certain âge ne cultivaient pas cet abandon du cœur qui caractérise l'amitié, ils vivaient sur fond d'hostilité comme si c'était leur manière d'entretenir entre eux quelque chose de vivant, comme s'ils n'avaient jamais imaginé qu'on puisse baisser les armes devant l'autre : irréductible barrière des sexes. Par contre, dans les générations des vingt et trente ans, l'ouverture des cœurs est différente, le soubassement est communicant, on peut montrer à l'autre ses faiblesses, se confier à lui sans craindre d'être démoli, sans craindre que l'autre n'abuse de cette mise à découvert. Que se passe-t-il donc ? Une nouvelle manière de « faire » couple est-elle en train de naître ?

Les personnages des épopées celtiques et les amants courtois avaient déjà entrevu quelque chose de cet ordre. Ils ne faisaient pas vraiment la différence entre l'amitié et l'amour et se nommaient entre eux « amis ». Mais dans une conception patriarcale, les femmes, ces créatures inférieures, vont être exclues du sentiment d'amitié, le mot « fraternité » va être réservé aux hommes et cette fraternité masculine se sceller principalement sur les champs de bataille et à travers des épreuves. L'amitié s'enracine dans l'entraide : un ami, c'est celui qui est toujours là quand on a besoin de lui. L'amitié présuppose un sentiment d'égalité, d'estime réciproque. La femme déclarée inférieure ne saurait donc se situer sur un plan d'amitié avec l'homme. Et les femmes ne sauraient non plus établir entre elles ce lien de reconnaissance et d'entraide puisqu'elles sont rivales face à l'homme polygame et qu'elles n'aiment pas regarder chez l'autre ce miroir d'une Ève inférieure et coupable. Il est honteux souterrainement d'être femme, de n'être qu'une femme ; donc, pas de sororité. L'amitié entre femmes a attendu la fin du XXe siècle pour être reconnue officiellement dans la langue française ! On pourrait dire qu'il a fallu que la femme atteigne son statut de personne égale, qu'elle s'accorde individuellement et intérieurement ce statut pour qu'elle connaisse des relations d'amitié.

Ce qui signifie qu'elle ne prend pas appui seulement sur son corps, sur sa séduction, mais aussi sur son intelligence et sur sa sensibilité. Encore aujourd'hui une fille intelligente recherchera souvent davantage l'amitié des garçons que celle des filles, car spontanément cette reconnaissance lui importe davantage. « Mes amis sont des hommes. » Lorsque une femme tient ce langage, il est facile d'en déduire qu'elle nourrit une forme de mépris et de déni pour la féminité et pour la sienne aussi. Être l'amie des hommes signifie pour une femme être dégagée de la soumission, de l'intérêt financier, du statut d'objet sexuel, être capable de complicité intellectuelle, être reconnue comme valable et capable. Ce qui n'exclut pas parfois un jeu sous-jacent de séduction. Certains hommes se méfient à juste titre de cette amitié féminine, parce qu'ils se sentent manipulés.

Nous héritons de stéréotypes de comportement très forts. Les amants étaient potentiellement des ennemis, la relation sexuelle comportait un fond de relation guerrière (je te prends, tu me tiens) et l'amitié se déclinait au masculin. Chamfort ne déclarait-il pas au XVIIIe siècle : « Les femmes sont faites pour commercer avec nos faiblesses, avec notre folie et non avec notre raison. Il existe entre elles et les hommes des sympathies d'épiderme et très peu de sympathie d'âme et de caractère » ? Joli terme que cette « sympathie d'épiderme ». Mais l'exclusion est bien marquée. Si l'amitié s'introduit dans l'amour, c'est que nous sommes dans une redéfinition, dans un élargissement de l'amour. Nous sommes en train de continuer à inventer l'amour de siècle en siècle.

L'amour semble une aventure spirituelle d'origine féminine. Signalons que le mot « amour » était du genre féminin au Moyen Age, qu'au XIIe siècle il était tantôt du genre masculin, tantôt du genre féminin, et qu'au début du XVIIIe siècle il est devenu masculin exactement en 1718 par décret de l'Académie. Cette histoire n'est pas neutre. Elle entérine une réappropriation masculine de cette valeur essentielle. Car pour certains historiens ce sont les dames du XIIe siècle qui ont donné droit de cité et de culture au sentiment amoureux.

Tout se passe comme si, aujourd'hui, nous reprenions le fil là où il a été laissé. Tant que l'homme et la femme se vivent comme deux êtres différents et complémentaires, le désir de l'autre part d'un manque et va le chercher de manière intense et brûlante. A partir du moment où l'homme et la femme ont entrepris sur eux-mêmes consciemment une recherche androgyne, cette brûlure devient moins vive, même si elle ne disparaît pas tout à fait. La recherche du complémentaire fait place à la recherche du double inversé. La femme lunaire-solaire est alliée à l'homme solaire-lunaire.

Cette démarche part d'un fond de sécurité et elle est beaucoup plus paisible, beaucoup moins angoissée, elle soulève beaucoup moins de forces d'ombre inconscientes. Deux besoins cohabitent dans l'être à partir d'un certain niveau d'équilibre androgyne. Je reconnais en moi l'appel éperdu du complémentaire, celui ou celle qui représenterait tout ce que je ne suis pas, pas encore. Et c'est bien là le dessein amoureux, laisser passage à une idéalisation de l'autre qui me renverra à une idéalisation de moi-même et, au-delà, à une réalisation effective, à l'incarnation de ces qualités et vertus que l'autre possède. Mais cet appel se tempère de la certitude d'être en contact avec une figure de l'*anima* ou de l'*animus* qui répond déjà à mon besoin.

Désormais je suis amoureux sans être en déséquilibre, je penche vers l'autre à certains moments mais je me redresse à d'autres. L'amour ne menace plus l'intégrité de l'être de la même façon. L'autre est mon double inversé plus que mon complémentaire, je me reflète en lui sans m'y perdre et je reviens à moi. Tout le passage de la « maladie » d'amour à la joie d'amour se trouve dans cette évolution de la quête du complémentaire à la quête du double inversé.

La spiritualisation heureuse de l'amour passe par l'androgynat individuel.

Dans une relation qui met en jeu le double, l'amitié s'établit avec aisance. Les couples d'aujourd'hui semblent avoir plus de facilités à établir une relation qui met en jeu à la fois l'amitié et l'amour. C'est que jamais peut-être le contexte social des activités n'a été aussi favorable. On fait du sport ensemble, on sort ensemble, on partage les mêmes goûts, on travaille chacun de son côté, on partage éventuellement les tâches ménagères et l'éducation des enfants. Il n'y a plus d'un côté les prérogatives des femmes, de l'autre celles des hommes. Les stéréotypes des rôles ont éclaté, ont fusionné. Le couple vit son quotidien sur le mode de la réciprocité, de l'aide mutuelle, du respect de l'autre.

Le bon fonctionnement de ce mode associatif ne suffit pas à définir un couple, mais il crée un terrain d'entente. Le désir et l'amour sont autre chose, mais ils ne sauraient perdurer sur le terrain empoisonné du conflit qu'ils portent en germe. Deux amoureux, deux amants sont potentiellement autant deux ennemis que deux amis. Ce n'est que par la confiance qu'ils vont pouvoir s'épanouir, s'ouvrir mutuellement l'un à l'autre, prendre plaisir à l'estime, à la tolérance. Tout l'attrait passionnel qui rend le couple fusionnel ne peut se vivre en permanence.

Il y a des temps pour l'union et des temps pour la solitude. Il est important que chacun respecte ces temps et n'établisse pas de mélange. Les temps de l'amitié ne sont pas les mêmes que les temps de l'étreinte et ils sont aussi indispensables. Ils définissent les moments de retour à soi, avec toute la richesse que représente cet isolement nécessaire à toute créativité. Fusion et solitude. La vision dualiste qui imprègne notre façon de penser nous amène à basculer entièrement d'un côté ou d'un autre alors que la sagesse nous demande d'apprendre à entrer et à sortir d'une situation pour entrer encore dans une autre : la vie est mouvement.

Le fusionnel des amants a ceci de particulier qu'il voudrait s'offrir l'éternité et il ne peut créer que des simulacres qui finissent par devenir étouffants. Prendre conscience de la nécessité des temps de distance, du ressourcement qu'ils procurent individuellement permet de les vivre sans opposition à la fusion. Je suis bien quand je suis avec toi, je suis bien quand tu n'es pas là ; ce deuxième aveu n'est pas du désamour, mais le signe d'un bon compagnonnage avec soi-même. Comment se vouloir mutuellement du bien, comment souhaiter que le pouvoir et la créativité de l'autre augmentent sans qu'il puisse concentrer et consacrer son énergie à lui-même ?

Qu'est-ce que la sagesse ? De la distance intérieure, une part d'observation neutre préservée à l'intérieur de soi, un contact avec le noyau inaltérable de l'être au sein des vicissitudes d'une histoire. Dans le couple l'amitié apporte cette distance à la passion et à l'amour, elle est graine de sagesse.

Être amis et amants c'est aussi apprendre à vivre solitaires et solidaires. Les femmes notamment ont une conception très « penchée » de l'amour. Elles pensent que l'amour leur demande de se mettre au service des autres, de leur mari d'abord, de leurs enfants ensuite. Elles « se sacrifient » volontiers, elles s'oublient, se renient, perdent leurs repères, renoncent à ce qui leur paraissait essentiel avant leur mariage. Cet abandon de soi prépare des réveils pénibles et un naufrage de la relation de couple. L'altruisme d'un tel comportement, si vanté dans une conception patriarcale ou chrétienne, n'en est pas moins un leurre. Un cercle vicieux relationnel s'établit. Le plus difficile dans l'amour, aujourd'hui encore, c'est de continuer à se tenir droit.

Au départ, l'irruption de cet élan vers l'autre nous emporte vers un déséquilibre, une fascination : quelque chose nous appelle, une partie de soi, un bonheur, une destinée, quelque chose de déterminant surgit. Nous sommes fascinés, nous mettons en jeu toutes nos ressources. Ce déséquilibre du début de la relation se rétablit progressivement mais parfois l'un des deux reste penché vers l'autre, plus fasciné, plus fragile ou plus manipulateur, ou tout à la fois. Et voilà que je fais tout pour toi, et voilà que je t'étouffe et que je m'accroche. J'existe à travers toi, je suis toi. Tu m'aimes donc j'existe, je t'aime donc j'existe. Ces deux termes nous laissent dans une si grande insécurité affective que l'angoisse correspondante nourrit une haine potentielle et une charge agressive, explosive pour la relation.

Ce n'est que lorsque chaque être commence à s'enraciner dans « Je m'aime » et « J'aime la vie » qu'il peut s'aventurer sans risque sur le terrain miné de l'amour. Il s'accompagne de respect (*respicere :* regarder), de la capacité de se considérer comme un être unique et de regarder l'autre comme tel. Plus la personne est consciente de sa valeur et plus elle pourra s'aventurer dans l'amour sans crainte de s'y perdre.

Certains adolescents, par leur sensibilité, par leurs lectures, par l'influence d'amis et de professeurs, par leurs goûts musicaux, cinématographiques, artistiques et techniques, ont suffisamment développé leur dimension intérieure, leur passion propre, leur originalité pour prendre plaisir à la partager dans l'amitié et l'amour ; ils resteront droits dans la relation, mais ils peuvent favoriser par contre une gravitation autour d'eux et entretenir une situation de dominance. Pour d'autres, c'est un travail, une insertion sociale réussie qui leur donnera ce sentiment de leur valeur. C'est peut-être pour cette raison que le travail semble si important aux femmes aujourd'hui. On a vu que dans l'inconscient collectif elles héritent d'un sentiment d'infériorité et l'efficacité professionnelle peut les aider à réparer cette brèche. Pour la même raison, un couple composé d'un homme et d'une femme qui travaillent à l'extérieur se situera plus aisément dans cette relation amis-amants qu'un couple plus traditionnel dans lequel la femme reste à la maison. Qu'on le veuille ou non, le fait de gagner soi-même l'argent que l'on dépense aide à se respecter et à se faire respecter.

Comment civiliser la violence du désir d'appropriation qu'il y a dans le désir amoureux ? Comment trouver la bonne distance avec l'autre : ni trop près, ni trop loin ?

Par la relation androgyne à soi-même, par l'amitié avec l'autre. La brûlure du manque s'apaise quand on commence à rencontrer son double intérieur et la possibilité de développer une souplesse psychique, de donner du velouté à une relation, grandit. Quelqu'un d'affamé mangera gloutonnement, bruyamment, avec pour seul souci d'apaiser sa sensation de faim et sans trop goûter ce qu'on lui sert. Pour devenir raffiné et gourmet il ne faut pas avoir trop faim. C'est la même chose en amour.

Pour pratiquer l'art d'aimer dans la sagesse et l'évolution il ne faut pas être affamé d'amour, prêt à hurler au moindre sentiment de manque, il ne faut pas non plus être nourrisson, et attendre son biberon comme un dû.

L'ami(e) en toi, l'ami(e) en moi civilise l'amant(e). Au lieu de prendre pouvoir sur toi, je m'intéresse à ce qui te donne du pouvoir en dehors de moi, ton métier, tes passions, tes goûts, je n'en finis pas d'écouter, de découvrir ce que tu es et de favoriser cette éclosion. Vivre près d'un être au quotidien ce n'est pas, comme on nous l'a beaucoup laissé entendre, affronter l'usure, la répétition.

Une véritable relation d'intimité est inépuisable parce qu'elle est de corps et d'âme insécable, que l'un répond à l'autre. Je n'aurais jamais pensé qu'il y ait autant de richesse dans une relation à deux car rien dans ma culture et mon expérience ne me le laissait prévoir. A cet égard nous manquons de modèles ou nous ne voulons pas les voir. Peut-être entretenons-nous l'idée que nous ne méritons pas d'être heureux, que le bonheur n'est pas de ce monde, et que s'il était possible de former un couple heureux, créatif, évolutif, nous le saurions déjà.

La conscience collective ne sait pas encore qu'un couple heureux d'amis et amants est tout à fait accessible, de plus en plus accessible, et qu'il constitue le meilleur espoir pour une civilisation à venir.

Une relation ouverte

Le couple ouvert est celui dans lequel les deux partenaires se disent mutuellement : viens, va vers toi.

La grande question du couple reste la fidélité sexuelle. On connaît l'option patriarcale, elle est claire, définitive et hypocrite. Les époux s'engagent mutuellement dans une relation monogame, ils se promettent une exclusivité sexuelle. L'intérêt premier de cette loi est de garantir la famille et avec elle la transmission des biens. En réalité c'est surtout le sexe de la femme qui est mis sous bonne garde. L'homme-père ne peut exister que s'il possède une femme en bien propre. Par contre la réciprocité a toujours été fluctuante. La mère reste mère quel que soit le père, elle peut souhaiter que le géniteur l'aide dans l'élevage de la couvée, elle ne peut guère l'exiger. Il reste toujours une marge de polygamie autour de l'homme mais il la vivra dans l'ombre et les enfants qui naîtront de ces unions clandestines ne seront pas reconnus. Ils seront les bâtards. Il n'y a pas de symétrie entre l'homme et la femme sur ce sujet.

La femme adultère pouvait être punie de lapidation, devenir sujet d'opprobre, l'homme bénéficiait d'une indulgence amusée. Progressivement pourtant, l'ordre bourgeois a resserré sa permissivité et la pression morale est devenue aussi forte sur l'époux, cela d'autant plus que la religion catholique condamne ce péché de chair. Nous sommes aujourd'hui les héritiers de cette conception.

Un couple est composé de deux individus qui se réservent mutuellement l'usage de leur corps et de leur sexe. La tradition spirituelle renchérit : le sexe est sacré, le couple est sacré dans la mesure où deux êtres respectent cette loi d'exclusivité.

Les années soixante et soixante-dix ont eu le mérite de proposer à la conscience collective un autre type de couple, plus ouvert, un couple qui s'autoriserait à ce que chacun puisse éprouver et vivre d'autres désirs. Beaucoup de gens aujourd'hui concluent très rapidement et avec soulagement que cette expérience a été un échec, que tous les couples qui se sont engagés dans cette aventure ont explosé. Dossier refermé. Et pourtant... Dans la réalité des faits, beaucoup d'aventures extraconjugales sont nouées pour les hommes comme pour les femmes et il semble que dans certains cas elles soient considérées comme profitables au couple. Nous avons à rouvrir ce dossier et à le sortir des pressions morales ou religieuses.

De quoi avons-nous besoin, hommes et femmes ? Nos besoins sont-ils les mêmes à ce sujet ? La maîtrise de sa fécondité par la femme introduit-elle des facteurs très différents aujourd'hui ? L'allongement du temps de la vie pose-t-il aux couples un nouveau problème d'usure ? Avons-nous besoin d'avoir des relations sexuelles multiples ou cherchons-nous à découvrir différentes facettes de l'amour ? Si besoin il y a, est-il sexuel, sentimental, spirituel ? Ce sujet est toujours un peu tabou parce qu'il est dérangeant. Y a-t-il même une solution satisfaisante ? Nous souhaitons tous une union stable, riche, renouvelée avec la même personne et en même temps nous sentons bien qu'en nous enfermant dans une relation, nous courons le risque de « mourir un peu ». Comme si la vie perdait son jeu d'arc-en-ciel.

« Être ouvert à deux » signifie s'ouvrir l'un à l'autre dans un niveau de dialogue assez profond, chercher à faire tomber les masques, être attentif. **« Être ouvert à deux » signifie se donner assez d'espace pour permettre à l'autre et se permettre à soi-même d'évoluer. Être ouverts pour rester vivants, en mouvement.**

L'engagement réciproque consiste à accepter l'autre dans son dévoilement à venir. Viens, va vers toi. Cet engagement est sans composante sacrificielle. Ce n'est pas « Je veux me consacrer à faire ton bonheur » ou « Je m'intéresse plus à toi qu'à moi-même ». Cet amour oblatif porte en lui le germe d'un étouffement pour celui qui le donne et pour celui qui le reçoit. Il faut se méfier aussi des déclarations du type « Nous ferons tout pour que notre mariage réussisse », ce qui revient à dire « Nous en ferons une très belle boîte fermée » ; ou encore : « Nous sommes destinés l'un à l'autre », « Nous sommes liés l'un à l'autre jusqu'à ce que la mort nous sépare », « Nous resterons ensemble quoi qu'il arrive pour nos enfants ». Les couples qui restent ensemble pour se conformer à de tels idéaux se détruisent réciproquement longtemps... et finissent quand même par se séparer.

Un couple ouvert reconnaît qu'il est engagé dans un **processus** et non dans un contrat fixe. Les relations ne sont pas définies une fois pour toutes, elles se construisent progressivement. Chacun se préoccupe de ses besoins particuliers en tant qu'individu — le « je » — et nourrit aussi les besoins du couple — le « nous ». Chacun est un individu à part entière et non la moitié de quelque chose. Il ne s'agit pas de faire passer l'autre avant soi mais *avec* soi. Le désir d'aller jusqu'au bout de soi-même et de dévoiler un peu du mystère que l'on est à soi-même fait partie du voyage.

On ne reste plus ensemble par habitude ou « pour les enfants ». Ce genre de compromis castrateur a montré ses ravages et ses limites. L'autre n'est jamais acquis, on ne peut pas compter sur sa complaisance, sur sa reddition. C'est son authenticité en tant que **liberté qui se transforme** qui est le premier aliment de l'amour.

Le risque de la communication, c'est d'exprimer ses sentiments, quels qu'ils soient, positifs ou négatifs, quand ils persistent, et d'accepter la réaction de l'autre, de l'écouter, de le comprendre. Ainsi cet homme qui ose dire un jour à sa partenaire : « Je ne sais pas si cela vient de moi ou de toi mais nos relations sexuelles ne me donnent pas beaucoup de satisfactions. » Il y a le désir, sous-jacent, de permettre une amélioration de la relation et le risque d'être rejeté, de provoquer au contraire une détérioration. Mais plus chacun s'exprime sur ce qu'il ressent, plus la relation s'approfondit.

Laisser tomber les masques, c'est cesser de s'abriter derrière des rôles proposés par les parents, la société ou les idées toutes faites. C'est écouter à l'intérieur ce que l'on veut vraiment et faire confiance à ses désirs.

« Le plus pernicieux de tous les masques est peut-être celui qu'il te conviendrait que je porte pour flatter ou rassurer quelque chose en toi. Tu voudrais que je sois la meilleure, que je ne cesse de glaner des succès. Tu es un peu comme mes parents, tu te réalises à travers moi et de temps à autre je me révolte et puis je repars comme un bon petit soldat ; mais parfois je me demande ce que je veux vraiment. » Ainsi parle Catherine à Jean. Si Catherine continue à accepter cette manipulation semi-inconsciente de Jean, elle risque un jour de le quitter. Il se peut aussi que cette ambition par personne interposée arrange Catherine, même si elle s'en plaint et que les résultats la gratifient. L'essentiel pour chacun d'entre nous, c'est de rester en contact avec l'enfant intérieur et de lui permettre d'exprimer aussi sa partie ludique. Dans la mesure où Jean favorise la possibilité qu'a Catherine de jouer à la petite fille dans leur intimité, elle continuera d'accepter de porter le masque de grande fille qui l'arrange à d'autres moments et qui lui correspond aussi. La situation ne sera saine pourtant que dans la mesure où Catherine préservera à l'intérieur d'elle un centre d'évaluation qui lui permet de choisir, de décider ce qui est juste pour elle, et de se sentir en harmonie avec son noyau profond. De son côté, Jean aspire à sa propre réussite et il a besoin d'y consacrer du temps. Il a besoin aussi de pouvoir régresser dans les bras de Catherine et de se laisser materner par elle sans craindre sa tyrannie. Des rôles interchangeables, de la souplesse psychique pour ne pas les prendre au sérieux, pour pouvoir entrer et sortir, et évaluer les choses à sa propre aune.

Il s'agit toujours de devenir des personnes véritables qui n'agissent pas en fonction des codes sociaux mais de ce qu'elles ressentent et de ce à quoi elles croient.

Être authentique, c'est accepter sa propre vulnérabilité et parfois la montrer, et parfois l'exposer avec courage. Être authentique, c'est aussi accepter la vulnérabilité des autres avec un grand respect pour ce qui est ainsi offert de partage d'humanité.

Comment, à partir de cette ouverture, résoudre la question de l'exclusivité sexuelle ?

Stéphane et Juliette sont mariés depuis quelques années. Ils suivent tous deux de manière intensive un certain nombre de formations avec l'arrière-pensée d'enseigner eux-mêmes un jour. Mais cet objectif est devenu secondaire face à la brûlure que leur couple véhicule et qu'ils espèrent apaiser par leur évolution. Juliette a été la première à bouger dans le couple et à tourner son regard vers un autre homme. Il faut dire que leurs relations sexuelles n'étaient pas vraiment satisfaisantes. Ils se laissaient engloutir par la quotidienneté. Stéphane commençait à vivre plus avec une mère qu'avec une amante et Juliette ne répondait pas toujours à ses demandes compulsives de rencontre amoureuse. L'aventure de Juliette avec un autre homme créa un électrochoc chez Stéphane.

Il faut remarquer que, bien souvent aujourd'hui, c'est la femme qui bouge dans un couple qui s'enlise. Il en résulte de la souffrance mais aussi des prises de conscience et des occasions d'évolution. Juliette avait sans doute besoin de cette histoire d'amour pour se sentir à nouveau vivante mais elle s'aperçut assez rapidement qu'elle supportait mal de faire l'amour avec deux hommes. « Mon corps se révoltait », dit-elle. Éprouvait-elle de la culpabilité, entrait-elle en conflit avec une croyance à ce sujet du type : il n'est possible à une femme que d'aimer un homme à la fois et je suis anormale ; ou bien encore était-elle déçue par son amant ; ou bien encore certaines femmes sont-elles exclusivement monogames ?... Il y a bien des réponses possibles selon les croyances des uns et des autres.

Disons que Juliette a estimé que ce n'était pas bon pour elle et elle a choisi Stéphane. Elle ne savait pas qu'il venait de nouer une relation passionnée avec Karine, une très jeune fille. Jusqu'alors Stéphane n'avait connu que deux femmes dans sa vie, sa première femme qui était aussi la mère de son fils et qui l'avait quitté pour une autre femme, et Juliette qui était devenue sa seconde femme. Son expérience amoureuse était donc assez limitée et avec Karine il découvrit une liberté, une intensité qu'il n'avait jamais vécue jusque-là. Bien entendu son couple bénéficia aussi de cette ouverture et Juliette, si tiède avec lui, se révéla de plus en plus ardente... de plus en plus jalouse aussi. Il lui révéla tout avec une volonté de transparence qui montra vite son revers. Juliette s'intoxiqua littéralement des détails de l'aventure de

Stéphane et commença à vivre dans les affres terribles d'une jalousie qui la détruisait. Elle entra dans un combat angoissant avec cette rivale inconnue puis connue parce que rencontrée volontairement. Karine entra dans le jeu et Stéphane fut sommé de choisir entre les deux femmes. Il ne désirait pas quitter Juliette. Leur couple traversa la crise et s'approfondit.

Mais le ver était dans le fruit. Stéphane avait découvert qu'il pouvait plaire. Toute cette adolescence non vécue lui remontait à l'âme et dévoilait son immaturité. Il admirait Juliette, la trouvait plus forte, plus adulte que lui et entretenait ainsi avec elle une relation de type fils-mère. D'autre part il avait pris plaisir à une relation dans laquelle il était davantage dominant et paternel. Il ne tarda pas à s'enflammer pour un autre joli visage. Juliette s'effondra en larmes et tout ce qu'elle connaissait intellectuellement des rouages qui les agitaient l'un et l'autre ne lui permit pas de vivre sans drame cette situation. « Il me trompe, il me trahit, il me ment maintenant pour me ménager, je me sens au bord de la rupture. Je souffre trop, ce n'est pas possible. »

Elle sait beaucoup de choses, Juliette, beaucoup de choses qui ne lui servent à rien quand elle est vrillée par le démon de la jalousie. Comme elle souffre, sa rancœur s'accumule et elle ressasse toutes les bonnes raisons qu'elle a de considérer Stéphane comme un ennemi. Elle est entrée dans un conflit intérieur avec lui et avec elle-même : « Est-ce que je dois le quitter ou est-ce que je dois rester ? »

Juliette et Stéphane risquent d'entrer dans une

relation sado-masochiste avec toute la perversion qui en découle. Juliette a une complaisance dans ce vertige destructeur et Stéphane découvre non sans jouissance les pouvoirs du bourreau. Ils ne sont pas loin de la fatidique maxime : je ne peux pas vivre sans toi, je ne peux pas vivre avec toi.

Dans ce couple les deux partenaires s'affrontent maintenant comme des ennemis, chacun perd et gagne à tour de rôle dans ce duel passionnel. Quelle en sera l'issue ? Le couple peut aussi bien se refaire que se défaire, traverser la crise et se reconstituer avec plus de profondeur d'engagement que se défaire et aboutir à une séparation.

En termes d'autonomie, chaque partenaire est confronté à la nécessité intérieure d'entrer en contact avec son *anima* ou son *animus* et il est tenté de le chercher à l'extérieur tant qu'il ne l'a pas développé suffisamment à l'intérieur. Stéphane n'est pas assez à l'écoute de sa femme intérieure et cela l'amène à penser que Juliette ne peut lui suffire pour le rendre vivant, vibrant. Confusément il cherche à développer son potentiel animique. On pourrait dire aussi qu'il est trop immature, ce qui est une autre façon de parler de son androgynat peu développé. Juliette, de son côté, ne trouve pas vraiment son *animus* chez Stéphane et a tenté à plusieurs reprises de rencontrer d'autres hommes, mais sa volonté de poursuivre sa relation avec Stéphane continue d'émerger malgré le naufrage des crises. Il semble d'ailleurs que dans le maintien d'un couple la volonté féminine joue un rôle majeur.

A leur niveau d'évolution, peut-on encore parler de

la valeur de la fidélité pour le couple? Si Juliette n'avait pas transgressé ce tabou, le couple se serait englué dans l'ennui, à moins que Stéphane ne prenne une initiative du même ordre, mais tout laisse à penser qu'il pouvait encore dormir longtemps.

Ces deux êtres aujourd'hui sont très vivants, très intenses, ils font l'amour ensemble et séparément comme ils ne l'ont jamais fait et peut-être ne se sont-ils jamais autant aimés. Stéphane témoigne d'une chose qui réapparaît souvent dans des circonstances semblables : il se sent tout à fait capable d'aimer deux femmes et il ne s'entend jamais aussi bien avec Juliette que lorsqu'il a une autre relation. Il se sent en équilibre. Pour ce couple l'infidélité joue le rôle de moteur d'évolution. Ils sont confrontés à beaucoup de troubles et de souffrances, ils ne sont pas sûrs de pouvoir rester ensemble, mais ils apprennent à décliner le verbe *aimer* et ils s'acheminent vers une nouvelle maturité. La fidélité est peut-être au rendez-vous de ce couple comme un choix de vie, un choix d'une certaine qualité relationnelle à deux, à partir d'un androgynat mieux stabilisé chez chacun.

Ce qui apparaît ici, c'est que la fidélité comme engagement d'un jeune couple paraît une utopie dans la mesure où elle est un moule de comportement proposé de l'extérieur, dans la mesure où elle s'adresse aussi à deux êtres en pleine recherche d'eux-mêmes et de leurs polarités bisexuées. Cette exigence est même en un certain sens contre nature, contre-évolutive. En revanche elle peut devenir un choix délibéré pour engager la rencontre à des niveaux plus subtils, plus fins, de la fusion des êtres, quand les deux partenaires sont stabilisés à l'intérieur d'eux-mêmes sur leurs deux polarités.

Cette ouverture d'un couple à d'autres relations sexuelles, pour inévitable qu'elle paraisse sur un plan d'évolution, occasionne bien des tempêtes et bien des naufrages. Elle est redoutable, elle consomme beaucoup d'énergie, elle réveille toutes les blessures de l'enfance autour de l'abandon. Rien dans notre héritage collectif, dans notre conception de l'amour, dans le vide laissé sur la gestion de la vie intérieure et la connaissance de soi ne nous prépare d'une part à la vie à deux, d'autre part à la possibilité d'une ouverture sexuelle de l'autre ou de soi au sein du couple. A vingt, trente ans, la plupart des gens sont totalement démunis. Nous héritons d'un couple fermé et nous avons besoin de rouvrir cette conception. Cette ouverture est vite vertigineuse parce qu'elle est synonyme de difficultés et de souffrances.

Il est nécessaire de constater que l'impératif de la fidélité des femmes au nom des enfants à venir n'a plus le même sens aujourd'hui. La contraception permet de distinguer entre une **sexualité de reproduction** et une **sexualité de plaisir, d'éveil.** La paternité elle-même peut s'établir à partir d'analyses de sang. Sur le plan de la sexualité nous vivons toujours à l'heure du patriarcat. Les mentalités n'ont pas évolué et elles évolueront sans doute lentement. La culpabilité liée à la multiplicité des relations reste très grande et agit comme un poison à l'intérieur de chaque être.

Il nous reste à rencontrer le couple du paradoxe

qui vit dans la tension ouvert/fermé, qui accepte les deux pôles et qui ne cherche pas à évacuer l'un des deux. D'une part, les deux partenaires connaissent toute la richesse d'une vie à deux harmonieuse, leur couple est un troisième être qui les relie et cet être est en bonne santé, ils s'attardent à le nourrir, à lui permettre de grandir. Ils vivent constamment la démultiplication de leur synergie. D'autre part, ils restent très indépendants et ils savent que d'autres émotions peuvent naître au fil du temps, qu'ils peuvent être attirés par d'autres visages, qu'ils ne partageront pas nécessairement ces émotions, qu'elles ne mettront pas non plus nécessairement leur couple en péril. Il y a le jardin commun et le jardin privé. Ceux qui ne valorisent dans leur vie que le tout ou rien trouveront peut-être que ce comportement manque d'absolu. Mais il a le grand mérite de tenir compte d'un pôle et son contraire, du désir de dépendance et du désir d'indépendance.

L'amour se construit aussi au fil du temps, il a besoin de sécurité, mais il a autant besoin du stimulant de l'insécurité. Un véritable couple ne peut être composé que de deux êtres libres, libres de reconduire leur liberté l'un vers l'autre, libres de leurs sensations privées, solitaires ou renouvelées par d'autres rencontres amicales ou amoureuses.

Daniel et Véronique ont été mariés, ont eu chacun un enfant et se sont rencontrés bien après leur divorce alors qu'ils menaient tous les deux depuis plusieurs années une vie de célibataire. Daniel se sentait capable d'aimer plusieurs femmes à la fois et il ne s'en privait pas. Il organisait minutieusement sa semaine et vivait cette diversité comme une vocation. Parfois aussi il nouait avec une femme une relation platonique très intense. Il s'intéressait de plus en plus à son propre développement, à la circulation de l'énergie et il découvrait qu'il n'était pas toujours indispensable de toucher une femme pour qu'elle connaisse un orgasme. Lui-même se contrôlait de mieux en mieux et pratiquait la rétention dans ses rapports sexuels. Il vécut ainsi pendant plusieurs années dans l'exploration de son potentiel amoureux.

Véronique s'était mariée par passion et cette passion n'avait pas résisté à la fin du couple fusionnel et à la naissance d'un enfant. Elle aussi avait exploré avec une grande intensité toutes les possibilités érotico-spirituelles, sa sensibilité était très affinée, purifiée aussi par une ascèse volontaire assez longue. Daniel et Véronique se sont donc rencontrés au terme d'un voyage déjà bien rempli, vers la quarantaine.

Leur couple a tout de suite été placé sous le signe de la créativité avec un projet professionnel commun, des voyages. Les yeux brillants et émerveillés, ils disent combien depuis douze ans leur vie de couple les étonne et les ravit. Au départ ils ont vécu ensemble spontanément comme par jeu. Ni l'un ni l'autre n'avait particulièrement le désir de vivre en couple. Ils se sentaient bien ensemble, ils exploraient. Progressivement, après un petit temps d'adaptation, une traversée de la différenciation, de la révolte, ils ont découvert une réelle entente. L'un et l'autre avaient eu des parents qui étaient restés ensemble mais dans un climat conflictuel. Ils découvraient quelque chose qu'ils n'avaient pas imaginé possible : une entente sexuelle toujours renouvelée, une grande entraide dans leur réussite respective, une tendresse toujours plus profonde, une confiance qui touche à l'être et non aux comportements.

L'amour qui se tissait entre eux avait désormais une vie autonome et continuait à fleurir sans leur volonté propre. Ils en étaient les spectateurs émerveillés et les acteurs attentifs. L'un et l'autre se reconnaissent volontiers comme des êtres androgynes, solitaires et solidaires. Ils partagent les tâches de la maison en tenant compte des goûts de l'un et l'autre. Comme Daniel a une aversion pour la vaisselle et Véronique pour les courses, ils acceptent par exemple cette répartition. D'une manière générale le quotidien ne leur pose pas de problèmes particuliers et ils le gèrent avec beaucoup de fantaisie puisque leurs enfants sont grands.

La question qui se pose à deux êtres aussi libres qu'ils l'ont été c'est évidemment : êtes-vous fidèles ? Comme ils ont longuement réfléchi à la question, ils répondent qu'ils sont d'abord fidèles à eux-mêmes. Non, il n'y a pas eu de drame entre eux, non il n'y a pas eu de personnes qui ont posé problème à leur couple. Ont-ils eu d'autres relations sexuelles ? Ils restent muets et secrets, ils laissent planer le doute puisqu'ils se sont proposé de ne rien se dire à ce sujet qui puisse perturber l'autre et le rendre jaloux, sauf si cela devait remettre en question leur entente. Oui, ils ont ressenti l'un et l'autre des attirances, peut-être même ont-ils été un peu amoureux ailleurs, mais la profondeur de leur intimité n'en a paradoxalement pas souffert. Ils ne s'interdisent rien, ils ne se contrôlent pas, ils restent séparés parfois plus d'une semaine et ils ont une grande joie à se retrouver. Ils se sentent vivants, complets quand ils sont seuls, complets quand ils sont ensemble. Ils sont eux-mêmes très étonnés de cette expérience. Ils ne font pas trop de plans pour l'avenir, ils goûtent le présent.

Daniel continue pourtant de rêver de polygamie ouverte, il pense parfois que c'est un gâchis, qu'il pourrait rendre plusieurs femmes heureuses et que lui-même y trouverait une plus grande exaltation. Véronique l'écoute avec indulgence, elle peut comprendre, elle pourrait aussi envisager de partager l'amour au moins avec un autre homme sans léser Daniel. Mais ils sont si bien ensemble, si occupés aussi par leurs aventures professionnelles maintenant séparées, qu'ils ne font rien pour changer leur situation actuelle. Ils sentent pourtant que cette possibilité reste ouverte, ils la redoutent un peu parce qu'ils ne sont pas sûrs de ce qui pourrait se passer pour eux à ce moment-là.

Oui, ils ont l'un et l'autre connu la jalousie en dehors de ce couple. Ils ne savent pas vraiment si aujourd'hui ils l'ont dépassée ou si du jour au lendemain ils pourraient se retrouver dans un état de bouleversement intérieur cataclysmique. Ils sont persuadés que leur tendresse, leur amitié profonde, leur permettrait d'éviter trop de souffrance ; plus encore, ils sont persuadés que leur amour survivrait à d'autres rencontres, d'autres amours. Il s'agit pour eux d'additionner, de multiplier et non de soustraire.

« Quelle est la part de complicité dans la destruction, quelle est la part de blessure ancienne sur le rejet qui se réactiverait chez chacun de nous à cette occasion ? demande pensivement Véronique. Je ne suis pas sûre de désirer le savoir, ajoute-t-elle. Les complications sentimentales ne m'intéressent pas, je préfère m'ouvrir toujours davantage à ma capacité d'aimer la vie, de l'apprécier avec tous mes sens. » Je suis frappée de sa capacité à « rayonner », du bien-être qu'on ressent près d'elle, de son intensité à communiquer ne serait-ce que par la présence. Je le lui dis, elle me répond en souriant qu'elle est une femme solaire et je confirme. Le plaisir que je ressens auprès de cette femme est intemporel. Comment dire cette impression d'être baigné dans la fluidité de la féminité. Je ne peux m'empêcher de penser qu'à quatre-vingts ans, elle donnera la même sensation, le même cadeau à ceux qui l'approcheront. Non, la femme solaire n'a pas d'âge.

Comment Véronique et Daniel vont-ils évoluer ? Resteront-ils ensemble pendant les dix prochaines années ? Il est difficile de faire un pronostic car ils ne sont tenus ni par les enfants ni par l'argent. Ils sont toujours amoureux, ils réussissent bien dans leurs professions respectives, ils se veulent ouverts à d'autres rencontres...

Le rêve de l'unité

Le couple de l'unité reste à inventer. Aujourd'hui les adolescents des deux sexes se précipitent l'un vers l'autre par attraction biologique, par consensus social, forment couple sans trop chercher à comprendre ce qui se passe. On croit à l'amour sans y croire, on se dit qu'on fera mieux que les parents, on connaît les statistiques qui disent que deux couples sur trois se séparent et refont couple avec un deuxième partenaire, parfois trois, rarement plus. Quel est le sens de ses répétitions ? Le troisième couple a-t-il plus de chance d'être réussi que le premier, ou sommes-nous dans une course aveugle et compulsive par peur de vivre seuls ?

Peut-on donner au couple un idéal qui soit en dehors de la reproduction, peut-on définir une ligne de réalisation à deux ? Nous avons vu qu'un candidat androgyne rencontre un autre candidat androgyne. Deux moitiés de soi se proposent réciproquement de s'aider à se compléter et prennent le risque ouvert d'aggraver encore leur incomplétude en s'appuyant l'un sur l'autre. Il s'agit soit de devenir une béquille l'un pour l'autre, soit de découvrir sa propre autonomie et de favoriser celle de l'autre. Deux êtres devenus autonomes auront-ils intérêt à rester ensemble ? Supposons que les deux partenaires d'un couple aient déjà réalisé à soixante pour cent leur programme d'autonomie. Qu'est-ce qui les reliera encore l'un à l'autre ? Supposons que chacun des deux se connecte de plus en plus clairement à son soi, à son enfant-soleil né de ses propres noces intérieures.

Ces deux enfants-soleils vont-ils s'ignorer ou au contraire s'engager dans une nouvelle rencontre ? Au-delà du sixième couple se profile le septième

couple, celui qui va véritablement vivre l'amour comme une passerelle naturelle et surnaturelle.

Deux âmes s'entr'aperçoivent par éclairs privilégiés, en maintenant entre elles à la fois de la distance et de l'intimité. Peut-on vivre à la fois sur terre la réalisation personnelle et continuer la rencontre ? Le couple s'inscrit ici au niveau du sens de la vie.

C'est bien de mariage spirituel qu'il s'agit, de mariage spirituel et d'engagement réciproque. C'est avec toi que s'échange la résonance, que se partage le délice d'une perception subtile. A ce stade-là il ne peut être question d'autre chose que de fidélité réciproque. Les corps et les âmes se proposent de jouer des accords subtils et sont parvenus à spiritualiser suffisamment la matière pour que le quotidien ne les englue plus dans le répétitif. Il y a là une vision de la rencontre et du couple qui se voudrait présente dans le mariage chrétien mais qui prend une forme moralisante. La nécessité d'une telle union ne peut venir que de l'intérieur, au terme d'une évolution. De la même manière qu'un jeune prêtre se trouve consacré au célibat sans avoir parcouru toutes les étapes qui pourraient l'amener à ce désir, un homme et une femme s'engagent dans le sacrement du mariage sans en vivre l'équivalent intérieur. En rétablissant cette perspective de l'évolution, on peut préserver cette dimension spirituelle d'un engagement à deux. Il interviendrait comme la consécration d'un certain parcours de vie commune et pourrait se faire en dehors de toute religion révélée.

Il semble qu'aujourd'hui bien peu d'êtres osent rêver d'un tel amour, et pourtant la pensée humaine est créatrice et inconsciemment tous les êtres aspirent à ce niveau d'échange. **Nous avons besoin d'un nouvel art d'aimer.** Nous avons besoin de redécouvrir le *hiérosgamos,* l'union sexuelle sacrée qui permet d'emmener la rencontre des sexes dans un esprit d'unité.

On peut distinguer deux sortes de *hiérosgamos*. La jonction sexe-tête se retrouve déjà dans les temples de la déesse-mère où les femmes s'unissaient à des inconnus pour célébrer la rencontre cosmique et fertile du principe masculin et du principe féminin. La jonction sexe-cœur-tête est beaucoup plus récente, elle introduit la dimension de l'amour, l'élection animique et privilégiée d'un autre être. Elle est beaucoup plus difficile à réaliser parce qu'elle suppose l'éclosion du cœur et l'abandon du sentiment de possession, d'exclusivité. Certains êtres privilégiés l'ont sans doute atteinte mais elle reste une conquête à faire sur le plan collectif.

La pensée judéo-chrétienne a considérablement agrandi la coupure originelle qui peut exister entre l'énergie sexuelle localisée dans les organes génitaux et l'énergie sexuelle qui remonte jusqu'au cerveau. La méfiance posée sur le sexe et sur la concupiscence de la chair colore encore les comportements et paralyse les attitudes inspirées et créatrices dans la rencontre.

Le jeu des rencontres

Que se passe-t-il quand une femme matricielle du premier stade rencontre un homme lunaire conscient du sixième stade ? Quand un homme lunaire inconscient du premier stade rencontre une femme solaire du sixième stade, quand un homme solaire dominant du deuxième stade rencontre une femme solaire, etc. ?

Il faut d'abord bien comprendre ce qu'est un stade. Ce n'est pas un absolu. C'est un **type moyen de comportement.** Aucun être n'est entièrement une chose ou une autre, il a toujours la possibilité d'une chose et son contraire avec toutes les nuances intermédiaires. L'évolution consiste justement à incarner un type de comportement à un moment donné de sa vie et d'en incarner un autre dans une phase ultérieure avec cette idée d'aller du plus souffrant au moins souffrant et au plus heureux. Une amélioration de l'être est en cours. La complétude, la sagesse sont au rendez-vous. On a vu déjà que ce développement n'est pas linéaire mais en spirale. Je peux très bien avoir des parties de moi qui sont au sixième stade, les incarner dans ma vie de manière harmonieuse et avoir des parties de moi qui sont restées en arrière dans le premier stade. C'est à ce moment-là que je vais rencontrer l'être qui va me permettre de révéler et d'incarner cet archaïsme pour le faire aussi évoluer. On ne peut jamais comparer deux êtres. On ne peut jamais dire qu'une personne est définitivement plus évoluée qu'une autre. Le petit caillou bien caché de celui-là sera peut-être tellement dur qu'il mettra des années à s'effriter, qu'il ne s'effritera jamais totalement, tandis que le gros caillou bien apparent de cet autre va se révéler très friable. Il s'agit toujours de transformer sa peur, sa culpabilité, sa peur de vivre, de mourir et d'aimer. **Évoluer c'est s'arrondir** dans l'instant et accepter le changement. Le plus grand espoir c'est de ressentir qu'en tout être, même le plus désespéré, le plus détruit, il subsiste un noyau intact, inaltérable, qui peut échanger, rire, sourire, ressentir, aimer. Contacter ce noyau inaltérable, c'est développer une profonde racine de confiance à l'intérieur de soi. Paradoxalement, à travers le jeu des rencontres, il s'agit toujours de devenir un bon compagnon pour soi-même.

Les rencontres pourraient se traduire en termes de creux et de bosses. A cause de mon creux je te choisis pour ta bosse et vice versa. Je vois en toi ce que je ne suis pas et je désire devenir ce que je suis déjà en germe. En somme je te choisis pour être le terreau de la petite graine que je suis, dans lequel elle va pouvoir germer, grandir et fleurir. Il arrive bien entendu que le terreau se révèle impropre à la croissance, il faut donc changer de terreau, traumatiser un peu ses racines, ce qui est toujours plus ou moins douloureux.

Les six stades combinés entre un homme et une femme donnent trente-six possibilités de couples. Ce chiffre trente-six est intéressant car il est employé dans les expressions courantes pour signifier l'inépuisable multitude. J'ai vu trente-six chandelles !

Hervé est un fils unique de mère veuve et il n'a jamais pu sortir encore du cercle matriciel. Il est donc au stade 1. Suzanne, elle, vit aussi avec sa mère mais elle a pris des caractéristiques de dominante car elle a remplacé auprès de sa mère son père décédé depuis plusieurs années. Quand Hervé et Suzanne se rencontrent, ils forment un couple du type 1 et 5 donc un couple dominé par la femme. Suzanne est pour Hervé un prolongement de la mère, de même Hervé pour Suzanne. Ils vivent ensemble et une évolution se produit. Suzanne a en fait le désir inconscient de ressembler à sa mère, de devenir une femme soumise. Elle s'arrange donc pour perdre son travail et se trouver en situation de dépendance financière par rapport à Hervé. Elle désire reprendre des études. Hervé accepte mal cette situation. D'une part Suzanne est descendue de son piédestal de femme forte, indépendante ; d'autre part, elle acquiert des connaissances qui le laissent en arrière. Se sentant menacé, Hervé fait émerger en lui un solaire encore incertain. Petit à petit la situation entre eux se renverse. Ils commencent à former un couple patriarcal, avec un homme dominant, et le conflit arrive au galop. Pour sauver leur couple, ils s'ouvrent l'un et l'autre au stade éclairé dont l'accès leur est facilité par les études de Suzanne. Celle-ci commence à entrevoir une position plus solaire, elle se redresse, apprend à gérer le conflit puis à ne plus le créer. Hervé oscille entre le premier, le deuxième, le troisième et le quatrième stade. Lui aussi fait quelques pointes à l'occasion de stages dans son homme lunaire conscient. Mais il apparaît que tant que Suzanne ne sera pas indépendante financièrement, donc à ses yeux autonome, il posera sur elle un déni et il ne pourra pas valoriser positivement cette féminité-là. La royauté matricielle de maman restera intacte. La rivalité des femmes même souterraine alimente un conflit intérieur chez Hervé et extérieur dans sa relation à ses deux femmes qui lui reprochent implicitement l'existence de l'autre. C'est une troisième femme de type résolument solaire, une Isis, qui peut aider Hervé à basculer dans une autre identité.

Un homme du stade 1 sera plus volontiers attiré au départ par une femme du stade 1 ou du stade 5, dominante inconsciente, ou dominante consciente, une mère ou une fille du père. Un homme dominant du stade 2 ou 3 sera attiré par une femme du stade 2 dominée soumise, avec des caractéristiques potentiellement révoltées. Un homme éclairé du stade 4 sera dans l'ambiguïté et cherchera une dominée sous les apparences d'une dominante, 2 et 4. Un homme dominé ne verra que les femmes actives et dominantes du stade 5 ou se tournera vers la femme solaire en 6 pour se sortir de cet affaiblissement. L'homme solaire-lunaire conscient du stade 6 peut s'intéresser aux six types de femme dans la mesure où une partie de lui-même est prisonnière dans le stade concerné.

Alain, la quarantaine, a déjà vécu un mariage, un fils, un divorce. D'une certaine manière on peut le dire évolué, il a compris beaucoup de choses et il est capable de se créer une vie à sa mesure. Majoritairement il se situe au stade 6, avec un bon rapport à sa féminité et à lui-même. Pourtant, quand il choisit une femme, certains détails attirent l'attention. Il n'aime que les femmes beaucoup plus jeunes que lui et dont il est le Pygmalion. Il se trouve en face d'elles dans la position dominante du maître qui apprend tout, qui protège, y compris financièrement. Anna, déjà dominée par sa mère et révoltée, se retrouve sous la coupe d'Alain dans la même situation. Bien entendu, le couple ne va cesser de s'affronter en zone conflictuelle. Tant que la sexualité permet de réparer les brèches des affrontements, cette situation de tension entretenue convient aux deux partenaires. D'une certaine manière Alain appelle Anna à devenir solaire, mais d'une autre manière cette autonomie lui fait peur et il fait tout pour la faire échouer dans cette entreprise. Aux prises avec une double contradiction, Anna se débat et s'épuise sur elle-même.

Anna attend un enfant. Dans un premier temps elle va revenir au stade 1 où elle va prendre le rôle de solaire inconsciente. Pour un temps, Alain redeviendra lunaire inconscient, au service de la bulle maternelle. Ces apparentes régressions sont des occasions de comprendre encore et encore. Alain a déjà fait un tour de spirale sur les six stades et il recommence à nouveau parce qu'il a laissé quelque chose en chemin. Anna est une enfant encore liée au cercle maternel et qui n'a fait que quelques pas au-dehors pour rencontrer l'homme. Elle ne sait pas qui elle est. Elle va entamer son premier tour de spirale. L'évolution d'Alain peut l'aider à bien le vivre, à moins que ce ne soit lui qui régresse.

La plupart des êtres ne sont pas du tout conscients de ce qui les attend et ce premier tour de spirale est souvent très douloureux, vécu dans l'obscurité et la contradiction. Le positionnement clair des êtres l'un par rapport à l'autre au début d'une vie commune pourrait permettre de gagner beaucoup de temps et d'éviter bien des souffrances.

Étienne est très protégé par sa mère qui l'a employé après ses études dans son entreprise et qui a toujours subvenu à ses besoins même quand il ne travaillait pas. Il a rencontré Diane qui était au contraire une fille du père très indépendante financièrement. Elle l'a associé à ses projets et ils ont vécu pendant plusieurs années une relation de coopération très créative. Étienne était financièrement au stade 1 avec sa mère et au stade 5 dans son intégration de la féminité et dans son activité créatrice. Diane était une femme du stade 5 aussi. Leur rencontre très équilibrée les a propulsés l'un et l'autre en 6, ce qui est une expérience très heureuse. Cependant tout n'est pas forcément résolu. Deux tentations guettent Étienne : soit régresser dans sa mère, soit régresser dans sa femme en devenant dépendant financièrement ou affectivement. Deux tentations guettent Diane : soit régresser en devenant dépendante financièrement d'Étienne et de sa mère, soit en devenant dominante avec Étienne. Seul un passage au stade 7 pourrait les mettre hors d'atteinte de telles fluctuations. Rappelons que le stade 7 n'est déjà plus dans le processus d'incarnation, qu'il fait partie d'un voyage de retour vers la conscience. Chaque être dans sa vieillesse est invité à ce parcours du détachement et de perceptions plus subtiles, mais il peut être aussi commencé beaucoup plus tôt comme un plaisir de la conscience. **Évoluer c'est changer de niveau de plaisir.**

SEPTIÈME STADE

Le couple éveillé

Nos enfants-soleils se regardent éblouis.

« Ton sexe est le point le plus sombre et le plus saignant de toi-même, un extrême désaccord existe entre lui et ce que tu montres de toi... C'est pourquoi il te faut écouter la voix barbare et fêlée qui vient de la profondeur de ton ventre. »

Bataille.

Le sexe sublime

Paradoxalement, c'est par le sexe que nous allons aborder le couple éveillé. Bien qu'il puisse se passer de relations sexuelles, il utilise l'énergie sexuelle et la fait éclore au niveau du cœur et de l'esprit. Saint François d'Assise et Claire, saint Jean de la Croix et sainte Thérèse d'Avila n'ont pas eu de rencontres au sens sexuel du terme, mais l'intensité de leurs échanges était érotique. Pour que cette érotique du cœur et de l'esprit puisse fonctionner, encore faut-il que la coupure du sexe ne prive pas de cette énergie de base.

« L'énergie sexuelle est la seule énergie. Si vous la condamnez, si vous la supprimez, vous commettez un crime contre l'univers, et vous ne serez jamais en mesure de connaître son ultime expression. C'est parce que vous la supprimez qu'elle devient laide et c'est ainsi que vous pouvez la condamner » (D. H. Lawrence).

Le mot sexe fait peur, encore et toujours. Il y a des milliers d'années que l'homme et la femme font l'amour, mais nous pensons peu ou mal le sexe. La pensée à l'égard du sexe est encore dans un stade archaïque. Nous travaillons beaucoup, nous nous efforçons de gagner beaucoup d'argent ou de puissance mais il nous manque un art de vivre et un art d'aimer. Nous laissons s'épuiser la sève de la vie. Nous avons peur de notre corps. Il y a un désaccord entre ce que disent le corps, le ventre, le sexe et ce que dit la tête. Notre pensée actuelle sur le sexe est gangrenée par des tabous.

Dans notre conscience collective nous sommes les héritiers d'une coupure entre la terre et le ciel, entre les forces telluriques et sexuelles et l'aspiration au divin. Cette coupure se marque notamment par le célibat des prêtres, par la méfiance à l'égard de la femme. Nous héritons collectivement d'une condamnation, d'une culpabilité posée sur les mots « sexe » et « femme ». La vie spirituelle d'un homme serait doublement menacée par l'existence du sexe et de la femme qui personnifie son désir. Dans cette optique nous pouvons parler de la concupiscence de la chair. Le corps est condamné comme la source de tous les maux, de tous les péchés, de tous les plaisirs aussi.

Cette condamnation théologique du plaisir est l'arme par excellence de l'oppression, de la domination. Elle légitime la souffrance comme étant le prix à payer pour s'arracher à l'imperfection de l'incarnation humaine, trop humaine, dirait Nietzsche. Le langage du corps ne serait pas le même que celui de la tête et il faudrait parvenir à maîtriser ce langage du corps. La tête, elle, obéirait à des idéaux moraux et religieux dont une petite caste de maîtres serait la gardienne.

Le vieux jeu dominant/dominé sévit toujours et le meilleur moyen d'asservir reste toujours de censurer le droit au plaisir. Aujourd'hui les maîtres et les censeurs se font discrets ; il faut dire que la teinture a si bien pris dans la conscience collective qu'elle se transmet et s'intériorise de génération en génération. La personne la plus redoutable, la plus aliénante pour chacun d'entre nous c'est nous. Nous nourrissons un **parent intérieur** extrêmement critique et dévalorisant, nous nous sabotons nous-mêmes. Repérer ces sabotages constitue pour chacun l'essentiel de son entreprise de déconditionnement. Combien d'êtres parviennent, en devenant ce qu'on appelle un adulte, à échapper à leur propre crucifixion, à leur propre martyre ? Nous créons nos malheurs avec une ingéniosité, un raffinement qui n'ont d'égal que notre inconscience à nous en reconnaître l'auteur. En particulier nous sommes responsables de notre sous-développement sexuel, d'une anesthésie partielle ou totale dans ce domaine.

Majoritairement le sexe reste sale et honteux malgré les très grands efforts d'ouverture, de verbalisation, d'information, malgré les livres, les émissions, les rapports scientifiques, les enquêtes, les auteurs libertins, les photos pornographiques, les spectacles troublants, etc. Le tabou est grand teint et résiste à tous les lavages. Le mal est sournois, rampant, il s'appelle souffrance, destruction, autoflagellation. Il privilégie l'effort sur le plaisir à exister. Comme si l'effort rachetait partiellement du péché d'exister. Tous ces hommes et toutes ces femmes qui vivent dans le surmenage du travail, de la consommation, mènent une course en avant où il n'y a plus de place pour s'épanouir dans le plaisir. Celui de la table reste plus accessible et prend souvent toute la place, mais le sexe s'éloigne.

Il n'y a guère qu'à l'adolescence que le feu sexuel se manifeste dans toute sa force parce que l'être n'est pas encore miné par toutes les contraintes qu'il va s'imposer. En même temps l'adolescent ne sait rien du sexe, il est pour lui comme une force élémentaire à explorer. C'est la pureté de son être qui lui permettra parfois d'en découvrir l'aspect étoilé. Ceux qui mèneront souvent le plus loin et le plus haut cette exploration de la sexualité sont des êtres de tout âge qui auront gardé en eux intacte cette aspiration adolescente, cette quête intérieure de l'être, cette chevalerie amoureuse qui conduit à toujours plus d'authenticité et d'intensité.

Car **la sexualité, pour révéler ses secrets, ses pouvoirs et ses merveilles, a besoin de s'accompagner d'un développement intérieur.** Rester vivant c'est devenir toujours de plus en plus soi-même. Nous sommes là au cœur des choses de la vraie vie. La sexualité nous confronte à notre capacité d'intimité, d'abandon, de communication et de communion, à notre amour de la vie, de l'autre et de nous-mêmes.

Elle est liée à la recherche de l'unité et à la capacité de vivre l'instant. C'est en ce sens qu'elle fait toucher le sentiment du sacré. Il ne sert à rien de dire que la sexualité est sacrée. Il faut le ressentir au moins une fois dans sa vie pour que cela ait un sens. Et, bien entendu, on ne peut le ressentir sur commande.

La passion, le besoin de l'autre, de cet autre-là s'enracinent à un désir que la raison ne peut appréhender, parce qu'il ne sert pas la logique de survie, il alimente l'être, sa folie et sa sagesse.

De l'amour de peau à l'amour d'âme, ce qui est en haut est comme ce qui est en bas. Tout est déjà là mais non révélé dans l'amour de peau.

Le désir est une chance merveilleuse. On ne respecte jamais assez le désir, on ne le savoure jamais assez et l'on a tant enseigné sa répression. Le désir est un facteur de désordre que la société s'efforce de juguler en le condamnant, en le supprimant. Si le désir accepte de se laisser engloutir dans les eaux de l'inconscient, il est rare qu'il disparaisse tout à fait. Le désir resurgit obstinément et il est la chance d'évolution d'un être. Seuls ceux qui ne meurent pas tout à fait au désir tentent d'une manière ou d'une autre de sortir de l'isolement, de l'enlisement, du mal-être, et de tout ce qui accompagne une vie vécue comme une épreuve.

La coupure est ontologique. Autrefois, selon le mythe de Platon, les êtres étaient androgynes, puis ils se sont trouvés séparés, d'un côté les hommes, d'un autre côté les femmes, et ils aspiraient terriblement à se sentir réunis, ils pleuraient, ils se laissaient mourir. On leur donna la sexualité pour qu'ils se sentent par brefs intervalles réunifiés. Le mythe a le mérite de nous dire clairement que la sexualité tend à l'**unité,** à la **fusion,** que l'être humain ne saurait vivre sans être en contact au moins de temps en temps avec une fugitive illusion d'unité, et que la sexualité lui donne l'occasion de ce contact. Comme la nuit a des points de jonction imperceptibles avec le jour, comme ces amants dont l'un existerait la nuit et l'autre le jour et auxquels il ne serait donné que quelques secondes de s'entr'apercevoir entre le jour et la nuit, l'humain limité aurait la possibilité d'écarter le voile vers l'infini par éclairs fugitifs.

Le sexe est coupure parce que désir toujours inassouvi dans son essence.

Bien sûr la pulsion-tension qui invite plus ou moins impérieusement à l'union avec un autre être trouve son expression, sa satisfaction dans l'acte sexuel seul, à deux ou à plusieurs. Le désir devient plaisir et l'être se retrouve plein ou vide selon le cas, comblé ou désenchanté. De toute façon il n'aspire qu'à recommencer, guettant, avec inquiétude souvent, l'âge où ses forces déclineront dans ce domaine. Le désir sexuel serait un tonneau percé sur le plan de l'être. Sa seule justification serait la reproduction. La chrétienté s'est alignée sur cette position. La seule noblesse du sexe c'est de servir à perpétuer l'espèce, à faire des enfants. Mais le plaisir qu'on y prend est coupable et le sexe est très dangereux parce que ce plaisir est source de perdition, de désordre. Qu'arriverait-il si nous nous mettions à répondre à tous nos désirs ? Le monde ne serait-il pas un gigantesque lupanar ?

Nous sommes aujourd'hui encore mal placés pour répondre à cette question. **Nous vivons dans une blessure collective qui a mis le sexe en situation de répression** constante et tout ce qui est réprimé resurgit violemment. Notre sexualité est pervertie parce que réprimée. Tout se passe comme si nous étions devenus collectivement des obsédés sexuels. Moins nous faisons l'amour et plus nous sommes obsédés, souvent sans le savoir, parfois sans se l'avouer.

Le sexe est partout, c'est sa manière de répondre à une énorme tentative de refoulement. Nous sommes passés d'un excès à l'autre et rares sont les personnes qui échappent à ce déséquilibre. Disons que quelques-uns commencent à rétablir pour leur compte personnel l'équilibre de la balance sans être jamais tout à fait sortis d'affaire puisqu'ils continuent d'appartenir, pour une part de leur être, à la conscience collective. Nous sommes tous dans le même bain et nous nous débattons en faisant appel à d'autres excès dans un sens ou un autre. Trop ou pas assez. Y a-t-il une troisième voie ?

Après vingt ans de libéralisme, le sexe fait peur à nouveau et le spectre du sida vient à propos nourrir toutes les condamnations et toutes les culpabilités.

Qu'est-ce qu'un bon vivant qui explore ses sens, convaincu que **les sens conduisent au sens et à l'essence ?** Il reste à définir le bon vivant. S'agit-il de gens d'excès, de folie, ou de gens qui savent écouter leur corps, user de tout avec mesure, savourer en gourmet et non pas se goinfrer ? Tous les excès ont leur source dans la répression, dans le sentiment de vide intérieur, dans la nostalgie désespérée de l'illimité, dans la croyance que le bonheur est à jamais inatteignable sur terre. Cette croyance est la plus ancrée et la plus pernicieuse qui soit dans la conscience collective. Le paradis n'est pas sur terre, la terre n'est pas un jardin où l'homme peut promener son regard émerveillé. La désespérance n'en finit pas d'alimenter tous les romantismes, tous les esthétismes, elle se revêt d'élégance, elle dramatise le sentiment de nostalgie propre à l'incarnation.

Je fais partie de ceux qui aujourd'hui affirment : **le bonheur est de ce monde,** il faut et il suffit de le créer. Réapprenons à créer, à nous servir de nos pouvoirs créateurs. Ce message était déjà celui de la déesse-mère des origines et du courant tantrique qui, depuis des millénaires, apparaît puis redisparaît pour toujours resurgir au moment propice, comme une vérité révélée depuis très longtemps à quelques initiés et qui tente de s'implanter parmi le plus grand nombre. Si le bonheur est de ce monde, c'est aussi que d'une certaine manière l'homme est parfait, que tout en lui est bon à condition qu'il se comprenne lui-même, qu'il trouve la **voie du milieu,** la **voie du tao,** qu'il rencontre la merveille d'aimer et d'être aimé.

Or le **sexe est à la source de l'amour.** Les gens ne peuvent pas s'aimer tant que le sexe reste un péché. La culture a reçu depuis quatre mille ans une semence mortelle. La racine de l'amour a été tuée par la religion. La religion a pour vocation de nous relier, mais si elle met l'opprobre sur la source de toute vie elle ne peut plus espérer relier, elle coupe. La source a été empoisonnée. Nous sommes tous encore empoisonnés. Nous sommes tous encore malades d'une sexualité retenue par des barrages artificiels de croyances et dont la puissance a enflé démesurément, se libérant par pulsions violentes et obsessionnelles. Nous n'osons même plus désirer.

Enfants, nous sommes censés n'avoir aucune sexualité. Je me souviens de mon étonnement d'enfant devant le silence des adultes sur tous ces plaisirs que je découvrais avec mon sexe et qui, je le sentais bien déjà, n'avaient pas le droit d'être dits. Les enfants qui ressentent du plaisir au contact du corps de leur mère ou de leur père sont-ils coupables ? La plupart des enfants vont enfouir ces sensations, ne pas se les avouer à eux-mêmes, ne pas avoir de mots pour les verbaliser. Ils découvrent le plaisir en même temps que l'interdit. Pour certains d'entre eux l'interdit va « prendre grand teint ». J'ai eu l'occasion de travailler avec une éternelle jeune fille de cinquante ans qui n'avait jamais connu d'homme. A trois ans elle avait été surprise par son père en train de se masturber assise tranquillement dans la salle à manger. Cet officier en uniforme s'était précipité sur la fillette et l'avait rouée de coups. Cet acte de violence l'avait marquée au fer rouge et avait permis que la notion chrétienne du sexe-péché s'implante en elle très fortement, empêchant toute rencontre avec un homme. C'est bien sûr un cas extrême et sans doute cet être avait-il dès le départ une grande sensibilité, un grand appel d'absolu pour prendre au pied de la lettre l'injonction religieuse.

La plupart d'entre nous ne se fient guère à ces commandements. La graine intérieure qui « sait », qui ne fait confiance qu'à soi-même, qui se découvre comme un être unique ne ressemblant à personne, tend à faire ses propres expériences et ses propres jugements. Mais trop souvent cette graine est écrasée sous le poids dominant des injonctions à l'obéissance. Soumets-toi car tu n'as spontanément rien de bon, tu as tout à apprendre des adultes. L'enfant, dans la plupart des cas, se soumet et ne se fait plus confiance intérieurement. Quelquefois pourtant il garde farouchement son indépendance de jugement, et il suit le courant de son plaisir à vivre, sans en parler à personne. Ce sont ces êtres-là qui développent en eux la plus grande force créatrice. La source de la sexualité, de la créativité, de l'amour est souvent empoisonnée dès l'enfance. Nous sommes tous plus ou moins des ex-enfants atteints. Si cette blessure collective se renforce d'une blessure personnelle, l'empoisonnement sera un handicap sérieux à l'épanouissement de l'être. Par exemple, une jeune femme qui a été l'objet d'attouchements de la part du compagnon de sa mère, ou d'un jeune oncle, pourra entretenir des sentiments très complexes de honte, de culpabilité, de plaisir mêlés, ce qui entachera toute sa vie sexuelle de mal-être.

Nous n'avons pas le droit de désirer nos parents et pourtant nous les désirons. Nous aimerions faire l'amour avec eux et pourtant nous ne le pouvons pas. Quand les parents apprendront-ils à comprendre, à accepter et à laisser librement s'exprimer et circuler cette sève dans des jeux de sensualité innocents ?

Plus le sexe est accepté, plus il est vécu dans l'innocence, plus l'être est libéré. Plus le sexe est réprimé, plus on devient son esclave. Seule l'acceptation de tout ce qui est naturel dans la vie permet d'atteindre les plans les plus élevés. Le sexe est le charbon qui peut un jour devenir diamant.

Tant que la peur dit « je » il n'y a pas d'abandon, les corps se rejoignent mais les êtres restent séparés. La coupure est aussi ce « je », cet ego qui refuse de se laisser aller, qui fabrique encore et encore des fantasmes de peur concernant l'autre. Le cercle vicieux se renforce. Plus l'activiste est fort dans les facettes multiples d'un être, plus le « je » veut exister, plus l'être s'éloigne de sa capacité fusionnelle. Il peut même « faire le sexe » (car il ne s'agit plus d'amour) en pensant à autre chose. La force du « je » détruit sa capacité à aimer, assèche sa source, la réduit à un filet minuscule.

La passion qui traverse, « travercielle »

La passion physique, l'**amour de peau**, peut sauver un adolescent et allumer à jamais dans sa vie un brasier qui ne s'éteindra pas. Il ne suffit pas de s'accoupler pour découvrir le plaisir. Le fonctionnement du plaisir, au sens de la jouissance, se vit aussi solitairement. Le désir, l'intensité du désir se révèle à la faveur d'une situation ou d'une rencontre. Si je regarde un film érotique, je peux sentir naître une excitation par identification aux personnages. Si je rencontre un homme qui me plaît (ou qui me déplaît), je peux être troublée soit par mon désir, soit par le sien. Le désir est une force de vie, il irradie dans tout l'être, il irrigue tout l'organisme, il est une cure de jouvence. Je dis souvent qu'il faudrait remercier la personne qui nous donne ce cadeau : éprouver du désir. Êtes-vous de ceux qui savent jouir et se réjouir d'éprouver du désir, même si pour des raisons et des déraisons qui vous concernent vous décidez de ne pas donner suite à une relation, même si l'autre ne donnera jamais suite à votre flamme ? Respecter et honorer son désir brûlant, le faire durer, le canaliser. Nous allons avoir l'occasion de comprendre en quoi chevaucher le tigre c'est chevaucher son désir sans tomber, sans se faire dévorer.

Auparavant je voudrais revenir sur l'amour de peau. « Je l'ai dans la peau. » Ceux qui ont vécu cette passion dévorante connaissent cette sensation de vie intense qui accompagne la rencontre de deux corps qui s'électrisent mutuellement. Dès le premier baiser il y a comme une évidence. Une magie s'est mise en route qui aimante l'un vers l'autre deux êtres qui ne sont pas toujours faits pour s'entendre ou que tout sépare socialement. L'histoire de Lady Chatterley transporte cette révélation-justification d'un amour de peau qui alimente un amour de cœur, puis parfois un amour d'âme. Une lady peut aimer un garde-chasse parce que avec lui tout s'anime, tout parle, la forêt, les oiseaux, les animaux, et surtout le corps. Que se passe-t-il entre un homme et une femme qui allument ensemble cette brûlure du sexe et parfois du cœur ? On en parle souvent très superficiellement, très vulgairement : « Ils ont le feu au cul. »

J'ai connu ainsi de jeunes étudiants qui, pendant la première année de leur rencontre, ont perdu quasiment tout intérêt pour ce qui n'était pas eux et l'espace de leur chambre minuscule en plein Paris, même par les jours de canicule. Ils vivaient là au sixième étage d'un vieil immeuble comme dans une île, avec juste ce qu'il fallait d'approvisionnement extérieur pour la bouche et pour l'esprit. Très peu de choses. Tout était dans la richesse des sensations, dans l'émerveillement de la vie à deux. Ils vivaient la fusion, ils étaient à l'écoute de l'instant. Une nuit, tout a basculé. En faisant l'amour ils ont eu l'impression de s'évanouir, ils ont quitté leur corps, ils ont frôlé leur âme, ils ont découvert les ruissellements de l'amour, le sens caché du sexe. Ils s'étaient consacrés à l'amour et l'amour le leur a rendu.

Je ne donne pas cette histoire comme modèle. Chaque histoire d'amour invente ses rythmes. Ces deux-là avaient trouvé quelque chose dans la pureté de leurs corps et de leurs cœurs, mais cela ne veut pas dire qu'ils avaient tout compris, ni même qu'ils trouveraient la clef pour vivre ensemble longtemps. Ils se sont quittés d'ailleurs quatre ans plus tard, après un enfant et un mariage traditionnel. Peut-être n'ont-ils pas supporté le poids collectif du mariage, le quotidien qui enlevait du romantisme à leur vie et surtout de n'être plus seulement des amants fous, de devenir des parents. Mais chacun d'eux, dans le parcours de sa vie, a gardé une trace indélébile du possible de la rencontre. La chance pour eux de ne pas mourir au plaisir, à l'amour et à la communion, a augmenté.

Dans son livre *Une passion,* Christiane Singer revit l'amour d'Héloïse et Abélard, surtout la brûlure d'Héloïse qui restera toute sa vie fidèle à cet amour de chair, qui s'alimentera en pensée de ses souvenirs, qui entretiendra la jonction entre son feu spirituel et son feu sexuel alors même qu'Abélard, qui vit la tragédie de sa castration, reniera tout son passé d'amant au profit de sa chasteté forcée de moine. Pour Héloïse il n'y a pas de séparation entre cette aventure de la chair et son aventure avec le divin. Tout est dans tout. Elle le redécouvre.

Dans *Les Vaisseaux du cœur,* Benoîte Groult met en scène une intellectuelle parisienne et un marin qui éprouvent une violente attraction physique mais que tout sépare au niveau des goûts, de la culture. Les deux adolescents ont la révélation de la plénitude, de la force des corps partagés pleinement, mais la jeune fille refuse de l'épouser. Les années passent, ils se marient chacun de leur côté, mais quand ils sont remis en présence par les circonstances, le magnétisme qui se déclenche entre eux les amène à se revoir. Leur liaison durera ainsi, à raison de quelques jours par an volés à leur quotidien respectif, avec la certitude que ce sont les moments clefs de leur vie, les moments de révélation qui les mettent en jeu en profondeur. Ils connaîtront aussi sans s'y attendre un moment d'union mystique. Seule la mort du marin interrompra ce dialogue des rencontres intermittentes.

Et voici l'histoire du poète bengali Chandidās, qui vivait au XVᵉ siècle. Il s'éprit à la folie d'une femme hors caste, d'une lavandière suscitant l'hostilité et l'indignation de son entourage. Il se rendit alors au temple et demanda à la déesse de le conseiller. En ces temps-là la déesse parlait et elle lui dit : « Tu dois aimer cette femme car aucun dieu ne t'offrira ce qu'elle peut t'offrir. »

Toute passion est l'occasion d'une initiation. Allons jusqu'au bout de nous-mêmes, allons jusqu'au bout de nos passions car elles nous tiennent un langage plus souterrain et plus intime, elles nous révèlent à nous-mêmes. On nous a toujours enseigné de nous méfier de nos passions, on les a souvent regardées sous leur aspect destructeur, mortel même, lorsque la jalousie ou la souffrance d'amour pousse à commettre sur soi ou sur les autres des actes dévastateurs. C'est vrai, la passion morbide est mauvaise conseillère. Mais la passion témoigne d'un feu, d'une force brute qui demande à être chevauchée, canalisée, et c'est à ce feu que nous devons de l'attention pour ne pas chercher à l'éteindre de manière inconsidérée, prématurée.

Le désir du divin

Il y a du divin dans le désir de peau et, parfois, le désir de peau par son intensité même débouche sur la découverte de l'amour et du divin dans l'amour. Le sexe est le premier pas vers le divin. Si l'on réprime le sexe, on empêche l'amour. L'éclosion d'une fleur exprime la passion. Nous sommes des êtres en éclosion.

Celui qui s'adonne aux plaisirs des sens et celui qui se consacre à Dieu sont frères. Il est envisageable que la première réalisation spirituelle ait été vécue pendant l'amour. Pendant l'orgasme, l'esprit se vide de toute pensée et ce vide est aussi la source de toute joie extatique, de toute félicité divine. L'être est entièrement présent dans l'instant, il ne pense pas, il n'est pas dispersé sur l'axe passé-présent-futur, il *est*. La méditation et la prière ont été inventées pour atteindre ce même état de vacuité au-delà du mental sans avoir recours à l'orgasme.

L'amour, c'est de l'extase vécue au moment où ce qui séparait deux êtres n'existe plus, ou bien encore lorsque ce qui séparait un être du reste du monde se dissout dans un sentiment d'unité. Tout se passe comme si chaque être humain était plein d'amour mais qu'il avait besoin d'espace pour se révéler. Nous entrons dans le domaine de la compréhension du paradoxe. L'amour est fusionnel mais il a besoin d'espace pour se révéler. Il a besoin de se désencombrer, d'enlever les pierres et le sable qui obstruent le jaillissement de la source. Une grande simplicité intérieure, une grande reddition. **Aimer la vie, ouvrir ses sens à l'extase de vivre est la voie vers Dieu.** Être religieux, c'est être relié à tout, c'est s'ouvrir à toutes les formes, c'est ressentir pleinement chaque chose.

Quel est l'être qui va nous permettre de sortir de nous-mêmes, de nous ravir ? Nous croyons désirer le corps de tel homme ou de telle femme, mais nous cherchons un être avec qui vivre une transcendance, un état très subtil qui nous appelle en permanence. L'être qui va le plus me polariser est souvent celui qui représente une partie de moi que je porte à l'état latent, mais non réalisé. On pourrait dire que c'est la loi des personnalités reniées mais plus encore des essences reniées. C'est ainsi qu'on peut comprendre la polarisation d'une intellectuelle raffinée et d'un marin très vital : chacun détient une parcelle de l'autre. L'évolution en nous est très intelligente. C'est d'une pulsion quasi aveugle, instinctive, de l'attrait des contraires que naissent l'amour pour l'autre et le sentiment de complétude personnel. L'éblouissement qui surgit dans l'acte sexuel est pourtant d'un autre ordre que l'acte sexuel lui-même.

Ainsi nous partons du désir le plus fort pour nous diriger vers l'Éveil. La dynamique du désir a inspiré une culture qui explore les formes prises par une sensualité ardente. Le Kāma-sutrā enseigne aux jeunes filles indiennes l'art d'une tradition érotique. Cette sensualité est susceptible d'être reliée directement à la spiritualité, à l'extase ou à l'en-stase. Le corps retrouve toute sa noblesse. Le corps est un temple ; la sagesse enclose dans le corps conduit à l'omniscience. Dans la très antique science des *tantras*, une science qui puiserait ses racines dans le culte de la déesse-mère des origines, l'art de la respiration, de la circulation de l'énergie subtile et le sexe sont les seules voies ouvertes à l'homme de notre temps, de cet âge sombre du *kali-yuga*. En ce qui me concerne je n'affirmerai rien de définitif à ce sujet. J'ai retrouvé dans ma propre recherche des éléments de compréhension qui me rapprochent des *tantras* mais il est possible que d'autres voies existent.

Chevaucher le tigre

Accueillir la puissance du désir, sa force comparable à un tigre et la maîtriser en la chevauchant l'œil lucide : cette image est à intégrer au quotidien pour qui s'engage dans cette voie de liberté et de libération. Le couple tantrique utilise le feu de la passion et ne le subit pas, l'être s'en trouve nourri, enrichi, il n'y a plus de séparation entre le corps et l'esprit, entre l'homme et la femme. Il y a union de deux énergies de plus en plus subtiles.

Formuler cet objectif, l'entendre, le rêver c'est déjà ouvrir sa conscience à une autre dimension de l'existence, une dimension énergétique, psychophysique, qui est du domaine des sensations. L'être humain peut se comprendre à partir de son horizontale et de sa verticale. C'est une croix, mais une croix différente de la croix chrétienne, une croix d'extase et non de crucifixion. Nous avons deux directions d'expansion de conscience : l'une qui va de la terre vers le ciel, l'autre qui s'élargit toujours davantage à partir du cœur. Tout se passe comme si nous étions amenés à découvrir-créer que nous avons des centres d'énergie superposés, empilés à la verticale et qui correspondent aussi à des niveaux de conscience. Nous pouvons nous déplacer de centre d'énergie en centre d'énergie comme si nous étions dans un ascenseur et que nous nous arrêtions successivement à chaque étage pour faire une visite des lieux. Cette visite demande de l'attention, et une respiration consciente. **La respiration consciente est le grand**

outil du maniement de l'énergie. La respiration consciente agit comme un soufflet de forge, active puissamment le feu du sexe et le fait monter d'étage en étage. Tout se passe comme si le phénomène de montée énergétique qui peut se produire spontanément dans une étreinte amoureuse devenait reproductible par la volonté et le souffle dans la méditation. L'expérience de ces niveaux d'énergie vient progressivement par l'exercice et elle procure à l'être la sensation d'être relié.

La respiration est un pont vers l'univers. Elle permet de revenir au présent alors que le mental est tourné vers l'avenir ou vers le passé et fabrique toujours de nouveaux désirs. Le privilège de l'âge pourrait être d'être moins tourné vers l'avenir, de nourrir moins de projets, moins de désirs et de se poser juste là dans ce qui est ; malheureusement beaucoup de personnes âgées ratiocinent sur le passé. **Comment être dans l'ici et maintenant ?** En prenant conscience de la respiration. Ce ne sont pas les techniques qui sont importantes, c'est la respiration.

« Radieuse, la révélation peut se produire en une respiration. Après l'inspiration (quand l'air pénètre) et juste après l'expir (quand l'air sort) ressens la félicité. » Prendre conscience de ce qui se passe entre ces deux instants. Entrer et sortir. Entrer avec l'inspiration et sortir avec l'expiration. Cette technique unique est au cœur de la prise de conscience. Même s'il y a cent douze techniques dans le *Vigyana bhairava tantra,* celle-là suffit. *Vigyana* signifie la conscience ordinaire, *bhairava* désigne l'expansion de conscience et *tantra* est le lien, la voie par laquelle on peut aller de l'une à l'autre. Ces cent douze techniques représentent une danse de l'amour, la rencontre du principe masculin et du principe féminin. Ce n'est pas la voie du guerrier, c'est une voie d'ouverture, de disponibilité. De la même manière on peut vivre l'amour comme un combat ou comme une éclosion. Je vous invite à vivre l'amour comme une éclosion dans la respiration et dans l'éclosion en vous laissant aller profondément aux sensations.

Derrière cette recherche, cette découverte, il n'y a rien de moins que l'expérience ultime de la vie. Comment être dans l'attention de la conscience et en même temps dans la disponibilité ? Comment être à la fois son masculin et son féminin, comme deux joueurs se renvoyant la balle jusqu'à l'instant où les joueurs deviennent la balle ? Dans l'amour, mon énergie va consciemment à la rencontre de ton énergie, je t'excite et tu m'excites, je reçois ton excitation et ton désir de m'exciter, je suis en contact avec un redoublement de mon excitation, donner et recevoir... Le *tantra* est une alchimie dans laquelle une transmutation doit s'opérer.

Le désir du divin prend forme par la conscience qu'on peut s'approcher de l'amour et du sexe avec un état d'esprit plus sacré, plus religieux. Derrière la quête du sexe se joue la grande aventure de la conscience, la recherche de l'unité. C'est à chaque fois une sorte de pèlerinage, une tentative pour progresser. La plupart des pèlerins restent dans la vallée, même si certains parviennent au sommet, ils ne peuvent y rester, ils descendent, ils veulent rejoindre les autres. Les sommets sont trop vertigineusement solitaires. Mais en même temps nous voulons toujours retrouver un peu de l'air des sommets et sans lui nous nous asphyxions. Quand nous aimons quelqu'un, nous entrons en contact avec un aspect lumineux de cet être et parfois nous doutons : est-ce que tu existes vraiment? Le monde paraît rempli de merveilles. Notre enfant intérieur s'ouvre et s'abandonne, les mots de tendresse surgissent. Nous sommes en contact avec notre délice intérieur.

Soyons conscients de l'intensité de nos désirs, ne les combattons pas, soyons conscients, dedans et en même temps dehors. Entrer dans la bulle du désir et rester à l'extérieur. Tout le secret est là. Comprendre sa sexualité c'est d'abord l'accepter, l'explorer les yeux grands ouverts, lui permettre de fructifier, d'être la graine d'une fleur et d'un fruit. L'acte sexuel est aussi une prière et une méditation.

Soyons disponibles, ouverts, comme une vallée accueillante et non comme une cime qui veut dominer, remplissons-nous de cette félicité à exister en même temps que nous respirons, accumulons des réserves de félicité. Accédons à la grâce, celle qui fait que nous ne sommes plus tout à fait de cette terre, que nous abordons la vie au-dessus des conflits et des tensions. Se rendre disponible à la grâce. Chacun de nous sait ce qu'est la grâce, certains l'incarnent, d'autres non et nous sommes reconnaissants souvent à ceux qui nous rappellent que cet état existe, qu'il peut être adopté comme une permanence. Dès que quelqu'un commence à entrer dans la grâce, il se sent différent, plus léger, rien ne lui semble plus pareil.

Respirons consciemment jusqu'au fond du ventre,

jusqu'à notre centre. « Au moment où l'air va être expiré, prends conscience, et au moment où l'air va être inspiré, prends conscience. » Rentre et sors avec cet air.

Centrons-nous avec la respiration. C'est une façon d'être rassemblé, total, ici et maintenant, une façon aussi de se laisser aller, de s'abandonner sans peur à la respiration. Quand la respiration est profonde, le centre sexuel est « énergétisé ». Plus la civilisation et la pensée se sont développées, plus les gens se sont mis à respirer haut, au minimum, et plus on a développé de défiance à l'égard du sexe. On dit aux enfants : ne touche pas ton sexe, c'est vilain , c'est honteux, c'est sale. **La respiration s'effectue du haut vers le bas et l'énergie sexuelle va du bas vers le haut, leur conjonction crée une énergie démultipliée.** « Quand l'air est complètement expiré et que la respiration s'arrête, pendant cette pause universelle le moi s'évanouit. »

Un arrêt sur l'inspir, poumons pleins, permet de ressentir toute la félicité de l'état de complétude, un arrêt poumons vides permet de ressentir toute la félicité de l'état de vacuité. L'état divin n'est pas une acquisition qui vient de l'extérieur, il est déjà là, il a seulement besoin d'être révélé. C'est un trésor caché, enveloppé de sa gangue, qui demande un peu d'effort pour resplendir. « Un effort sans effort », comme dit le Zen.

Dans le haut du crâne se trouve la glande pinéale qu'on appelle aussi glande de l'illumination — enfant-soleil — et le fait de respirer sur ce centre d'énergie ouvre la vision intérieure. Dans ses cours

Henri Laborit attirait l'attention sur cette glande et faisait remarquer que dès le moindre rayon de soleil les étudiants exposaient leur visage au soleil instinctivement et sans savoir qu'ils activaient ainsi leur glande pinéale et par là même leur énergie sexuelle. L'observation du biologiste rejoint l'observation mystique, à savoir que la sexualité a partie liée avec l'illumination.

Le point entre les sourcils aussi demande de l'attention, c'est le fameux « troisième œil ». **Il faut fermer les yeux et diriger son regard intérieur entre les sourcils.** L'observateur neutre se développe par cette concentration au milieu des sourcils. La respiration subtile du *prana* devient sensible. Les coïncidences sont provoquées par le troisième œil. L'imagination est très « opérative » quand le point entre les sourcils est activé. Dès qu'on commence à l'imaginer, le bienfait de l'air, le *prana*, peut remplir la tête et se déverser comme une pluie de lumière qui vous régénère. C'est par le troisième œil que les rêves deviennent réalité. A un moment de ma vie je me suis aperçue que mon pouvoir créateur se développait. J'imaginais une chose et elle devenait possible souvent très rapidement. J'observais le processus avec émerveillement et je savais que j'étais autorisée à éveiller d'autres personnes à ces possibilités. C'était véritablement devenir le conducteur de sa vie et non plus un passager ballotté. La pensée positive a été ainsi adoptée par des milliers de gens parce que le pouvoir de l'imagination est très grand, pour peu que la glande pinéale soit activée chez ces personnes.

Nous avons évoqué déjà des éléments essentiels de

l'éveil d'un être : la **respiration consciente, l'attention, l'imagination, l'éveil de l'enfant-soleil, le centrage.**

Nous pouvons aussi aborder l'**absorption consciente des cinq sens au centre du cœur,** la voie du bien-aimé ou de la bien-aimée. Un amour qui vient du cœur acquiert la qualité d'une prière, d'une dévotion, et l'amour du bien-aimé devient la porte de son propre centre. Mais il faut vivre sans sa tête, d'ailleurs l'amoureux a perdu la tête.

La **voie du milieu,** le fait de reconnaître à chaque instant une chose et son contraire, constitue une voie d'éveil et de bonheur. L'amour ordinaire fait souvent naître avec la même intensité son contraire, la haine. On peut observer en soi ces mouvements d'énergie passionnelle. On peut vivre une autre qualité d'amour qui laisse centré sur soi et sur la félicité qu'il y a à aimer.

Pour les bouddhistes il existe neuf centres d'énergie dans le corps, pour les hindous sept, pour les Thibétains treize. N'importe quel endroit du corps peut servir de centre. Le sexe, de manière biologique, est le meilleur centre, notre conscience coule naturellement vers lui. **En faisant du sexe l'objet de sa méditation on peut ressentir la vie dans sa plénitude.** On pourrait dire que le tantrisme a choisi le centre sexuel comme centre de la transformation de l'homme. Comment utiliser consciemment l'énergie sexuelle pour rester dans la voie du milieu, pour vivre dans le pétillement de l'instant ? Le muscle qui relie l'anus et le sexe est un muscle très intéressant à cet égard. En le contractant, en prenant l'habitude de le contracter plusieurs fois par jour, on peut sentir une énergie remonter le long de la colonne vertébrale et arriver au sommet du crâne. Ce ressourcement énergétique très subtil est accessible assez rapidement à toute personne qui pratique une écoute fine de son corps. Nous abordons là une compréhension tout à fait particulière du corps et de son fonctionnement. Tout se passe comme si nous pouvions vivre à plusieurs niveaux de conscience notre corps physique. Certains n'habitent pas leur corps, se contentent d'enregistrer des sensations basiques, de faim, de chaud, de froid, d'excitation sexuelle, etc. D'autres ont intériorisé leur schéma corporel et maintiennent une sorte d'équilibre conscient de santé. Ils accordent de l'attention et en général des soins à leur corps. Cette attitude peut même devenir obsessionnelle. D'autres encore ont commencé d'intérioriser le rôle de la respiration en relation avec le système nerveux et ils vont inscrire leur comportement dans une détente progressive. D'autres encore sont en contact avec la verticalité des centres sexe, cœur, tête, et se servent de la respiration pour passer d'un plan à l'autre. La respiration peut également permettre de s'« expanser » à l'horizontale. Ces états, qu'on les atteigne par la verticale ou l'horizontale, sont destinés à nous permettre de prendre du recul, d'accumuler une sorte de trésor qui est gardé en réserve, qui permet de conduire sa vie de la manière souhaitée, de ne pas s'enliser dans la souffrance et dans le drame, d'apprendre à surfer sur l'instant. Il y a une sorte d'apprentissage biologique à faire ou à refaire dans ce domaine, comme si nos cellules avaient besoin de réapprendre l'expansion du bonheur à vivre. L'étau serré de l'effort, de l'esclavage, reste présent de toutes parts et il n'est pas si simple d'accepter d'être heureux dans ce contexte. Nous nous sentons coupables de vivre, coupables de jouir, la souffrance nous rachète constamment et nous lui cédons pour apaiser cette mâchoire d'insatisfaction. Le centrage peut nous aider à nous libérer peu à peu et de plus en plus. Après les cinquante pour cent, la machine tourne dans le bon sens.

L'une des façons de se centrer est de méditer. Au début d'un travail de méditation, l'énergie sexuelle peut s'accumuler. Il n'y a pas à lutter. Simplement il s'agit de rester attentif et de préserver cette énergie, de l'aimer, d'aimer la ressentir chaude et vivante dans votre corps. Quand cette énergie trouve son canal et remonte dans le corps, on devient très attirant parce que la force magnétique se développe. Des vibrations subtiles se produisent par le corps éthérique. L'énergie sexuelle montante est très attractive sans que les personnes de l'entourage soient vraiment conscientes de ce qui se passe. L'augmentation de la force sexuelle provoque l'ouverture du canal. Si cette énergie n'est pas dilapidée, n'est pas utilisée dans l'acte sexuel pour être dispersée, elle va devenir source de bien-être et même de béatitude. Il ne s'agit pas de ne plus pratiquer l'acte sexuel, il s'agit de le pratiquer en conservant et même en augmentant son énergie. On pourrait dire qu'on résiste à l'attrait d'une décharge, d'un soulagement paroxystique, qu'on observe ce désir plus qu'on ne lui résiste et on permet ainsi à l'énergie de se déplacer vers le haut.

Après l'amour beaucoup de gens se sentent vides. Quand on garde l'énergie, quand on lui permet de se déplacer vers le haut, la vie semble plus riche. L'être se sent habité.

Le temps est venu de vivre notre corps et notre sexualité sur le mode de la pureté, de l'acceptation, de la transmutation. *Tantra* signifie « lien ». Le *tantra* répare la coupure, transforme le serpent de la Genèse, le serpent du péché, en serpent de l'union cosmique. Le Tao met l'accent sur les vertus thérapeutiques de l'art d'aimer. La santé physique et la réalisation spirituelle ont une seule et même source. L'amour sacré et l'amour profane ne sont pas séparés.

Ainsi l'homme va apprendre à faire une distinction entre éjaculation et orgasme. Le contrôle de l'éjaculation s'acquiert par l'exercice, par la conjonction de la contraction volontaire et de la décontraction tout aussi volontaire. L'essence du *tantra* est aussi dans cette union des opposés : **contraction** et **décontraction.** Les corps peuvent se rencontrer et se relaxer l'un dans l'autre, **le sexe n'est plus basé sur l'intensité de l'excitation mais sur le fait de se détendre profondément,** de voguer ensemble dans un lâcher-prise très profond qui ressource l'être, dans un abandon océanique. Le plaisir, au lieu d'être localisé, gagne toutes les parties du corps, en une succession de vagues de plaisir qui peuvent se prolonger longtemps. On vit alors un état de conscience modifié ; pendant que l'énergie des corps se mélange et fusionne, on atteint une expérience d'intimité profonde. L'orgasme au niveau du cerveau fait fusionner les deux cerveaux, créant ainsi cette expérience extatique.

Le *tantra* est un état d'esprit qui commence avec la manière dont on va aimer l'existence, son corps et soi-même tout entier. Apprendre à s'apprécier, à s'honorer, c'est aussi prendre conscience de ses propres capacités au plaisir, de la manière dont on est capable de se procurer des plaisirs — et pas seulement ceux du sexe — et dont on est capable de recevoir ceux qui sont offerts. Il est important de comprendre que si l'autre est le médiateur, le catalyseur, chacun est pourtant responsable de son plaisir. Pour jouer de la musique avec un instrument, encore faut-il être capable de prendre soin de cet instrument, d'apprendre ses résonances, de le respecter. Il y a toute une ouverture de la sensualité à cultiver. C'est en ce sens que je comprends la phrase « cultiver son jardin », prendre contact avec la terre, la nature, la sève, la diversité des feuillages, le goût de l'air, cultiver son attention et sa sensibilité. Apprendre aussi à prendre soin de son corps, à prendre un bain avec volupté, à masser et caresser son partenaire, à danser ensemble, à se regarder dans les yeux, à augmenter la confiance et l'intimité.

J'ai la conviction que chacun renferme la possibilité de vivre la plénitude d'une vie amoureuse, d'être révélé à soi-même. Dans le tantrisme la femme retrouve toute sa royauté, la femme est une *surya,* un soleil mis au féminin. La femme fascinante et magicienne est de descendance solaire. De la même façon le poète D'Annunzio dit qu'en présence de la femme aimée il ressent un éther enflammé, une aura vibrante. Expérience que Shelley évoque ainsi : « Au-delà des sens l'âme rejoint un parfum sauvage et pénétrant comme une rosée ardente qui se dissout dans le sein d'un bourgeon gelé. »

La quête du bien-aimé de l'âme

Quelle est cette quête intérieure qui fait de chacun de nous des chevaliers du Graal tout au long d'une vie ? Le chercheur de vérité est-il une exception ou sommes-nous tous des chercheurs de vérité ? Sommes-nous tous des exilés de l'amour et de l'unité ? Que pouvons-nous espérer accomplir au cours d'une vie ? Qu'est-ce que se réaliser ? Qu'est-ce que l'amour ? S'agit-il de parvenir à aimer au moins ne serait-ce qu'un seul être ou d'aimer tous les êtres ? Quelle est la voie ?

Notre aventure d'amour avec le représentant de l'autre sexe est aussi l'occasion pour chacun d'entre nous de se compléter, d'avancer vers son androgynat intérieur. Nous avons peur d'ouvrir notre cœur, de nous donner à la perfection de l'instant. Conditionnés à vivre en esclave, nous courons écartelés entre le passé et le futur, toujours en train de payer une dette, celle du droit de vivre.

Nous sommes coupables, nous sommes nés coupables et, pour nous racheter, nous censurons notre plaisir. Nous ne pouvons être reconnus des autres qu'en nous sacrifiant sur l'autel de la renommée, de la réussite, de l'argent, de l'aide aux autres dans le labeur et la souffrance.

Quelle est cette richesse, quelle est cette musique qui est en nous et que nous fuyons, persuadés que le bruit des autres est plus fécond, plus porteur de sens ?

Dans une époque de fureur, je voudrais proposer de se mettre à l'écoute de ce son si ténu qui est en chacun de nous, que nous entendons depuis la plus petite enfance et qui nous parle de notre **essence,** de ce qui fait de nous un être unique. A nous-mêmes nous sommes mystérieux et ce mystère vécu au cœur de l'être alimente toute notre quête.

L'âme se révèle et se développe par une blessure sacrée, par une faille. Ne dit-on pas que l'amoureux a reçu une flèche d'Éros ? D'anciennes formes vont se modifier et laisser place à de nouvelles formes. La blessure devient sacrée au moment où un lâcher-prise permet de passer d'une histoire ancienne à une histoire nouvelle. La blessure peut nous faire tourner en rond dans la « manie », la destruction, ou au contraire nous propulser dans le dieu en nous. Il y a une souffrance dans cette blessure mais aussi une exacerbation des perceptions. Nos sens sont plus aiguisés, plus vastes, nous sommes plus vulnérables et plus sensibles. Nos yeux, nos oreilles, nos goûts, notre odorat, notre toucher sont différents. Si nous prenons peur de cette intensité nouvelle, du désordre qu'il risque d'introduire dans notre vie, nous tournons le dos à la porte de l'âme.

La blessure sacrée de l'amour permet au mortel d'atteindre à sa divinité.

L'amour parental et l'amour romantique sont des formes qui préparent l'être à écouter de plus en plus cette résonance de l'amour divin. Car nous portons en nous une faim que rien ne peut apaiser, aucune nourriture ni aucune situation, une faim mystique, une faim cosmique partagée avec les étoiles et tout l'univers. Il y a en nous une nostalgie, nostalgie d'une unité perdue, d'un état de fusion, d'amour, d'appartenance, une patrie perdue déjà connue, un sentiment d'essence déjà incarné. Quelque part est ma véritable demeure, quelque part au-delà de l'arc-en-ciel et des étoiles je comprendrai ce que je suis vraiment et à qui j'appartiens, quelque part mon véritable amour m'attend. Parfois je me souviens de t'avoir vu mais je ne sais ni où ni quand. Ce désir ardent est un désir aussi du transcendant, du vaste, et il est parfois retrouvé plus pleinement dans des états modifiés de conscience, notamment dans des régressions. Ce désir relève de la composante spirituelle de l'amour ou de la composante érotique de l'esprit.

L'âme blessée de la nostalgie du divin entre dans le désir conscient du bien-aimé. Tous les êtres sont touchés par cette dimension, mais souvent de manière inconsciente. L'être humain est un voyageur qui poursuit inlassablement sa route pour se rapprocher de ce qui ne peut lui être donné dans l'espace-temps ordinaire. Chaque fois que nous sommes pris par un désir de voyage, d'aventure, de nostalgie d'autre chose, de rencontre, c'est ce désir du divin qui entre en jeu même de manière sporadique, éphémère, et nous appelle à l'évolution. Il plonge ses racines dans le souvenir d'une union, d'une fusion ou d'une perfection, qui ne se trouve dans aucune relation humaine. L'amour terrestre apparaît comme un reflet, une traduction imparfaite de ce souvenir mais il a aussi sa propre force de transformation.

La nostalgie du divin nous conduit à réaliser en nous l'androgyne à travers une relation de couple. La relation s'en trouve approfondie, puissamment enrichie et renouvelée. La quête de l'union naît de ce sentiment d'incomplétude et se traduit par un besoin de l'autre qui va m'aider à me découvrir et à me reconstituer.

De qui suis-je le partenaire ? Qui est celui, celle qui soupire après moi, qui m'appelle, qui est seul(e), celui, celle qui me révélera à moi-même ? Quel est ce bien-aimé, quelle est cette bien-aimée dont je tente sans cesse de me ressouvenir ?

La nostalgie du divin m'amène à relier entre eux les mondes de l'existence et de l'essence, du moi ordinaire soumis à l'espace-temps et du moi élargi qui demeure dans l'éternel, dans le royaume des archétypes. Certains êtres ressentent plus que d'autres cette faim ardente d'un ailleurs et ils s'intègrent plus difficilement dans la société, ils accumulent plus que d'autres les aventures amoureuses et les déceptions, ils sont instables aussi dans leur profession, ils se retrouvent dans les sectes, ou deviennent parfois des artistes. Leur parcours de conscience s'en trouve souvent accéléré. Ils accélèrent aussi la transformation de la conscience collective.

Les différents héros de notre enfance jouent pour nous le rôle de modèles et peuvent parfois nous conduire à des identifications. Cette même fonction d'identification est à l'œuvre quand plus tard Bouddha, ou Jésus, ou Krishna deviennent des pôles de référence. Quels sont les êtres qui dans votre vie ont été ainsi des modèles ou des supports d'exaltation ? Ils sont peu nombreux mais ils nous ont permis de cristalliser nos aspirations, de mieux ressentir qui nous sommes et ce que nous aspirons à réaliser. **Psyché et Éros sont interdépendants. L'âme est le réceptacle de la passion amoureuse et la passion amoureuse fait grandir l'âme.**

La complicité entre âme et amour se joue dans la paix et dans la douleur, dans la sagesse et l'esclavage. Éros est né de Pénia la pauvreté, le manque, et de Poros, l'expédient, la ruse. Éros en ce sens est le chemin du manque, le chemin de la blessure, du rejet, de la pauvreté. En ce sens encore il est **créateur.** Éros a deux faces, l'une maniaque et destructrice, l'autre sublime. La relation amoureuse est basée d'une part sur la satisfaction narcissique, d'autre part sur l'idéalisation. L'amour procure le sentiment océanique du narcissisme comblé, mais il est bordé d'inquiétudes et rien n'est plus blessant qu'une rupture amoureuse.

L'amour des amoureux, celui que nous avons tous connu, mélange d'éveil sensuel, de désir sexuel et de sentiments d'exaltation pour l'autre, transporte autant d'intensité que d'éphémère, autant de réalisation que d'illusion. Cet amour sublime des débuts d'une rencontre mobilise les ressources d'idéalisation d'un être, mais il est une **sainte folie.** Il s'immobilise quelques instants dans une grande lumière solaire mais il ne tient pas compte de la ténèbre qui l'accompagne.

Que faire du déferlement de haine qui accompagne l'amour ? Le moi narcissique s'affole d'être dépossédé et déstabilisé par la fascination de l'autre, par le désir de se mettre au service de son plaisir, à l'écoute de son chant. Le moi se sent menacé et la haine pour l'autre grandit en même temps que l'amour.

Le développement de la conscience, de la maîtrise par la connaissance, de l'éclosion de l'être par l'ouverture, peut pourtant donner accès à une autre vision de l'amour. A l'amour vécu comme une fatalité, une intrusion violente et désordonnée dans une vie, s'adjoint et succède une vision plus construite, plus volontaire, plus lucide, une exploration déterminée des douceurs et des violences de la capacité à aimer. C'est un véritable apprentissage, une connexion entre l'amour et la sagesse. Entre un amour délirant et destructeur, réservé à l'instant, et une sagesse plate dénuée de feu sexuel et de passion amoureuse, n'y a-t-il pas place pour une troisième voie plus tempérée, plus délibérément heureuse ?

L'un des plus beaux chants que nous ayons sur le couple, le Cantique des cantiques, qui daterait environ quatre siècles avant-J.-C., nous montre pour la première fois un homme et une femme s'exprimant sur leur passion réciproque, explorant les délices du désir et de l'attente.

L'un et l'autre sont des amoureux aimés, l'un et l'autre sont souverains dans cet amour dont ils acceptent les délices ambiguës colorées de la souffrance de l'absence de l'aimé. C'est bien d'une maladie d'amour qu'il s'agit, d'une sainte folie.

« Soutenez-moi avec des gâteaux, réconfortez-moi avec des pommes, car je suis malade d'amour, sa main gauche est sous ma tête et sa droite m'enlace. » La femme dit son amour, divisée, malade et cependant limpide, intense, souffrante et droite. « L'amour est fort comme la mort, la passion est violente comme l'enfer, ses étincelles sont des étincelles de feu, une flamme divine. » Ce dialogue amoureux est fait d'ouverture, d'espoir, d'absorption de soi, d'identification à l'autre. L'aspiration amoureuse unifie et totalise malgré le côté toujours insaisissable d'un amour en attente.

« Sur ma couche durant la nuit j'ai cherché l'aimé de mon âme, je l'ai cherché et ne l'ai point trouvé. » Dans le Cantique des cantiques la sensualité maintient un niveau d'idéal mais elle est toujours recherchée et d'une certaine manière jamais atteinte.

Dans la quête du bien-aimé deux histoires d'amour parallèles et complémentaires se jouent, l'amour de soi et l'amour de l'autre, et parfois l'une tente d'exclure l'autre. La revendication narcissique inspire tout un courant poétique et religieux. Le personnage de Narcisse apparaît pour la première fois chez Ovide dans le troisième chapitre des *Métamorphoses*. Le beau Narcisse, né de l'union d'un fleuve et d'une nymphe, s'éprend de son image pendant qu'il boit penché sur l'eau. C'est ainsi qu'il s'éprend d'un reflet sans consistance et qu'il prend pour un corps ce qui n'est qu'une ombre. Il incarne le vertige de l'amour sans objet, du mirage, de l'illusion. Narcisse va périr de noyade à force d'être attiré par son image dans l'eau. Il y a une sorte d'outrance, de démence dans le narcissisme, mais cette fin tragique n'empêche pas la revendication narcissique d'apporter un nouvel espace d'intériorité.

S'aimer soi-même, c'est s'attacher à découvrir l'essence qui est déposée en soi. L'âme se constitue en s'aimant dans l'idéal. Dans cette perspective l'autre n'est que le détour par lequel cet idéal trouve à s'exprimer. C'est par le repli sur soi, par l'ascèse du méditant, par le seul contact intérieur que le religieux, l'ermite, le mystique cherche le contact avec Dieu. Certains poètes reprendront cette même revendication : « Je ne suis curieux que de ma propre essence [...] toute autre n'est qu'absence » et « J'aime ce que je suis, je suis celui qui aime », dira Paul Valéry.

Y a-t-il une opposition entre la recherche de soi et la recherche de l'autre ? Dans la satisfaction érotique des désirs il y a comme une mort du narcissisme. **Le besoin de l'autre, l'amour pour l'autre, confisque le narcissisme.**

Le bien-aimé de l'âme est-il extérieur ou intérieur ? Le développement, la rencontre avec la dimension de l'amour se fait-elle mieux par le mouvement de l'introspection (la nature de l'être est amour, je suis amour) ou par la médiation de l'élan vers l'autre, par le déclenchement que crée l'autre et qui me révèle le mystère que je suis à moi-même ?

Je nais seul, je meurs seul et d'une autre manière, je ne fais qu'un avec tout ce qui vit. Au fur et à mesure que se développe cette conscience de ne pas être identifié seulement à mon corps et de participer à toutes les formes de la vie, je comprends aussi l'existence d'une troisième voie, ni extérieure ni intérieure, qui me donne accès à l'amour universel : **je suis amour.**

Je participe à la source de l'amour. Cette découverte s'accompagne d'une grande sensation de chaleur intérieure et de sécurité affective. Elle ne peut pas être vécue intellectuellement, elle s'approfondit dans l'expérience. Elle permet à l'être de créer du rayonnement et de la chaleur en toute circonstance, dans la mesure où il se souvient qu'il est la source. La sagesse ce n'est pas ailleurs, pour d'autres, les prêtres, les bonzes, les lamas, les ermites. La sagesse c'est en chacun, ici et maintenant. La plénitude c'est à chaque instant. La perfection aussi. Je suis parfait, tu es parfait. Le bonheur ce n'est pas demain. C'est tout de suite, ici et maintenant. La colonne vertébrale de la sagesse est simple. Je suis comme je décide d'être. Je suis à moi-même mon propre soleil.

Le mythe de Psyché et Éros

Cette belle histoire qui se trouve dans *L'Ane d'or* d'Apulée nous propose de comprendre comment l'âme va pouvoir être fécondée et révélée par l'amour, comment cette âme doit traverser des épreuves et grandir avant que le *hiérosgamos,* le mariage sacré, puisse avoir lieu. Ce conte est le symbole de l'accomplissement des noces intérieures et extérieures qui tendent à s'incarner, l'archétype du mariage divin.

Psyché est une enfant très belle, fille d'un roi et d'une reine, elle semble née de la rosée du ciel, comme si par elle le ciel était descendu dans l'âme humaine pour lui faire don de la beauté et de la bonté. La réputation de Psyché devient si grande qu'on vient de partout en Grèce pour l'admirer et que l'on murmure même qu'elle serait plus belle qu'Aphrodite. Ces propos arrivent jusqu'à Aphrodite qui en est outragée et qui entend bien ne pas se laisser surpasser par une simple mortelle. Vénus, c'est la déesse-mère toute-puissante qui refuse de se laisser détrôner par sa fille ou sa belle-fille et qui maintient son fils sous sa tutelle. Aphrodite mande son fils-amant Éros pour qu'il la venge de cet affront. Elle l'embrasse longuement, lèvres ouvertes, ardemment, et il ne peut lui refuser cette faveur, lui qui bénéficie de toute sa tendresse. Elle lui demande de décocher une flèche d'amour à Psyché afin qu'elle se consume de passion pour le plus vil des hommes, celui qui lui provoquera d'inlassables souffrances.

De son côté Psyché découvre qu'aucun homme n'ose véritablement l'approcher. Sa perfection les effraie tous, elle est de plus en plus solitaire et elle déteste « ce charme qui ravit tant de nations ». Désespéré, son père s'adresse à l'oracle d'Apollon. L'oracle renvoie un message terrible : Psyché doit épouser la mort. Toute la famille est dans l'affliction. Psyché est habillée de vêtements mortuaires et conduite sur un pic escarpé pour accomplir son destin. Le mythe nous montre ici que parfois l'excès en quelque chose, même dans le sens de la perfection, se paie de la solitude et de la mort. Vous sentez-vous trop vaste pour un monde trop étroit ? Chacun à sa manière peut faire l'expérience de ce sentiment de trop — trop de sensibilité, trop d'intelligence, trop de talent, trop pour s'adapter à ce monde dit réel. Ces êtres choisissent alors le rétrécissement, la destruction, sacrifient en eux ce trop et parfois sacrifient aussi les « trop » autour d'eux, enfants, associés.

Le sacrifice de Psyché est aussi le mariage de l'ombre et de la lumière, un *hiérosgamos*. Il correspond à la blessure sacrée, au sacrifice de la jeune fille au monstre, au sacrifice de l'innocence au désir de l'homme. C'est un rite initiatique de passage entre l'adolescente et la femme.

Éros se rend sur les lieux funéraires, mais à la vue de Psyché il est tellement bouleversé qu'il se blesse par mégarde avec l'une de ses flèches et devient amoureux fou de Psyché. Au lieu de tomber de la falaise, celle-ci se trouve projetée dans un paradis idyllique où elle devient l'épouse d'Éros. Les murs sont en or, les sols sont pavés de pierres précieuses, la nourriture est succulente, les serviteurs invisibles et chaque soir Éros vient rejoindre Psyché dans son lit. Celle-ci vit la béatitude du premier amour, elle « tombe » amoureuse à son tour, elle vit une descente de l'âme mais d'une manière archétypiquement féminine. Ainsi Éros, Amour, a pour mission d'éveiller l'âme humaine, de la faire aspirer à une plénitude. Notons que **dans le mythe mâle de la descente, l'esprit tombe dans la matière. Dans le mythe féminin de la descente, un être terrestre tombe dans les profondeurs :** Perséphone, Alice. Psyché ira aussi en enfer mais elle remontera au ciel à la fin de l'histoire et deviendra une déesse. De même, dans la tradition chrétienne la Vierge Marie s'élève alors que le Christ descend sur terre. Il y a matérialisation du logos masculin et spiritualisation de la matière.

Éros apporte l'excès (comme son palais est excès), fait tomber pour mieux faire remonter, crée un désordre profond pour permettre l'émergence d'un nouvel ordre. Une nouvelle énergie ensemence, stimule, excite, permet un devenir, de nouveaux possibles. Sans Éros la créativité s'étouffe et l'âme ne peut pas croître. La créativité a ses racines dans l'aspiration pour le bien-aimé, l'émergence du moi élargi dans l'âme. Éros crée un monde intermédiaire, procure l'espace et le temps sacrés dans lesquels l'œuvre d'amour et de transformation peut se réaliser. Le monde érotique dans lequel est plongée Psyché est peut-être hautement imaginaire, mais il lui donne des ressources indispensables pour pouvoir ensuite accomplir les tâches qui l'attendent. Tout se passe comme s'il y avait une part de mystère qu'il fallait respecter en nous, une part de non-verbal, comme si le cerveau gauche de la logique ignorait ce que fait le cerveau droit de l'intuition. La trame souterraine de la créativité, de la mise en liaison de nouveaux éléments, se fait dans la fécondité de l'inconscient. Il y a un temps pour respecter ses propres illusions, notamment pour se sentir éperdument amoureux. Ce ravissement à soi-même ne peut pourtant durer trop longtemps, car il deviendrait destructeur. Psyché est confrontée à l'interdit, celui de regarder Éros à la lumière de la lampe, sinon elle le perdra pour toujours.

Comment comprendre cet interdit? Il y a une zone de mystère à préserver entre les êtres (c'était vrai aussi pour Mélusine), dans le paradis premier de l'amour. Deux êtres se regardent chacun eux-mêmes à travers l'autre, il y a ravissement et illusion. Éclairer l'illusion c'est perdre le ravissement, mais c'est permettre aussi à un autre ravissement d'arriver dans une vie. On ne cesse de tomber amoureux, des êtres, des idées, des lieux, et de Dieu. Pendant ce temps de grâce deux êtres sont hors du monde et se sentent étrangers à l'égard de l'ombre que sont la jalousie, la mesquinerie, la rivalité, la méchanceté, etc. Cette ombre va rattraper Psyché sous la forme de ses sœurs. Les stades 1 et 2 du couple sont présents dans cette partie de l'histoire, stade matriciel dans la relation aux parents et dans le paradis amoureux, stade patriarcal dans le rapt de Psyché par Éros et sa soumission de captive.

Les serpents dans le paradis d'Éros sont les sœurs de Psyché. Elles appartiennent au monde réel, elles ont épousé des patriarches qu'elles nourrissent à la petite cuillère et avec lesquels elles ont peu ou pas de rapports sexuels (ceci n'est pas sans rappeler la situation de la femme mariée et soumise dans le patriarcat qui finit par devenir la mère de son mari). Ces sœurs sont plus matures mais aussi plus touchées par la désillusion, la haine, le doute, l'envie. C'est Psyché elle-même qui les appelle car elle se sent solitaire dans son palais doré. Elles la persuadent qu'elle est prisonnière d'une magie, qu'elle n'est pas dans la vraie vie, et qu'Éros est un serpent, démon qu'il faut tuer avec la lampe et le couteau. Elles introduisent le stade de la révolte.

La lampe et le couteau sont de grands symboles classiques. La lampe sert à éclairer les ténèbres, elle est la lumière de la conscience, conscience humaine et non conscience divine comme la lumière du soleil. La lampe de Psyché est une lampe à huile. Il y a dans le mythe d'Éros cette peur d'être vu, cette peur d'être brûlé par le regard, d'être déprécié (si tu me connaissais vraiment, tu ne m'aimerais plus). L'huile brûlante symbolise aussi la passion brûlante, possessive. Le couteau est là pour détruire ou pour discriminer, c'est un symbole masculin, pénétrant. Psyché est donc invitée à se servir à la fois de son principe masculin et de son principe féminin.

Éros dort à côté d'elle, elle allume donc la lampe et aperçoit non pas le monstre qu'on lui avait prédit mais un merveilleux jeune homme. Par ce geste elle est passée de la naïveté à une nouvelle conscience. En examinant les flèches d'Éros elle se pique le doigt et tombe amoureuse du dieu de l'Amour. Elle approche sa lampe du dieu pour mieux le voir mais quelques gouttes d'huile tombent sur le corps d'Éros et le brûlent. Il disparaît aussitôt. Notons que par deux fois c'est l'imprudence dans le maniement des flèches qui infléchit pour Éros comme pour Psyché la courbe du destin : tomber amoureux. S'il n'y avait pas en nous cette innocence dans le risque, sans doute ne serions-nous pas propulsés dans l'évolution.

Psyché essaie de retenir Éros, elle s'agrippe à son pied pendant qu'il s'envole mais elle finit par retomber sur terre. Elle découvre la souffrance de l'absence, le vide de son âme et elle mûrit dans ses tourments. Éros est parti pour toujours car un dieu n'a pas le droit d'être vu sous la forme mortelle. Il retourne chez sa mère pour soigner son chagrin, sa brûlure. Il est brûlé par son propre principe, et par ce feu qui est en lui ; de plus il ne peut rien faire, seule Psyché peut désormais sauver la situation.

Elle va traverser la nuit obscure de l'âme : seule, enceinte, sans amour et souvent suicidaire. Elle tente de se noyer dans la rivière mais la rivière la rejette sur la rive. Le dieu Pan la réconforte et lui donne des conseils paternels. Elle trie des graines pour les dieux mais Déméter la renvoie. Aucun dieu ou déesse ne veut l'aider de peur d'affronter le courroux d'Aphrodite. La déesse va lui proposer quatre tâches impossibles qui constituent **quatre étapes d'initiation** qui symbolisent les épreuves psychologiques et érotiques que chacun doit traverser dans sa quête d'union et de complétude au cours des stades 4 et 5, les stades éclairé et lunaire. Il s'agit de trier les graines, de s'emparer de la toison d'or, de chercher les eaux de la vie, de faire le voyage aux enfers.

1. *Trier les graines*

Aphrodite demande à Psyché de trier avant la fin du jour un énorme tas de graines. C'est le peuple des fourmis qui lui vient en aide dans cette tâche surhumaine. Sur le plan symbolique, cet accomplissement nous renvoie à notre capacité instinctive de trier et d'évaluer en dehors de nos capacités rationnelles habituelles. Les graines représentent aussi le bon grain et l'ivraie dans notre propre vie. Qu'avons-nous fait des germes qui étaient et sont en nous ? Sur quelles ressources de notre être pouvons-nous compter ? Au quatrième stade éclairé les êtres font le bilan de tout ce qu'ils ont amassé comme moisson au cours de la vie et ils font le tri. Eux aussi ne peuvent compter pour cela que sur leur capacité globale de synthèse et d'intuition. Les fourmis sont aussi le principe féminin dans son souci d'aide et d'entraide.

2. *S'emparer de la toison d'or*

Aphrodite demande alors à Psyché de s'emparer de la toison d'or des brebis qui paissent de l'autre côté du fleuve. Psyché ne sait pas que ces brebis sont enragées et tuent ceux qui les approchent. Le bélier et la toison d'or expriment la force créatrice et destructrice du soleil.

Psyché, au désespoir devant l'énormité de la tâche, tente de se noyer mais un roseau lui vient en aide. Il lui révèle qu'elle ne doit s'approcher des brebis que le soir venu, lorsque leur agressivité masculine et solaire est retombée pour faire place à un apaisement féminin. Des flocons de toison sont accrochés au buisson, de l'autre côté du fleuve. La sagesse du roseau est féminine, elle sort des profondeurs aquatiques, elle a le sens de l'action juste au bon moment. Le moi-roseau des états modifiés de conscience sait des choses que le moi-roseau ordinaire ne sait pas. Le moi-roseau sait que tout est possible au niveau du paradoxe et de l'intuition. C'est l'intuition lunaire qui permet de conquérir la force solaire. La rencontre avec le principe masculin, dans ce qu'il a d'agressif mais aussi de conquérant et de créateur, s'amorce.

3. *Chercher les eaux de la vie*

Ainsi Psyché dispose maintenant des semences et de la force solaire, elle va maintenant trouver les eaux de la vie. Aphrodite lui donne un vase en cristal qu'elle doit remplir d'eau puisée en haut d'une montagne et qui se jette dans le fleuve des enfers. La montagne est trop abrupte pour être escaladée et la grotte est gardée par des dragons. Les dragons représentent les gardiens du seuil, ils ne laisseront pas passer ceux qui les abordent par la soumission.

Psyché est désespérée : le conte de *L'Âne d'or* d'Apulée dit qu'il ne lui restait même plus la consolation des larmes. C'est alors qu'elle reçoit de l'aide. Zeus lui envoie son aigle. Par lui nous apprenons que même les dieux sont incapables de recueillir les eaux de vie. L'aigle vole avec précision, évite les dragons et remplit le vase de cristal qui est dans son bec. Dans cette troisième tâche c'est l'aide qu'il faut retenir, aide extérieure qui vient de l'esprit masculin, de l'*animus* de Psyché. A quelle alliance masculine puis-je faire appel dans ma vie ? Est-ce que j'ai foi dans une aide d'ordre supérieur ? Est-ce que j'ai confiance dans mon étoile ? Est-ce que je suis audacieuse et déterminée quand il le faut ? Est-ce que je fais confiance à la grâce ? Le masculin supérieur se manifeste.

Ainsi, d'épreuve en épreuve, Psyché intègre de mieux en mieux les forces et les connaissances masculines et féminines.

4. *Le voyage aux enfers*

Aphrodite ordonne alors à Psyché de descendre aux enfers pour demander à Perséphone un flacon de son parfum. Psyché, une fois de plus, se désespère et envisage de sauter d'une tour. Mais la tour se révèle une alliée qui lui donne des instructions très précises :

— Aux abords d'une ville se trouve le trou de Dis qui la conduira aux enfers.

— Elle ne doit pas aider l'ânier boiteux.

— Elle doit porter dans sa bouche deux pièces de monnaie et un pain dans chaque main.

— Elle donnera une pièce à Charon à son entrée aux enfers et une pièce à la sortie.

— Elle doit dire non à la main putréfiée qui lui demande de l'aide, à tous ceux qui l'arrêteront en chemin d'une manière générale et en particulier à l'homme qui tresse les fils blancs et noirs de l'ambiguïté et aux vieilles femmes qui tissent la toile de la destinée.

— Un pain est destiné à Cerbère, le chien à trois têtes qui monte la garde au seuil des enfers, et un autre pain à la sortie.

— Elle doit refuser de festoyer avec Perséphone et

ne manger que du pain sec. Dès qu'elle sera en possession du flacon de parfum, elle devra rebrousser chemin sans ouvrir le flacon, quelles que soient les circonstances.

La tour symbolise la connaissance et la sagesse d'une civilisation, elle est celle qui veille, la conscience qui discrimine les choses. Quelle est la tour prépondérante dans ma vie ? Est-ce ma profession, ma culture, ma famille, mes amis ? Est-ce une discipline que je pratique ?

La tour demande à Psyché du discernement dans la générosité. La femme notamment, toujours disponible dans la famille, ne doit pas se laisser distraire de son objectif et de son effort. Ce qui revient à apprendre le non créatif — non à l'ambiguïté, non aux tisseuses de la vie des autres, c'est-à-dire rester centrer sur la sienne. Ne pas secourir l'homme mort, ne pas festoyer dans des lieux négatifs ou dangereux, ne pas festoyer avec n'importe qui. Psyché rencontre Isis-Perséphone et se voit offrir la beauté et la vie éternelles. Ce voyage aux enfers est une initiation à la féminité dans ce qu'elle a de profond et d'ultime, les forces de la déesse-mère. Nous sommes au cinquième stade.

Mais sur le chemin du retour Psyché cède à la tentation et ouvre le flacon. Aussitôt elle perd tout le bénéfice de son éveil et tombe dans le sommeil de sa vieille conscience. Elle a perdu son paradis érotique pour le développement spirituel et au dernier moment elle est retombée dans son ancien schéma. C'est ainsi que nous retombons souvent dans nos erreurs anciennes malgré tous nos efforts d'évolution.

De la même manière, certaines femmes se déportent de leur conscience droite, adoptent une attitude penchée de séduction avec l'homme dans la relation. Au lieu de rester elle-même, la femme se soumet au désir de l'homme parce qu'elle a peur de mettre en danger la relation. Elle maintient aussi l'homme dans l'inconscience par cette attitude et ne lui permet pas de devenir conscient de son *anima*. Cette séduction provoque la mort de la conscience de Psyché qui s'endort. Psyché est prête à mourir, à abandonner ses tâches et c'est alors qu'intervient Éros. Le garçon blessé et impuissant devient un homme intrépide et un sauveur. A quel moment dans nos vies le personnage d'Éros peut-il venir à notre secours ? Il y a un moment juste pour intervenir et, durant tout le temps des épreuves de Psyché, Éros ne pouvait l'aider. **Il y a un va-et-vient, une aimantation entre le monde idéal et le monde terrestre.** C'est une dynamique de ce type qui est à l'œuvre avec le bien-aimé de l'âme. Cette dynamique s'applique aussi à toute relation profonde, amoureuse ou amicale.

Éros ayant dispersé le sommeil de la mort des yeux de son aimée, ils s'envolent pour l'Olympe où Zeus consent à leur union. Leur enfant sera « Voluptas », non pas seulement la personnification du plaisir sensuel mais aussi le oui à la vie.

Dans la recherche du bien-aimé de l'âme, Psyché s'est trouvée plongée dans la découverte de l'intuition, de la sagesse, de la discrimination, de la connaissance, et ses ailes puissantes et translucides en font l'image de l'appel au devenir et à la transformation. L'âme rejoint le plan supérieur par l'intervention de l'amour, d'Éros guéri et renouvelé par son séjour chez les dieux. Il y a un double mouvement dans l'évolution. D'une part, Psyché fait un voyage dans l'inconscient de plus en plus profond jusqu'à descendre dans les enfers, elle intègre des ressources nouvelles masculines et féminines, elle se développe, elle devient consciente. D'autre part, son avidité lui fait tout compromettre au dernier moment et elle n'est sauvée que par l'intervention de son principe complémentaire supérieur. Le mariage sacré, consacré par l'autorité de Zeus, est bien réalisé mais dans un plan supérieur. On passe du cinquième au septième stade. L'ouverture du flacon c'est la chute, l'échec de la rencontre de conscience entre l'homme et la femme, la chute dans la séduction et donc dans une relation dominant/dominé recommencée. Seule l'espérance, la foi, l'intervention supérieure d'Éros sauvent idéalement le couple.

Nous avons dans ce récit des éléments symboliques pour mieux comprendre le septième stade. En chacun de nous, homme ou femme, l'âme a une prise de conscience à faire, une complémentarité à réaliser entre le masculin et le féminin, avant d'aborder l'unité du noyau intérieur que Jung appelle le Soi. C'est le voyage du processus d'individuation ou de réalisation que chaque être humain se propose de parcourir. Les six premières étapes permettent d'aller de l'inconscient au conscient, en passant par des épreuves qui emmènent l'être toujours plus loin dans l'exploration de son inconscient. Psyché et Éros sont d'abord dans un stade matriciel avec leurs parents et dans le fusionnel de leur amour idyllique. Le rapt de

Psyché par Éros et la soumission de Psyché à Éros dans son royaume sont patriarcaux. Le stade de la révolte commence avec les doutes des sœurs qui sont aussi un aspect de Psyché et prend l'aspect coupant de la rupture avec l'attaque de la lampe et la fuite d'Éros. Psyché entreprend ensuite le parcours de réparation, elle est enceinte du fruit de l'union, elle ne peut plus retourner en arrière, retourner dans sa famille comme une jeune fille. Elle doit aller de l'avant pour retrouver Éros. Tous ceux qui ont commencé une histoire de couple et qui ont échoué sont dans la même situation qu'elle, même si l'enfant qu'ils portent est sourtout un enfant intérieur, l'enfant-roi du Soi. Les stades 4 et 5 tentent de rassembler l'intuition, la raison, les forces masculines solaires et les forces chtoniennes de la déesse-mère pour parvenir au sixième stade qui représente une étape terrestre. Cette étape n'apparaît pas dans le mythe de Psyché et Éros et c'est bien ce qui fait dire à M. L. von Franz, dans son commentaire du conte : « L'intégration de l'aspect divin, transpersonnel et libérateur du mariage sacré, est un problème essentiel encore demeuré sans solution. » Il y a comme un tour de passe-passe, une descente du divin sur la terre et une remontée vers le divin pour que l'union soit réalisée et que naisse l'enfant-soleil.

Or cette étape terrestre du sixième stade dans l'état actuel de la conscience collective est en train de devenir possible. L'amour s'incarne. Le mariage sacré s'intègre de manière terrestre.

L'aspiration au septième stade n'en demeure pas moins présente, parce qu'il est allégement et perception de l'ordre subtil des choses. Plus le mariage sacré devient terrestre, plus il aspire à l'extra-terrestre, au plus que terrestre. S'agit-il d'un mariage intérieur à l'être ou d'une qualité de la rencontre ? Selon qui nous sommes, nous pouvons privilégier l'un ou l'autre aspect, ou les deux. Mais Éros ne rencontre pas seulement Psyché pour la faire grandir et l'élever au rang de déesse, Éros et Psyché se proposent de vivre éternellement **dans la volupté de l'être.**

Le couple éveillé

Le couple de l'âme est éveillé à une perception plus subtile. Il est un peu comme une forme invisible qui planerait au-dessus de tous les couples et qui s'incarnerait par moments privilégiés. Il reste un horizon et il a la même importance que l'horizon, il donne de l'espace et de l'illimité là où il y aurait trop de limites et de défini.

L'Autre m'est à jamais inatteignable, quel que soit l'intensité de l'amour qui m'anime. L'autre m'échappe, il n'est jamais là où je crois le trouver. Mais en même temps j'ai cette merveilleuse capacité humaine de pouvoir me projeter, m'identifier à lui, ressentir ce qu'il ressent ou m'imaginer ressentir ce qu'il ressent. Je suis le créateur des sensations que j'ai de lui et c'est ma manière de le connaître, de le décrire, de me le raconter. A chaque instant je suis identifiée à mon corps, j'ai le sentiment du moi et je peux aussi m'identifier à un paysage, à une pierre, à un animal et surtout à un autre être humain. Je te ressens, je te devine, je suis toi. **La folie de l'amour c'est de vouloir devenir l'autre et devenir l'autre pour s'oublier soi-même. La sagesse de l'amour c'est de savoir entrer et sortir.** Je deviens toi, je reviens à moi. J'acquiers comme une légèreté de l'être à me démultiplier, et paradoxalement c'est ainsi que je me rapproche le plus du sentiment d'unité qui est mon horizon et ma nostalgie.

Divine légèreté de l'être. Quand puis-je espérer la respirer ? Il y a des êtres qui semblent constamment ou souvent en présence de l'impalpable et qui vous le font ressentir. Peut-on cultiver cette dimension ? Y a-t-il des couples qui sont reliés entre eux par ce délice invisible ? Le sentiment d'amour n'opère-t-il pas cet allégement ? La connaissance du septième couple est déjà là, dès le premier couple, dès les prémices amoureuses, et dans le lien avec la mère. Nous nous vivons reliés — donc religieux, donc accomplis. J'ai accès, au creux de moi, à ce savoir qui est déjà là. Mais il y a les sept stades d'un tour de spirale entre le moment où je suis la graine et celui où je suis le fruit.

A l'occasion de toi je traverse toutes les errances de la peur et de l'ombre, toute ma complicité avec la destruction et la mort, avec la coupure, et je réaffirme la force de vie et ses pluies de lumière, je salue ta noblesse intemporelle et je la reconnais comme mienne.

Beaucoup de couples font naufrage et ne parviennent jamais aux rivages du septième stade. Poids de la chair et de la différence, mais aussi poids de la coupure entre le sexe et le cœur. Quand j'ai médité avec une femme, disait un ami, je ne peux plus faire l'amour avec elle de la même façon. Côte à côte, entrer dans un autre espace-temps qui n'est plus fait de pensées mais d'un pur *ressentir,* d'un ressentir d'autant plus pur qu'il est lien vertical entre le ciel et la terre, axe d'harmonie. Si simple. **Ton visage est sorti du temps et m'apprend l'éternité.** Nos corps s'aiment, nos âmes s'envolent. Combien de corps à corps nous faudra-t-il, combien de corps, combien de vies, pour que nos âmes se polissant l'une l'autre incarnent l'harmonie d'une communion ? Les questions sont plus importantes que les réponses. Le surgissement magique de la musique des âmes est à lui-même réponse.

Les yeux sont les fenêtres de l'âme. La rencontre des yeux est d'une sublime ardeur. Tout l'être s'élance et contacte la secrète profondeur jusqu'à la transparence. Dans cet au-delà des mots, il y a un partage vibratoire, une ténuité presque palpable. J'aime tant ressentir que la lumière qui se reflète dans mes yeux est celle qui vient aussi de tes yeux.

Le couple méditant, le couple tantrique, le couple poète, le couple des regards, des pensées, des attentions, des offrandes, des musiques sanctifient leur rencontre, opèrent la traversée du miroir, établissant ainsi une échelle arachnéenne entre le naturel et le surnaturel.

Soyons amoureux encore et toujours, amoureux de tout, vivant de tout dans la claire lumière. Ne nous désolons pas si nous découvrons que plus nous nous approchons de la lumière, plus nous découvrons notre ombre. Je t'aime, même si peu, même si mal, même si je ne sais pas aimer. Cette humilité est un humus pour l'amour. Doux et humble de cœur, léger, si léger comme un enfant, comme un pauvre d'esprit, amoureux de l'instant et n'accumulant rien, même pas un savoir sur l'amour. L'amour est à lui-même sa réponse en même temps qu'il éveille l'âme à sa sagesse.

Bibliographie sommaire

L'Art de l'extase sexuelle, de Margo Anand Naslednikov, éd. Guy Tredaniel, préface de P. Salomon.

De l'amour du pouvoir à la puissance de l'amour, de Jean-Jacques Crévecœur, éd. Feluy en Belgique, préface de P. Salomon.

« Être à deux ou les traversées du couple », recueil d'articles signés Annick de Souzenelle, Arnaud Desjardins, Jacques Salomé, Paule Salomon..., *Question de*/Albin Michel.

Aimer et se le dire, Jacques Salomé, éd. de l'Homme.

Aimer d'amitié, Jacquelin Kelen, coll. « Réponses », Robert Laffont.

Ces hommes qui ont peur d'aimer, Steven Carter, Julia Sokol, éd. Stanké.

Ces femmes qui aiment trop, Robin Norwood, éd. de l'Homme.

La Fille de son père, Linda Shierse Leonard, Le Jour éditeur.

Le Parcours de l'héroïne ou la féminité retrouvée, Maureen Murdock, Dangles.

Les Relations source de croissance, Hal et Sidra Stone, Le Souffle d'or.

Le Dialogue intérieur, Hal et Sidra Stone, Le Souffle d'or.

Fondements énergétiques du dialogue intérieur, Robert Stamboliev, Le Souffle d'or.

Réinventer le couple, Carl R. Rogers, Robert Laffont.

Changer ensemble, Susan M. Campbell, éd. de l'Homme.
Le Couple, Suzanne Lilar, Grasset.
Le Révél'Amour, Bernard Leblanc-Halmos, L'Être-Image.
L'Âne d'or. Interprétation d'un conte, Marie-Louise von Franz, La Fontaine de pierre.
La Femme dans les contes de fées, Marie-Louise von Franz, La Fontaine de pierre.
L'Âne d'or ou les métamorphoses, Apulée, Gallimard/Folio.
Les Racines de la conscience, C. G. Jung, Buchet/Chastel.
Les Liens de l'amour, Jessica Benjamin, Métailié.
XY de l'identité masculine, Élisabeth Badinter, Odile Jacob.
Les Odyssées du féminin, Pierre Solié, Séveyrat.
Terre-Patrie, Edgar Morin, Seuil.
La Spiritualité du corps, Dr Alexander Lowen, éd. Dangles.
La Mâle peur, Dr Leleu, J'ai lu.
Le Très-Bas, Christian Bobin, Gallimard.
Séraphîta, Honoré de Balzac, P. J. Oswald.
Cent douze méditations tantriques. Le Vijnana-Bhairava, traduit et commenté par Pierre Feuga, L'Originel.
Yoga, Nidra Swami Satayananda, éd. Satyanandashram.
Rubâi yât, Djalâl-od-Dîn Rûmî, coll. « Spiritualités vivantes », Albin Michel.
Le Cantique des cantiques, traduit par Yann le Pichon, Mercure de France.
L'Amour courtois, Jean Markale, Imago.

Paule Salomon a créé un Centre d'Éveil dans le Midi de la France. Elle anime toute l'année différents stages.

Le stage du « Créateur » est destiné à apporter une connaissance de soi, une joie de vivre, une capacité à dédramatiser, un développement du pouvoir créateur et de l'imagination.

Le stage « Relation de couple » permet de comprendre et de dépasser les écueils d'une relation, par la prise de conscience du couple intérieur en chacun.

Le stage « Femme solaire », réservé aux femmes, est une expérience profonde pour dépasser la blessure culturelle transmise de mère en fille, pour développer l'homme intérieur et le rayonnement de l'être dans l'axe sexe-cœur-tête.

Pour tous renseignements sur les dates, écrire avec un timbre pour la réponse au Centre d'Éveil : B.P. 6, 06530 Cabris.

Table

DU MÊME AUTEUR

L'Enfant-Soleil, roman, Pierre Belfond.
Le Manuel de la vie naturelle, Pierre Belfond (en collaboration avec Claude Barreau), 1985.
Le Livre des Possibilités, Robert Laffont (en collaboration avec André Bercoff et Nicolas Devil).
Tome I : *Tout.*
Tome II : *Un = Nu.*
Tome III : *Nous.*
Les Aventuriers de l'esprit, Albin Michel, 1979.
La Parapsychologie et vous, Albin Michel, 1980.
Corps vivant, Albin Michel, 1983.
La Magie de la perle noire, Times Editions, 1987.
La Femme solaire, Albin Michel, 1991.

La composition de cet ouvrage
a été réalisée par l'Imprimerie BUSSIÈRE,
l'impression et le brochage ont été effectués
sur presse CAMERON *dans les ateliers de B.C.A.*
à Saint-Amand-Montrond (Cher).

Achevé d'imprimer en août 1994.
N° d'édition : 13816. N° d'impression : 1725-94/579.
Dépôt légal : septembre 1994.